«Mamá, *¡me siento gorda!*»

ELOGIOS PARA «*Mamá, ¡me siento gorda!*»

«En esta era de modelos ideales, fotografías retocadas y una familia debilitada, los trastornos alimenticios entre las jóvenes se han transformado en un verdadero problema. Sharon Hersh no solo escribió un libro oportuno, sino un libro que equipará a las madres y a los padres a medida que crían a sus hijas. ¡Es la ayuda y la esperanza que necesitan los padres hoy en día!».

DENNIS RAINEY, director ejecutivo de *Family Life*

«¡Al fin, un libro que dice en voz alta la preocupación secreta de la mayoría de las mamás! Este libro no solo está lleno de consejos acerca de los trastornos alimenticios, sino que también tiene preguntas magníficas para provocar conversaciones más profundas entre cualquier madre e hija».

SUSAN ALEXANDER YATES, autora de varios éxitos de librería, incluyendo *And Then I Had Teenagers: Encouragement for Parents of Teens and Preteens*

«Este libro provee información excelente a fin de prevenir trastornos alimenticios y ofrece esperanza y sabiduría para las madres de las hijas que están luchando».

WARD KELLER, presidente del *Remuda Ranch Center for Anorexia and Bulimia, Inc.*

« "*Mamá, ¡me siento gorda!*" es oportuno, informado desde el punto de vista cultural, realista y con base bíblica». Este libro abrirá las vías de comunicación entre madre e hija acerca de temas sobre los que nuestras hijas se mueren literalmente por hablar».

WALT MUELLER, fundador y presidente del *Center for Parent/Youth Understanding*

«Este libro bien escrito no es una fórmula para una solución fácil de las complejas luchas respecto al trastorno alimenticio, sino un recurso sincero, refrescante y práctico para las familias que luchan por superar un desafío serio para la salud de las jóvenes. Cualquiera que se preocupe por la situación difícil de las jóvenes de hoy, se beneficiará al leer *"Mamá, ¡me siento gorda!"*. En verdad, se lo recomiendo a los padres, las adolescentes, los que trabajan con jóvenes y los maestros... en resumen, a todos los que estén en un lugar de influencia».

BRETT ANDREWS, director nacional de capacitación para Juventud con una Misión en Canadá

«Sharon Hersh escribió un recurso sensible, juicioso y valioso en gran medida para las madres de muchachas. Su aliento para amar a nuestras hijas como nos ama Dios, para tener fe en nuestro corazón de madre y ser auténticas con nuestras hijas es muy sabio. Este libro nos ayudará a criar jóvenes con imágenes corporales y autoestimas saludables y a crear un vínculo entre madre e hija que dure toda la vida».

SANDY RICHARDSON, directora ejecutiva de la fundación *Remuda* y autora de *Soul Hunger*

«Mamá, *¡me siento gorda!*»

Transfórmate en la aliada de tu hija en el desarrollo
de una imagen corporal saludable

sharon a. hersh

EDITORIAL UNILIT

Sepa

Publicado por
Editorial Unilit
Miami, Fl. 33172
Derechos reservados
© 2008 Editorial Unilit (Spanish translation)
Primera edición 2008

© 2001 por Sharon A. Hersh
Todos los derechos resevados.
Originalmente publicado en inglés con el título:
Mom, I feel fat! por Sharon A. Hersh.
Publicado por WaterBrook Press,
una división de Random House Inc.
12265 Oracle Boulevard, Suite 200
Colorado Springs, CO 80921 USA
Publicado en español con permiso de WaterBrook Press,
una división de Random House, Inc.

Todos los derechos de publicación con excepción del idioma inglés son contratados
exclusivamente por GLINT, P. O. Box 4060, Ontario, California 91761-1003, USA.
(All non-English rights are contracted through: Gospel Literature International,
PO Box 4060, Ontario, CA 91761-1003, USA.)

Traducción: Gabriela De Francesco de Colacilli
Fotografías de la portada: ShutterStock

Los nombres en las historias se cambiaron para proteger la identidad de los personajes.

A menos que se indique lo contrario, las citas bíblicas se tomaron de la Santa Biblia,
Nueva Versión Internacional. © 1999 por la Sociedad Bíblica Internacional.
Las citas bíblicas señaladas con TLA se tomaron de la *Biblia para todos,* © 2003.
Traducción en lenguaje actual, © 2002 por las Sociedades Bíblicas Unidas.
Las citas bíblicas señaladas con DHH se tomaron de *Dios Habla* Hoy,
la Biblia en Versión Popular por la Sociedad Bíblica Americana, Nueva York.
Texto © Sociedades Bíblicas Unidas 1966, 1970, 1979.
Las citas bíblicas señaladas con LBD se tomaron de la Santa Biblia, *La Biblia al Día.*
© 1979 por la Sociedad Bíblica Internacional.
Las citas bíblicas señaladas con LBLA se tomaron de la Santa Biblia, *La Biblia de Las
Américas.* © 1986 por The Lockman Foundation.
El texto bíblico señalado con RV-60 ha sido tomado de la versión Reina Valera © 1960
Sociedades Bíblicas en América Latina; © renovado 1988 Sociedades Bíblicas Unidas.
Utilizado con permiso.

Producto 496826
ISBN 0-7899-1533-2
ISBN 978-0-7899-1533-7
Impreso en Colombia
Printed in Colombia

Categoría: Vida cristiana/Relaciones/Crianza de los hijos
Category: Christian Living/Relationships/Parenting

Para mi madre,
que me enseñó que incluso el fracaso conduce al amor.

Contenido

PRÓLOGO

Estoy segura de que a mi madre le habría encantado poder tener este libro. Me observó viajar por un camino de destrucción personal durante mi adolescencia. Anhelaba viajar conmigo, señalarme la salida o tomar el volante. Sin embargo, era mi viaje. Tuve que encontrar el control y la independencia en una parte de mi mundo que era mía por completo... lo que me llevaba a la boca.

A medida que perdía peso sin cesar, llegando a treinta y un kilos en mi último año del instituto, mi adicción a la pérdida de peso crecía de firme. Siempre me sentía fatigada, retraída en lo emocional y confundida en lo espiritual. Mis períodos se detuvieron, se redujo mi cabello y tenía frío día y noche. Mi familia y mis amigos estaban alarmados, lo cual es comprensible, pero mi madre estaba deshecha. Ella, la que me trajo al mundo y era una mamá afectuosa de talla mundial, quería ayudar. Y quería saber el *porqué*.

Era una época frustrante para las muchachas con trastornos alimenticios. A diferencia de hoy, no había libros ni artículos con investigaciones y consejos. La imagen corporal no se trataba y la anorexia era solo el término clínico para la falta de apetito. Sin duda, parecía tener anorexia (aunque a menudo sentía un hambre devoradora, pero aprendí a pasar por alto, y hasta disfrutar, el hambre), pero muchos exámenes médicos no proporcionaban pistas. Me enviaban a casa con una dieta para subir de peso: tres huevos, tocino y tostadas todas las mañanas, batidos, carne de vaca y papas. Con la verdadera moda de «enfrentar el mundo con una sonrisa» que había aprendido, sonreía, aceptaba la dieta y tiraba la comida con discreción.

Muchos años más tarde, luego de un largo proceso de sanidad (¡el cual todavía sigue!) de acuerdo con los tiempos de Dios, miro atrás y hago la pregunta de mi madre: *¿Por qué?* ¿Por qué sería que una chica sin exceso de peso se uniría a su mejor amiga en una dieta relámpago... y luego seguiría haciéndola durante más de siete años?

¿Por qué sería que alguien arraigada en la iglesia, criada en un hogar cristiano y que se toma en serio su fe cristiana casi se mata de hambre mientras que a la vez nunca faltaba a la iglesia? ¿Por qué se sentiría, en un peso esquelético, *gorda*?

Hasta hoy, no sé todas las respuestas a mis preguntas. Sin embargo, Sharon Hersh tiene reflexiones poderosas acerca de las razones por las que las muchachas caen presas de la mentira de la importancia de un cuerpo ideal. *«Mamá, ¡me siento gorda!»* no solo me ayuda a comprenderme, sino que me proporciona los recursos para identificarme con mis tres hijas. Ciertas presiones inicuas, exigencias culturales y tácticas del Enemigo están dirigidas de manera única a las muchachas. La mejor defensa de un padre es burlar al Enemigo... al estar informado y al poner en práctica los principios de Hersh.

Para esos que amen a una hija atrapada en la trampa de un trastorno alimenticio, anímense. Como te garantizará este libro, su Creador, el cual es su padre perfecto y el que ama su alma, ¡se preocupa por ella más que tú! Tus oraciones, tu amor y tu sabiduría son las claves para su salud. El «final de mi historia» debería alentar a cualquiera que se enfrente a una batalla con un trastorno alimenticio: Por la gracia de Dios, estoy casada con un hombre maravilloso y soy la ocupada madre de cinco hijos increíbles. La fidelidad de Dios, no la mía, me sacó de las horas oscuras de mi alma. Respondió las oraciones de un corazón de madre: las oraciones de *mi* madre. Y mi oración es que *«Mamá, ¡me siento gorda!»* te prepare en la defensa de tu hija, al saber que con Dios, todas las cosas son posibles.

DEBBIE SMITH, compositora, esposa de Michael W. Smith
y madre de Ryan, Whitney, Tyler, Anna y Emily

Reconocimientos

Mi profundo amor...

A mi esposo, Dave. Eres mi ancla y mi aliado.

A mi hijo, Graham, quien se pregunta si alguna vez escribiré un libro acerca de los muchachos. Es probable que no. Eres el mejor.

A mi hija de *corazón valiente*, Kristin. Gracias por dejarme contar nuestras historias. Este libro es tan tuyo como mío.

Mi mayor respeto...

A las madres e hijas que me han permitido ser parte de sus vidas y mostrar sus luchas, historias, éxitos y fracasos.

A mis amigas Shari Meserve, Joan Shearer y Cathy McWilliams por sus perspectivas y apoyo durante la escritura de este libro.

Mi sincero agradecimiento...

A Don Pape y a Shaw Books por creer en este libro y por tener la pasión de alentar a las madres a sacar el mayor provecho de su crianza.

A mi editora, Traci Mullins, de *Eclipse Editorial Services*. ¡Nuestra alianza no solo produce ideas frescas y buena literatura, sino que también me motiva a crecer y me deleita con el gozo de una relación rica!

«Gorda» no es un sentimiento

La crianza es una tarea misteriosa.
Primero creas un lazo íntimo y absorbente con tu
hija, luego pasas el resto de tu vida aprendiendo
a soltarla[1].

JUDY FORD y AMANDA FORD, *Between Mother*
and Daughter

Misteriosa. Milagrosa. Desesperante. Las tres palabras son sinónimas adecuadas para la crianza.

Misteriosa. Tal vez el misterio comenzara para ti, como lo fue en mi caso, cuando descubriste que ibas a tener un bebé... que ibas a ser madre.

Milagrosa. ¿Recuerdas el momento cuando el médico o la agencia de adopción anunciaron: «¡Es una niña!»? No sé tú, pero yo apenas podía contener la alegría de ese momento.

Desesperante. Y todas conocemos nuestros momentos de desesperación en la crianza... cuando nuestra hija muerde a la niñera o escribe con un rotulador en la pared de su dormitorio.

Te contaré uno de mis momentos desesperantes, el cual ocurrió no hace mucho tiempo y plantó una de las semillas para este libro.

—Mamá, ¡estoy gordísima! Luzco horrible. No puedo ir a la escuela hoy —alegó mi hija, Kristin.

—No estás gorda. Luces bien.

Intenté responder con calma y seguridad. Ya habíamos tenido esta conversación.

—Estoy gorda. Mira mis piernas. Estaría bien si solo pudiera cortarme el cuerpo desde la cintura para abajo.

Volví mi atención a limpiar la mesa del desayuno y cargar el lavaplatos, con la esperanza de que si obviaba los comentarios de mi hija, se iría feliz a la escuela.

—Me siento espantosa —gimió Kristin—. Nada de lo que me pongo luce bien. ¿No hay alguna pastilla o algo que pueda tomar para perder peso? Lo digo en serio. ¡No puedo ir a la escuela!

El temor se apoderó de mi corazón y me hizo parar en seco. No sabía qué decir. Como terapeuta, conocía demasiado bien el potencial de los trastornos alimenticios característicos de la anorexia y la bulimia, lo mismo que la epidemia de las dietas entre las adolescentes.

—No estás gorda —respondí con firmeza.

—¡Es que no comprendes, mamá! ¡No comprendes!

Kristin se dirigió a su habitación, con lágrimas que le comenzaban a correr por las mejillas.

—Quizá podamos tomar juntas una clase de aeróbicos después que salgas de la escuela —dije mientras se iba, aferrándome a cualquier cosa que desviara la conversación hacia un rumbo más positivo.

—¡Lo sabía! —gritó Kristin con más fuerza—. ¡Tú también piensas que estoy gorda!

Siempre que les cuento a otras madres esta conversación con mi hija, se ríen y gimen, al comprender enseguida este conocido campo minado en el que las mamás intentamos transitar repetidas veces. Tal vez una conversación como esta con tu hija te motivara a elegir este libro.

O quizá te atrajera este libro porque conoces las estadísticas acerca de los trastornos alimenticios y temes que tu hija se enrede en estas conductas que amenazan la vida. Tus temores tienen fundamento. Las estadísticas más recientes de *Eating Disorders Awareness and Prevention* informan que «*al menos* el cuarenta por ciento de todas las adolescentes sufre de alguna clase de trastorno alimenticio»[2]. Y los estudios sugieren que las muchachas comienzan a preocuparse por la imagen corporal a temprana edad. Hace más de cator-ce años, un estudio de niñas entre nueve y diez años descubrió que el cincuenta por ciento de las niñas de nueve años pensaban que eran gordas, ¡y el ochenta por ciento de las de diez años se sentían gordas![3] Es aterrador considerar cómo las chicas en el nuevo milenio se sien-ten consigo mismas.

Ahora bien, ¡no te aterrorices! Deja las páginas amarillas y no busques a un especialista en imagen corporal para ayudar a tu hija. *Nadie está mejor equipado que tú para ayudarla a través de este terreno confuso.* Desde mi momento desesperante con mi hija, he aprendido mucho acerca de ella y de mí, y he descubierto que sus inquietudes inevitables acerca de la pérdida de peso y la imagen corporal pueden ser regalos maravillosos para nuestra relación. Sí, *regalos.*

¡Este libro está lleno de buenas noticias! Puedes entrar al mundo de tu hija, conectarte con ella y hablar acerca de los temas delicados de la imagen corporal y conductas alimenticias, mientras desarrollan una relación encantadora. Puedes ayudarla a identificar y a enfrentar las miles de emociones que siente mientras crece, ayudarla a com-prender que «gorda» no es un sentimiento. Y en una cultura en la que a tu hija la bombardean con imágenes brillantes y superficiales de mujeres delgadas, puedes ser un espejo en el que logre mirarse sin temor, a medida que reflejas comprensión, seguridad, sabiduría y amor.

Este libro trata acerca de transformarse en la aliada de tu hija y de desarrollar una imagen corporal saludable y prevenir los trastor-nos alimenticios. Con todo, también examina la manera en que una mamá con una hija que se interesa un poco en el trastorno alimen-ticio, o que ya está atrapada en uno, puede ser una aliada para su hija, a fin de superar esta conducta peligrosa.

Transfórmense en aliadas. Parece bueno, ¿no es así? Resulta esti-mulante descubrir que en medio de los desafíos de criar a una hija, pueden transformarse no solo en madre e hija, ni en amigas, sino que también pueden transformarse en aliadas. Un aliado es alguien que conoce al enemigo, comprende la batalla y siempre está listo para dar una mano. Este libro te ayudará a ser la aliada más eficiente y pode-rosa posible para tu hija. Y a medida que fortaleces este lazo con ella, tendrás oportunidades de experimentar la realidad de la promesa de Dios: «Más valen dos que uno, porque obtienen más fruto de su esfuerzo» (Eclesiastés 4:9).

En los siguientes capítulos, quiero ayudarte a construir el marco de referencia para transformarte en la aliada de tu hija de tres maneras: en primer lugar, al comprender el mundo de tu hija, así como al comprender el tuyo. Observarás de cerca tus propias ideas y experiencias con respecto a la imagen corporal y el control del peso. Además, explorarás formas de comprender el mundo de tu hija y su vida emocional con sabiduría y compasión. En segundo lugar, te ayudaré a descubrir la mayor cantidad posible de medios para cerrar la brecha entre sus dos mundos. Aunque parezca mentira, las preguntas y luchas de tu hija con respecto a la imagen corporal, las dietas y otras ideas acerca de la alimentación y el cuidado personal pueden transformarse en los medios más poderosos para conectarlas a las dos. Por último, echarás un vistazo a algunas de las barreras que pueden impedir que te transformes en la aliada de tu hija e incluso descarrilarte por completo de una relación.

A través de este libro, verás secciones tituladas «Solo para ti» y «Solo para las dos». Las preguntas y ejercicios prácticos de estas secciones están diseñados para ayudarte a lidiar con tus propias actitudes acerca de la crianza, la cultura, la alimentación, la pérdida de peso, la imagen corporal y otras cosas, y luego para inspirarte a trasladar tu propia experiencia y comprensión al caminar de la mano con tu hija por este territorio. No te sientas presionada a contestar todas las preguntas ni a realizar todos los ejercicios de inmediato. Tal vez los quieras elegir en función de la edad de tu hija y las preguntas y luchas actuales. Estas secciones pueden ser un recurso continuo para ayudarte a descubrir muchas de las maneras posibles en que puedes responderle a tu hija desde un corazón libre para amar con propósito y pasión.

A medida que tu hija se acerca y entra a la adolescencia, ¡puedes estar segura de que habrá algunos momentos más de desesperación en la crianza! No obstante, a medida que camines de la mano con tu hija, también puedes estar segura del misterio y los milagros que les esperan a las dos.

Primera parte

Comprende sus mundos

Conocer a nuestros hijos, conocer a cualquiera en realidad, es una calle de doble circulación. Llegamos a conocer a alguien basados en la manera en que respondemos a lo que somos. Sin embargo, condicionados por los pediatras que más venden, por los desarrollistas de la infancia y los expertos en terapia, solo escuchamos a nuestros hijos y no entregamos nada. Al hacerlo, perdemos nuestra parte en la ecuación [...] El deleite en [la relación] solo puede marchitarse. Para crear una [relación] que trascienda la etapa de la alimentación con la cuchara, a la etapa de puedo prestarte el auto, significa darles a tus hijos tu personalidad, tu identidad, tu presencia, de modo que tengan algo que recuperar, es decir, a ti. Esa es una [relación] que dura[1].

GINA BRIA, *The Art of Family*

Capítulo 1

Ser mamá

Ah, qué poder es el de la maternidad, posee un
potente hechizo. Todas las madres por igual luchan
con ferocidad por su hijo.

EURÍPIDES

No estoy muy segura de lo que quiso decir Eurípides cuando escribió acerca del potente hechizo de la maternidad, pero estoy segura de que me encontraba bajo este hechizo el primer día de instituto de mi hija.

Kristin programó su reloj despertador para levantarse tres horas antes de tener que salir para la escuela. Aunque ya había escogido con cuidado la ropa la noche antes, se probó al menos ocho conjuntos distintos antes de volver a su primera elección. Corrió a mi habitación, modeló su ropa y preguntó: «Mamá, ¿esto me hace ver gorda?». Le aseguré que se veía hermosa y su pregunta me resultó algo satisfactoria. Todavía me necesitaba. No pude evitar pensar en nueve años antes: en su primer día de jardín de infancia. Con anticipación y un poco de tristeza, preparé su ropa la noche anterior. La ayudé a vestirse, le recordé que se cepillara los dientes y le trencé el cabello. ¡Cómo habían cambiado las cosas!

Kristin y yo estuvimos calladas camino al instituto *Heritage*. Ella iba repasando su horario de clases, la combinación de su taquilla y sus planes para el almuerzo. Yo tenía el corazón en la garganta mientras repasaba catorce años de crianza y, al mismo tiempo, me preocupaba por lo que Kristin podría encontrar en los pasillos del instituto. Cuando otros autos comenzaron a pasar volando alrededor del nuestro, me di cuenta de que nos aproximábamos a la escuela. Reduje la velocidad y esos autos (con conductores que parecían tener trece años) aceleraron. Reduje más la marcha cuando los conductores comenzaron a tocar la bocina y los pasajeros sacaban la cabeza y los brazos de los autos en movimiento para saludarse. Con tranquilidad, Kristin interrumpió mi pánico. «Mamá, el límite de velocidad *es* de cuarenta kilómetros por hora». Estacioné en el lugar para dejar a los alumnos. Kristin abrió su puerta y se dio vuelta para despedirse. Me tragué todas mis advertencias y consejos al ver la expresión de expectativa llena de gozo en su rostro. «Mamá», dijo, «estoy lista. ¡No veo la hora!» Y partió.

De inmediato, mi mente regresó a ese primer día de jardín de infancia en el que, tomándole la mano con fuerza, acompañé a Kristin a su salón de clase. No quería soltar mi mano, y pensé que me quedaría con ella por ser el primer día de clases. Su maestra me aseguró que estaría bien y que quizá fuera mejor si me iba. De mala gana y con lágrimas en los ojos, mi niñita me soltó la mano.

La observé durante algunos minutos, mientras los adolescentes entraban en fila al instituto. Me llamaron la atención las muchachas que deben haber decidido realizar una primera impresión al exhibir sus cuerpos con camisas que mostraban el estómago, camisetas ajustadas y pantalones muy cortos. Vi a muchachas que parecían muy cómodas con su ropa y sus cuerpos. Me asombraron las muchachas con camisas negras y pesadas, grandes botas negras, cabello negro y duro, y muchos aros y anillos que atravesaban distintas partes de sus cuerpos. Me estremecí al ver algunas que parecían asustadas, incómodas y solas. Observé a una jovencita con un cabello precioso que se quedaba atrás del torrente constante de estudiantes. Su cuerpo mayor y más desarrollado se destacaba entre las filas de sus pares. Inclinó la cabeza hacia un lado, se mordió el labio y miró sus zapatos. Me hubiera gustado saber lo que pensaba. Sin embargo, más que nada, quería correr hacia esa escuela, encontrar a Kristin, tomarla de la mano y decir: «¡Vayamos a casa e intentémoslo el próximo año!».

De mala gana y llorosa volví a casa.

MANUALES DE CRIANZA

Desde el momento en que supe que estaba embarazada de Kristin, he leído libros acerca de la crianza. He leído *Qué se puede esperar cuando se está esperando*, *The First Three Months*, *Raising a Toddler*, *Ser padres con amor y lógica*, *A Totally Alien Life Form —Teenagers*, *Cómo criar a un niño de voluntad firme* y *Raising Kids Who Turn Out Right*, solo por nombrar algunos. Me imagino que has leído tu cuota de libros también y que, al igual que yo, tienes tus favoritos... las ediciones muy gastadas que consultas en forma regular.

Cuando Kristin estaba en quinto grado, volvió a casa con una pregunta que me hizo acudir confundida a mi biblioteca de libros acerca de la crianza. Se dejó caer en un taburete de la cocina e hizo la pregunta que me dejó helada:

—Mamá, ¿estoy gorda?

—No —respondí con rapidez.

Ella obvió mi respuesta y apenas si respiró en los próximos cinco minutos, mientras me dejaba entrever una parte de su mundo de diez años que no sabía que existía.

—Bueno, Kelly piensa que está gorda —dijo Kristin—, y está haciendo dieta. No puede comer nada con grasa. ¿Tenemos papas fritas sin grasa? Y Ashley detesta sus piernas y quiere tener el estómago más plano. Comenzó a hacer abdominales en su habitación todas las noches. Y Katie dice que su mamá bebe una bebida dietética que la ayuda a bajar de peso. Dice que tiene un gusto asqueroso, pero que empezará a tomarla en el desayuno. ¿Tenemos alguna bebida dietética? ¿Alguna vez hiciste dieta, mamá? ¿Cuán alta crees que seré? Quiero ser muy alta y quizá incluso ser modelo.

Hoy en día, las niñas de seis y siete años se preocupan por su peso. En la cúspide de la pubertad, las niñas de nueve años hablan acerca de sentirse gordas incluso antes de que sus cuerpos comiencen a cambiar. A

los diez y los once años, el lenguaje de todos los días
incluye la frase «sentirse gorda». Esto influye en la
manera en que se perciben e interactúan en el
mundo¹.

SANDRA SUSAN FRIEDMAN, *When Girls Feel Fat*

Sé que mis ojos se volvieron vidriosos durante las preguntas y reflexiones de Kristin acerca de la apariencia y la imagen corporal. Mi corazón comenzó a latir con más fuerza y empezaron a sudarme las palmas de las manos. No sabía qué decir. Por supuesto, he hecho dieta y me he preocupado por mi peso. No solo he hecho experimentos con conductas alimenticias destructivas, sino que esta experimentación también me llevó a una lucha con el trastorno alimenticio de la bulimia. Y sé que los trastornos alimenticios proliferan entre las muchachas hoy en día. Temía decirle algo inadecuado a mi hija. Balbucí alguna respuesta y me propuse encontrar un experto que me diera las palabras adecuadas para decir.

Comencé a leer todo lo que pudiera encontrar acerca de la apariencia, la imagen corporal y los trastornos alimenticios. Mucho de lo que leí era demasiado tendencioso para mi gusto (feministas reflexivas que le atribuían estas luchas a una cultura dominada por los hombres) o demasiado cínicas (solo el trato de las conductas de crisis). Descubrí que en cuanto a los desafíos a los que se enfrentan las muchachas con respecto a la imagen corporal, se ha escrito mucho: cuadernos de ejercicios, revistas y libros de belleza, pero que se ha escrito poco acerca de cómo criar a muchachas que luchan con estos problemas inevitables. Anhelaba leer un libro que no solo tratara los problemas de alimentación e imagen corporal, sino que también se concentrara en la preparación para el futuro, en dar respuestas para antes de la adolescencia plena y sus crisis, a menudo completas, relacionadas con la autoestima y los trastornos alimenticios.

Mis propios anhelos, las conversaciones con muchas otras mamás e hijas y charlas posteriores con mi hija dieron a luz este libro. Desde que concebí la idea que dio a luz *«Mamá, ¡me siento gorda!*», supe que tenía mucho que aprender y que, una vez más, debería afrontar mis preguntas acerca de la imagen corporal, recordar mi historia y revelar mis temores y limitaciones. Cuando me he sentido abrumada o mal preparada para la tarea, miro una fotografía de mi hija, situada en la esquina de mi escritorio. La valentía de Kristin, su belleza, su sentido del humor y su pura pasión por la vida, son mi inspiración. Cuando mi corazón de madre se llena de amor y anhelo por mi hija, me atrevo a creer que estoy capacitada para la tarea. Ese es precisamente el punto de este libro. Aunque examinaremos el consejo de «expertos», sugeriré ejercicios prácticos y haré preguntas para reflexionar, la premisa de este libro es que la mejor crianza no surge de las fórmulas, la evidencia científica, ni las motivaciones ideológicas, sino que proviene de la consideración de nuestro amor por nuestras hijas.

Cuando Dios quiere que en el mundo se haga algo importante o que se repare un daño, actúa de una manera muy singular [...] Solo hace que nazca un pequeño bebé [...] Y Dios pone la idea o propósito en el corazón de la madre. Y ella lo pone en el corazón del bebé, y luego... Dios espera. Los grandes acontecimientos de este mundo son... bebés, ya que cada niño viene con el mensaje que dice que Dios aún no se ha dado por vencido con la humanidad, sino que todavía espera que la buena voluntad se encarne en cada vida humana[2].

McEdmond Donald, *Presbyterian Outlook*

Considera lo siguiente: Dios te ha confiado a tu hija y, a la vez, te ha dado un corazón de madre para ella. ¡No temas confiar en ti misma como Dios ha confiado en ti! Si no lo haces, es probable que se deba a que no te conoces en realidad: tus puntos fuertes, tus puntos débiles y tus habilidades únicas para la crianza. Antes de poder entrar en el mundo de tu hija de una manera amorosa y eficiente de verdad, necesitas comprender el tuyo.

EL TEMOR GRITA CON MÁS FUERZA QUE EL AMOR

Marilyn trajo a su hija a verme para consejería porque le preocupaba los comportamientos alimenticios de Britney. El temor era evidente en el rostro de Marilyn cuando prácticamente empujó a Britney a mi oficina. «Estoy aterrada», confesó.

Britney se dejó caer en mi sofá, cruzó las piernas y empezó a mover los pies con frenesí. «Ay, mamá», dijo con un gemido, «eres demasiado dramática». Sonreí. Sospeché que Britney podía ser un poco dramática también, y sabía que nada nos lleva a las madres al drama como las historias de nuestras hijas.

La historia de Britney era única. Había decidido, en un esfuerzo por controlar su ingesta de calorías, que en la cena solo comería hojas de lechuga adornadas con mostaza. Su madre había intentado obligarla a sentarse a la mesa hasta que comiera algo más, imponerle restricciones, prepararle sus comidas favoritas y pasarla por alto. Es comprensible que temiera que Britney no estuviera obteniendo una dieta equilibrada, que estuviera desarrollando un trastorno alimenticio y que, así, les diera un mal ejemplo a sus hermanos menores. La madre de Britney estaba lista para entregársela a un «experto».

Las madres en todas partes comprenden los temores de Marilyn y se identifican con ellos. Tememos por nuestras hijas en esta cultura que le rinde culto a la delgadez y exalta la apariencia sobre todo lo demás. Tememos que la presión de los pares sea más fuerte que nuestra influencia. Tememos decir algo inadecuado y empeorar las cosas. Tememos contar nuestras experiencias, porque quizá alienten a nuestras hijas a cometer los mismos errores que nosotras. Tememos ser malas madres. Sabemos que la literatura de la psicología, desde Freud hasta la forma de pensar actual, está saturada de sugerencias que dicen que las madres son la causa de todo lo que va mal con nuestras hijas, ¡desde mojar la cama en la noche hasta tomar malas decisiones matrimoniales! Hemos leído la literatura que le adjudica algunas palabras bastante intimidantes a la mala crianza: asfixia, control, autoritarismo, dependencia, abandono.

Si nuestras hijas hablan acerca de estar gordas, si quieren hacer dieta o comienzan a cenar solo lechuga, ¡debe ser nuestra culpa! Es comprensible que, al igual que Marilyn, criemos a nuestras hijas desde el temor. No nos gusta lo que nos hace el temor, ya que nos transforma en madres irritables, desesperadas, ineficientes e incluso paralizadas. Sin embargo, ¿cómo logramos evitar el temor en medio de una tarea tan sobrecogedora, llena de tantos peligros y dificultades?

Cuando tenemos temor de nuestras hijas, sus problemas y aun de nosotras mismas, no podemos usar el anhelo, el amor y la dirección natural que Dios ha puesto en nuestro corazón de madre. Sin importar la etapa de la crianza en que te encuentres al leer este libro, sospecho que algo acaba de saltar en tu corazón al leer esto último. Sabes que es verdad. Hay una conexión con tu hija que no puedes llegar a expresar del todo a través de las palabras. Tal vez, al principio, la sintieras cuando descubriste que estabas embarazada, o cuando sostuviste a tu hija por primera vez, cuando la observaste atarse los zapatos, la escuchaste leer su propio libro, ¡o la observaste entrar por la puerta del jardín de infancia! Te has despertado en medio de la noche y has pensado en algo acerca de lo que necesitabas hablar con tu hija; has intuido que estaba en peligro o en problemas incluso cuando no estaba contigo; has sabido cuándo te necesitaba aun antes de que te lo dijera. Sabemos que nadie ama a nuestras hijas como nosotras, y queremos creer que eso cuenta para algo. *Y lo hace.*

Una madre comprende lo que no dice un hijo.

Proverbio judío

Muchos padres tienen una función activa en la crianza de sus hijas, y la premisa de este libro no es que los padres no importen, ni que no puedan ayudar a sus hijas en lo que respecta a la imagen corporal o las luchas con la comida. Los padres pueden influir en gran medida en sus hijas y, en general, los que apoyan, tienen hijas con una buena autoestima y confianza en sí mismas. Aliento a los padres a leer este libro para obtener una mayor comprensión acerca de las inquietudes de sus hijas con respecto a la imagen corporal y el control del peso.

Sin embargo, no todos los padres apoyan a sus hijas ni participan en su crianza, y algunos quizá contribuyan a que sus hijas en realidad corran el riesgo de que desarrollen una imagen corporal distorsionada, y hasta un trastorno alimenticio. De acuerdo con la psicóloga Margo Maine, autora de *Father Hunger*, muchas jovencitas experimentan el anhelo de establecer una conexión emocional con sus padres, y cuando esta no está disponible, es posible que busquen satisfacción emocional en conductas dañinas[3]. En el caso de las madres cuyos cónyuges están ausentes o son abusadores, este libro te dará la esperanza de que no estás sola, y que tu amor por tu hija puede alimentar su corazón hambriento.

LA CRIANZA DE COMÚN ACUERDO

Espero que este libro te aliente a relajarte, de modo que deje de gobernarte la ansiedad, sino el amor. Mi oración es que a medida que emprendemos el caminar de la mano con nuestras hijas, a través de los temas complejos y difíciles con respecto a la alimentación y la imagen corporal, nos haremos eco de las palabras del apóstol Juan: «En el amor no hay temor, sino que el amor perfecto echa fuera el temor» (1 Juan 4:17-18).

A lo largo del resto de este libro, examinaremos de manera exhaustiva lo que significa comprender, respetar y escuchar nuestro corazón de madre, así como vivir desde el «amor perfecto» por nuestras hijas. No obstante, por ahora, la buena noticia es que la crianza acerca de la que hablaremos no se trata de hacerlo todo bien, ser toda cuidado y protección, toda amorosa, generosa y perfecta en cada respuesta. *La crianza de común acuerdo es solo la disposición para aprender las muchas maneras en que puedes responderle a tu hija desde un corazón lleno de amor ilimitado por ella.*

Cuando crías a tu hija de está manera, tienes mucha esperanza, porque crees que cada lucha, pregunta, fracaso y victoria es una oportunidad para la transformación... tanto tuya como de tu hija. La crianza de común acuerdo se logra a medida que, en lo profundo de tu ser, te convences de que hay Alguien que camina a tu lado, que toma *tu* mano y que está comprometido a ayudarte a encontrar tu camino. No anhelamos nada menos para nuestras hijas. Y somos nosotras las que, a través de nuestro amor en medio de las luchas de nuestras hijas, las invitaremos a conocer a Dios con profundidad y las ayudaremos a ver el camino de la vida con claridad.

Espero que este libro te ayude a comprender a tu hija y las preguntas y luchas que, sin duda, encontrará con respecto a su imagen corporal: la manera en que percibe su tamaño, forma y proporciones, y la manera en que se siente con respecto a su cuerpo. Ahondaremos en la cultura y en su influencia, y veremos cómo podemos superar el atractivo y la autoridad que esta tiene sobre nuestras hijas. Examinaremos la secuencia de los trastornos alimenticios y lo que podemos hacer para prevenirlos o ayudar a nuestras hijas a superarlos. No obstante, a lo largo de este libro, se te alentará primero a reclamar la relación de madre e hija como una de las relaciones más poderosas que existen para la cercanía, el apoyo, la amistad y el ejemplo. Una vez que reconozcas de manera profunda esta conexión diseñada por Dios entre tú y tu hija, empezará a cambiar tu forma de relacionarte con ella.

Un anhelo santo

«No creo que sea la indicada para ayudar a Britney», me dijo Marilyn en nuestra primera sesión. «Mi propia madre y yo no tenemos una relación cercana, y parece que Britney y yo tampoco la tendremos».

Los hombros de Marilyn se desplomaron, y le empezaron a correr lágrimas por las mejillas. Después de reunirme con Britney y de evaluar que solo comenzaba a experimentar con conductas alimenticias, y que su salud no corría un riesgo inminente, pregunté si podía pasar algunas sesiones a solas con Marilyn. Esta sospechó que yo pensaba que *ella* era el problema y que, por lo tanto, necesitaba consejería primero. Estaba a punto de enterarse de que yo sabía que ella era la *respuesta*, pero que hacía falta descubrir lo que impedía que fuera la madre poderosa e increíble que quería ser y que necesitaba su hija.

Le pregunté a Marilyn acerca de sus lágrimas, y se sorprendió de su propia respuesta. Ahogando sollozos contenidos, Marilyn gritó: «Supongo que aún quiero a *mi* madre». Nunca dejamos de querer a una madre: alguien cuyo amor sea ilimitado, que nunca olvide de quiénes somos, que siga creyendo en la persona que podemos ser, que sostenga nuestra mano cuando tenemos miedo, cuando no estamos seguras o cuando estamos llenas de expectativa. Aun si nuestras experiencias de la infancia no satisficieron nuestros anhelos de una madre, todavía queremos esta clase de crianza. La novelista Janet Fitch describe de manera conmovedora su observación de este anhelo en la sala de maternidad de un hospital:

> En toda la sala, llamaban a sus madres. *Mami, ma, mamá, mamita.* Aun con los esposos a su lado, llamaban a mamá [...] Una mujer adulta sollozaba como un niño. *Mami...* Sin embargo, entonces me di cuenta de que no [necesariamente] se trataba de sus propias madres. Querían a la madre verdadera... la madre de compasión ferviente, la mujer lo suficiente mayor como para abarcar todo el dolor, para llevárselo lejos... madres que respiraran por nosotras cuando ya no pudiéramos hacerlo, que estuvieran dispuestas a pelear por nosotras, que matarían por nosotras, que morirían por nosotras[4].

¿De dónde proviene este anhelo? Mi primer libro, *Bravehearts: Unlocking the Courage to Love with Abandon*, explora en detalles el diseño de Dios de las mujeres que poseen un anhelo de relacionarse en el centro mismo de nuestro ser. Creo que Dios creó a las mujeres en forma única para «dar a luz» a relaciones, e implantó dentro de nosotras un anhelo de relacionarnos, a fin de motivarnos a buscar las relaciones con pasión. Estudios científicos y psicológicos también

llegan a la conclusión de que hay algo único en el anhelo femenino
por las relaciones, y que comienza con el anhelo por su madre.

La investigadora de desarrollo femenino, Janet Surrey, explica en
su ensayo «The Self-in-Relationship: A Theory of Women's
Development», que desde el nacimiento, las niñas desarrollan un
«ser en relación con» sus madres, mientras que los niños desarrollan
un «ser en separación». Según Surrey, las niñas desarrollan su identidad en el contexto de la relación entre madre e hija desde la infancia, y esto continúa a medida que la relación llega a ser más compleja[5].

La primera relación primaria que experimentamos tiene un
impacto poderoso en lo que creemos acerca de nosotras mismas y las
relaciones. No obstante, sin importar si nos cuidan o nos desatien-
den, si nos nutren o si nos dejan pasar hambre, si nos quieren o si
nuestras madres nos abandonan, las semillas de nuestro anhelo de
relaciones implantado por Dios permanecen en nuestro interior. La
intención de Dios es que la crianza de la madre proporcione el sustento para estas semillas.

En las historias de Dios acerca de las madres, Él le da cuerpo a
sus propósitos, comenzando con Eva, «la madre de todo ser vivien-
te» (Génesis 3:20). Las historias de la Biblia acerca de las madres son
tan diversas como las nuestras, y están llenas de madres que come-
tieron errores y que de seguro no hicieron todo bien. Aun así, cada
historia revela con claridad el poder del amor de una madre.

Considera la protección intensa de Sara hacia su hijo (Génesis
21); el gozo de Raquel al tener dos hijos, aunque el nacimiento del
segundo acabó con su vida (Génesis 35:16-18); la creatividad y
valentía de Jocabed al cuidar a Moisés (Éxodo 2); el rescate de
Débora de una nación salido de su corazón de madre (Jueces 5:7); la
entrega desinteresada de su hijo de parte de Ana (1 Samuel 1-2:10);
y, por supuesto, María, la madre de Jesús, que meditaba en su corazón acerca de la llegada de un bebé y luego lloraba a sus pies por la
terrible pérdida de su querido hijo (Lucas 2:19 y Juan 19:25-27).

Dos veces en las Escrituras Dios usa la metáfora de una madre
como la mejor representación de su propio amor intenso:

¡Jerusalén, Jerusalén [...]! ¡Cuántas veces quise reunir a tus hijos, como reúne la gallina a sus pollitos debajo de sus alas, pero no quisiste! (Mateo 23:37)

Porque así dice el SEÑOR [...] «Como madre que consuela a su hijo, así yo los consolaré a ustedes». (Isaías 66:12-13)

El anhelo que tiene una madre como Marilyn durante una crisis en su propia crianza tiene sentido. De manera innata, buscamos lo que Dios quiso que experimentáramos: consuelo, protección, dirección y aceptación incondicional. Sin importar nuestras experiencias de la infancia, nuestros corazones siempre anhelan esas cualidades en una madre. La poeta Adrienne Rich compuso su conclusión acerca del desencanto que a menudo tiene lugar en la relación con nuestras madres: «La pérdida de la hija para la madre, de la madre para la hija, es la tragedia esencial femenina»[6]. Tal vez tenga razón, en especial porque la relación entre madre e hija conforma un vínculo muy poderoso e influyente. Sin embargo, es una tragedia que puede volver a escribirse para las futuras generaciones. Si la relación con tu madre ha sido rica y gratificante, eso también puede seguir en las generaciones futuras, aun con las luchas distintas y exigentes de las muchachas de esta generación.

UN LLAMADO SANTO

Marilyn y yo hablamos acerca de su desilusión en la relación con su propia madre. A menudo, su madre se distanciaba de Marilyn, y la esperanza comenzó a crecer en el corazón de Marilyn una vez que reconoció que cuando se siente frustrada o le teme a su propia crianza, muchas veces también termina distanciándose de su hija. Marilyn confesó que buscar ayuda para Britney fue, en parte, producto de una decisión de alejar a Britney y ponerla en manos de otra persona.

La esperanza llega cuando reconocemos nuestra responsabilidad y nos proponemos movernos en una nueva dirección. El corazón de madre de Marilyn se despertó cuando se dio cuenta de que *ella* podía ser la madre que siempre había soñado. Su latido cambió de «lo que

me falta» a «¿quién puedo ser?». Empezó a creer que su anhelo santo
de una relación íntima con su propia madre podía transformarse en
un llamado santo a ser la madre que necesitaba su hija. Las extrañas
conductas alimenticias de Britney se transformaron en una advertencia para su madre de que debía haber un cambio... no solo en las
elecciones de Britney para la cena, sino más importante aun, en las
elecciones de crianza de Marilyn. La mostaza con lechuga para la
cena se transformó en una mensajera de transformación.

    ¿Qué me dices de ti? ¿Ves la crianza de tu hija como un llamado
santo? ¿Crees que tu relación con ella será un ejemplo en cuanto a
cómo debe vivir con pasión y alegría con el deseo que Dios ha incul-
cado en su corazón con respecto a las relaciones? ¿Crees que no hay
nadie más capacitado para ayudar a tu hija que tú?

    Aunque la crianza de tu hija a través de las preguntas, conflictos
y luchas del crecimiento quizá requieran la consulta de un «experto»
o que busques el consejo de un terapeuta, debe comenzar con fe en
tu corazón de madre. Aunque recogerás toda la sabiduría de los
demás como te sea posible, eres la única que tomará la mano de tu
hija y la guiará en el camino de la vida. Un estudio realizado en 1998
por *Teenage Research Unlimited* reveló que el setenta por ciento de los
adolescentes dice que su mamá o su papá es la persona que más
admiran. ¡Eres la pareja perfecta para tu hija!

Solo para ti

1. ¿Qué te enseñó la relación con tu madre acerca de ti
   misma y de las relaciones?
2. ¿Cuáles crees que son tus talentos y dones auténticos?
   ¿Cómo los utilizas en la crianza?
3. ¿Crees más en las opiniones de otros que en las tuyas
   acerca de cómo crías a tu hija? Sí o no, ¿por qué?
4. Haz una lista de las cosas positivas que tienes para darle
   a tu hija.
5. Anota las cualidades y características que valoras de ti
   misma. ¿Cómo puedes modelar estas cosas para tu hija?

UN CORAZÓN LLENO DE ESPERANZA

Marilyn volvió a otra sesión de terapia con una chispa de esperanza en los ojos. Se sentó frente a mí y comenzó a desplegar un dibujo, a todas luces hecho por un niño. Explicó que estuvo limpiando la habitación de Britney y se encontró con un dibujo que cayó detrás de la cómoda del dormitorio. Marilyn recordaba el momento en que Britney lo dibujó. Tenía ocho años e intentaba ayudar a su mamá a hacer la cena. Britney derramó los ingredientes e interrumpió el proceso con preguntas e historias hasta que se acabó la paciencia de Marilyn. Le dijo con brusquedad a su hija: «¿No puedes hacer alguna otra cosa?».

Varios minutos más tarde, Britney volvió a la cocina y le entregó a su madre un dibujo que acababa de hacer. En el dibujo, madre e hija estaban paradas en la cocina, de la mano. Britney dibujó una gran sonrisa en los rostros de ambas, y sobre la cabeza de su madre pintó una aureola dorada y brillante.

«Puedo hacerlo», dijo Marilyn, señalando el dibujo. «Puedo ser la madre que Britney veía entonces, aun cuando las cosas no me salían tan bien en realidad. Y puedo ser la madre que necesita ahora mismo». ¡Casi pude ver el brillo de esperanza y gozo salir de la «aureola» de Marilyn en ese momento!

La crianza de común acuerdo comienza con una creencia ferviente de que eres la madre adecuada para tu hija, de que Dios ha plantado en ti las semillas del anhelo de relacionarte, que puede florecer y transformarse en una alianza poderosa entre tú y tu hija.

¿Estás preparada para aprender a relajarte, a escuchar tu corazón de madre y a permitir que el amor ilumine tu camino? El próximo capítulo te ayudará a identificar tu estilo de crianza predominante y te alentará a ser la mamá que siempre soñaste.

Solo para las dos

1. Cuéntale historias a tu hija acerca de cómo te enteraste de su concepción, del momento en que descubriste que

era una niña, de la bienvenida a la familia, etc. Deja que tu corazón de madre por tu hija brille con intensidad.

2. ¿Recuerdas cuando tu hija fingía ser mamá en la niñez? ¿Recuerdas que jugaste a que eras mamá cuando eras pequeña? Hablen acerca de lo que revela este juego en cuanto a las cualidades de una madre que son importantes para ti y para tu hija.

3. ¿Alguna vez supiste que tu hija te necesitaba o que estaba en problemas, aunque ella no pudiera decírtelo? Cuéntale a tu hija esta misteriosa conexión.

4. Pasen algún tiempo de calidad soñando despiertas (holgazaneando al sol, tendidas en la cama, paseando en auto) a fin de describirse la una a la otra «La madre con la que siempre soñaste». Permítele a tu hija que hable acerca de sus necesidades y anhelos al expresar los tuyos. No censures su descripción ni la tomes en forma personal, sino considera lo que puedes aprender de tu hija y los cambios que puedes realizar en tu crianza teniendo en cuenta su descripción o tus propios anhelos.

Capítulo 2

Tu estilo de crianza

La hija nunca se da por vencida con la madre, al igual que la madre nunca se da por vencida con la hija. Hay un lazo tan fuerte que ninguna puede romperlo. Lo llamo el «vínculo irrompible»[1].

RACHEL BILLINGTON, *The Great Umbilical*

¿Qué clase de madre eres? Tu respuesta quizá provenga de la etapa de crianza en la que te encuentras... o de la que temes que vendrá pronto, en la que estarás cansada, asustada, sola, desesperada. Quizá tu respuesta se forme por la manera en que te criaron. ¿Estás decidida a ser como tu mamá o temes que serás igual que ella? Sin importar cómo caracterices tu manera de criar, una forma útil para evaluarla es notar dónde te colocas con relación a tu hija.

Examinaremos cuatro estilos distintos de crianza basados en el lugar en que se sitúan las madres en relación con sus hijas:

- desde arriba
- desde abajo
- a la distancia
- desde muy cerca

El propósito de estas categorías no es hacer que nadie se sienta culpable. Los cuatro estilos de crianza son adecuados según las diversas circunstancias. Sin embargo, comprender tu estilo de crianza predominante te ayudará a reconocer tus puntos débiles y tus puntos fuertes, a ver dónde puedes estar respondiendo por temor y a guiarte para desarrollar nuevas maneras de responderle a tu hija y así crear la clase de relación que en verdad la apoyará y que te satisfará.

En el último capítulo, leíste parte de la historia de Marilyn y Britney. Cuando Marilyn vio que su estilo de crianza era guardar distancia de Britney por temor a no poder manejar a su hija, pudo realizar cambios que no solo ayudaron a Britney con sus luchas alimenticias, sino que también reforzaron un lazo mucho más fuerte entre madre e hija. Al final de este capítulo podrás leer más acerca de estos cambios. Por ahora, dale un vistazo en el espejo a tu propio estilo de crianza y observa lo que descubres.

La crianza desde arriba

Hija: No puedo ir a la escuela hoy. No tengo nada que ponerme. ¡Todo hace que parezca gorda!

Mamá: No estás gorda. Ahora, sube y busca algo que ponerte. Y apúrate o llegaremos tarde.

Hija: No comprendes. En serio que detesto cómo me veo. A decir verdad, no puedo enfrentarme a todos hoy.

Mamá: Te ves bien. Sin embargo, lo que no comprendes es que los lloriqueos y las quejas te hacen fea. Mientras te vistes, ¿por qué no practicas ser agradecida? Quiero verte bajar esas escaleras con una sonrisa en el rostro.

La madre que se coloca por encima de su hija es la que se encuentra más cómoda enseñando, corrigiendo y reprendiendo. Ve su función como la de administrar reglas y normas, proporcionar órdenes y formar a un ser productivo de la sociedad. Confía en su experiencia, su sabiduría y autoridad.

Este estilo de crianza es más eficaz cuando nuestras hijas son pequeñas. Las niñas pequeñas no se sienten amadas si no hay firmeza y límites. Los puntos fuertes de este estilo de crianza son la coherencia, la estructura y la dirección. No obstante, si este estilo de crianza sigue siendo el más prominente a medida que la hija se acerca y entra a la adolescencia, puede transformarse en una barrera para una relación más profunda entre una mamá y su hija en desarrollo.

*Para muchos padres, establecer límites se transforma
en proferir órdenes. Respaldan esos límites y reglas
con más órdenes, bien sazonadas con severidad y
enojo, y cuando estas fallan, recurren al castigo. En
general, los adolescentes responden a estos métodos
con irresponsabilidad, resistencia y rebelión[2].*

DR. FOSTER CLINE Y JIM FAY, *Parenting Teens with
Love and Logic*

Los puntos débiles de este estilo de crianza se conectan con sus
puntos fuertes. En primer lugar, hacer respetar una coherencia externa puede provocar una confusión interna por debajo de la superficie. Por ejemplo, en el diálogo anterior, esta mamá le enseña a su hija
que la apariencia es todo y que debería ocultar cualquier cosa negativa o desagradable. En el mundo de luchas con la imagen corporal
y trastornos alimenticios, esta es una preparación para el desastre a
muchos niveles, según explicaré en capítulos posteriores. En segundo lugar, proporcionar una estructura de reglas y consecuencias
puede llevar a una inflexibilidad frustrante. A medida que nuestras
hijas entran en la adolescencia y buscan más independencia, al
enfrentarse a la inflexibilidad, decidirán encontrar algo de poder para
ellas. Si el único lugar en el que pueden hallar control es en su forma
de comer, hay mucho más potencial para que existan problemas.
Necesitan que seamos sus aliadas mientras buscan la independencia.
En tercer lugar, tener una agenda rígida puede hacer que perdamos
algunos desvíos cruciales para relacionarnos con nuestras hijas.

S o l o   p a r a   t i

Tus respuestas a las siguientes preguntas te ayudarán a examinar la manera en que quizá uses este estilo de crianza:

(continúa en la siguiente página)

1. ¿Cuánto te importa que la apariencia de tu hija hable bien de ti? Comienza a notar tu respuesta cuando tu hija sea desordenada, cuando pruebe distintos estilos o cambie su apariencia. ¿Qué te parece que dice su apariencia acerca de ti?

2. ¿Crees que es importante que tu hija nunca te avergüence? ¿Qué sucede cuando lo hace?

3. ¿Cuándo te concentras por completo en tu hija? ¿Cuándo la disfrutas? ¿Juegas con ella? ¿Le enseñas? ¿La aprecias? ¿Quieres cambiarla?

4. ¿La conformidad es una prioridad en tu manera de criar? Si es así, ¿cómo logras este objetivo?

5. ¿Cuán a menudo tienes motivaciones ocultas en tus conversaciones con tu hija?

6. Cuando tu hija te cuestiona, ¿consideras que es rebelión?

Cuando nuestras hijas comienzan a pensar en la imagen corporal, hacen preguntas acerca de las dietas y experimentan con el ejercicio, nuestra función principal no es obligar, instruir, ni exigir. A decir verdad, nuestras hijas descubrirán con rapidez que se trata de un campo que ellas, y solo ellas, pueden controlar. La madre que se coloca por encima de su hija en medio de los problemas con la alimentación y la imagen corporal, se encuentra en una lucha de poder perpetua. Y, a la larga, perderá. Ese lugar en el que anhelamos que se encuentren nuestras hijas, allí donde descansen con respecto a sus cuerpos, se encuentra en un logro del corazón, y no las ayudaremos a encontrarlo si no las dejamos hablar, si desestimamos sus sentimientos e insistimos en nuestras motivaciones.

LA MADRE DESDE ARRIBA

Meta: La conformidad.
Función: Proporciona reglas y sabiduría.
Temor: «Si no tengo el control, todo saldrá mal».

Respuesta a los sentimientos: «No te sientes así». «Deja de quejarte». «Ayer estabas feliz».

Respuesta a los comportamientos: Regular, prohibir, sermonear y castigar.

Frase materna predilecta: «Sé lo que es mejor para ti».

Respuesta de la hija: Contraataca o decide obtener poder para ella.

LA CRIANZA DESDE ABAJO

HIJA: No puedo ir a la escuela hoy. No tengo nada que ponerme. ¡Todo hace que parezca gorda!

MAMÁ: Ay, mi amor, no estás gorda. Agradece que no tienes mis piernas.

HIJA: No comprendes. En serio que detesto cómo me veo. A decir verdad, no puedo enfrentarme a todos hoy.

MAMÁ: No digas eso. No sé qué responderte cuando hablas de ese modo. No quiero que tengas mis mismos problemas de autoestima. Eres muy hermosa y tienes mucho más de lo que tuve yo jamás. Déjame ayudarte a buscar algo que ponerte. Tal vez encuentre algo que te pueda prestar.

La madre que se coloca por debajo de su hija está más cómoda cuando sirve a los demás y se menosprecia. Ve su función como la que provee todo lo necesario para su hija, de modo que resulte mejor que ella. Confía en lo que le falta como una motivación para guiarla en la crianza de su hija.

El punto fuerte de este estilo de crianza puede ser un verdadero corazón de sierva y el sentido de la apreciación. En la batalla contra una imagen corporal pobre y conductas alimenticias malsanas, nuestras hijas necesitan mucha afirmación y bondad. Sin embargo, cuando la afirmación de nuestras hijas va de la mano de un ataque a nosotras mismas, enviamos un mensaje confuso. Cuando combinamos una conducta destructiva (el menosprecio hacia uno mismo) con una conducta saludable (halagar a nuestras hijas), señalamos que está bien usar cosas buenas (como la comida y el ejercicio) en contra de nosotras.

El punto débil de este estilo de crianza está, repito, conectado con su punto fuerte. La madre que se coloca por debajo de su hija tal vez solo viva a través de ella y no desarrolle una vida propia. La antropóloga Ruth Bennedict explica: «Es muy sencillo: esa es la vida de mi hija que representa la mía. Es la vida amorosa de mi hija la cual será perfecta; son las habilidades de mi hija las que tendrán posibilidades; es el enfoque de mi hija el que será verdadero y válido. Es ella la que no se perderá las grandes cosas de la vida»[3]. El propósito de nuestras hijas no es añadirnos valor ni aumentar nuestra autoestima. Nuestras hijas necesitan saber que podemos mirarlas de cerca, escucharlas con atención y responderles con calma, desde un arraigo en nuestras vidas.

En lo que se refiere a la imagen corporal y las conductas alimenticias, la madre que se coloca por debajo de su hija no estará en una posición que ayude a su hija a navegar a través de este terreno complicado. Tal vez, pase la mayor parte de su tiempo alejando a su hija de cualquier cosa que sea difícil, y como le falta confianza en sí misma, no puede ofrecerle a su hija una sensación de seguridad en medio de estas cuestiones confusas y a menudo dolorosas. Esta madre también puede volverse manipuladora, empeñada en que su hija se vea de cierta manera o tenga una talla determinada que compense las deficiencias que percibe en sí misma.

La madre desde abajo

Meta: Vivir su vida a través de su hija.

Función: Proporcionar una vida para su hija mejor de la que experimentó.

Temor: «Si mi hija no tiene "éxito", no valgo nada. No tengo lo necesario para ayudar a mi hija».

Respuesta a los sentimientos: «Por favor, no digas eso». «No soporto verte triste».

Respuesta a los comportamientos: Impotencia, pánico.

Frase materna predilecta: «Sé el orgullo de tu madre».

Respuesta de la hija: Siente la presión de tener éxito por su madre y de asumir la responsabilidad por el bienestar de su madre.

Solo para ti

Tus respuestas a las siguientes preguntas te ayudarán a examinar la manera en que usas este estilo de crianza:

1. ¿Sientes que tu vida terminó? Si no es así, ¿qué esperas, para qué te preparas y cuáles son tus sueños que no estén conectados con tu hija?
2. Cuando tu hija tiene éxito en algo, ¿cuál es tu respuesta? ¿Alguna vez sientes que compites con tu hija?
3. ¿De qué manera la apariencia o la conducta de tu hija influyen en tu autoestima?
4. ¿Recuerdas a menudo tu propia adolescencia en forma negativa cuando interactúas con tu hija?
5. ¿Cuál es tu prioridad en la crianza? ¿Que tu hija sea popular? ¿Que obtenga buenas calificaciones? ¿Qué sea delgada?
6. ¿Crees que tú y tu hija deberían aportar la misma cantidad de esfuerzo a la relación?

LA CRIANZA A LA DISTANCIA

HIJA: No puedo ir a la escuela hoy. No tengo nada que ponerme. ¡Todo hace que parezca gorda!

MAMÁ: Por favor, prepárate. Vamos a llegar tarde.

HIJA: No comprendes. En serio que detesto cómo me veo. A decir verdad, no puedo enfrentarme a todos hoy.

MAMÁ: Bueno, si en verdad te sientes tan mal, supongo que puedes quedarte en casa hoy. Solo espero que no te atrases con tus tareas escolares. Tengo muchas cosas planeadas para hoy, así que necesito irme.

La madre que se coloca a distancia de su hija está más cómoda cuando observa a su hija o cuando está inmersa en sus propias actividades. Ve su función como la de proveer para las básicas necesidades físicas de su hija. Confía en que su hija encuentre su propio camino en la vida.

El punto fuerte de este estilo de crianza es que, a veces, el enfoque en el que no hay intervención puede alentar a una muchacha a desarrollar independencia y confianza en sí misma. Saber cuándo intervenir y cuándo quedarse afuera es una habilidad que requiere conocer el mundo de tu hija y permanecer consciente del tuyo. No obstante, si te distancias de tu hija por cualquier otra razón que no sea por su crecimiento y desarrollo, percibirá que la distancia se debe a algo que está mal en ella. A medida que nuestras hijas llegan a la adolescencia, es necesario que les demos más espacio, pero también necesitan saber que nuestros corazones siempre están dispuestos para ellas y que nuestro compromiso con una relación con ellas es inquebrantable.

Solo para ti

Tus respuestas a las siguientes preguntas te ayudarán a examinar la manera en que usas este estilo de crianza:

1. ¿A menudo sientes rechazo por lo que hace tu hija o te irritas con ella?
2. ¿Te sientes distanciada de tu hija? Recuerda las circunstancias o los momentos en que te sentiste cerca de ella.
3. ¿Estás dispuesta a que te cause molestias?
4. ¿Crees que es demasiado dramática?
5. ¿Crees que las adolescentes son maduras y deberían ser capaces de cuidarse solas? Si es así, piensa en tu adolescencia. ¿Esta creencia surge de tu experiencia?
6. ¿Cuán a menudo dedicas tiempo para concentrarte por completo en tu hija? ¿Qué se interpone?

Sobre todo, madre, quiero saber que me amas. Sé que tuviste un día difícil en el trabajo. No quiero molestarte, ¿pero pasarías un rato conmigo? Por

*favor, madre, necesito que alguien esté conmigo
cuando mis amigos no bastan. Necesito alguien para
hablar, para confiarle mis secretos más profundos,
alguien para contarle del dolor de mi pérdida y la
risa de la felicidad. Los amigos quizá aparezcan y
desaparezcan, madre, pero tú siempre estarás allí. Por
favor, quédate conmigo para disfrutar mi vida
ahora, cuando más te necesito*[4].

CARLY SANKO, 15 años de edad, *Ophelia Speaks*

Cuando adquirimos un enfoque de falta de intervención, los resultados pueden ser desastrosos. Cuando nuestras hijas comienzan a hacer preguntas acerca de sus cuerpos y a experimentar con la alimentación y el ejercicio, nos necesitan. Si son como barcos sin timón, sopladas por los vientos de la cultura y chocan con cualquier cosa con la que se encuentren, el resultado puede ser devastador. A una hija que se deja para encontrar su propio camino en la inundación de preguntas acerca de la imagen corporal, puede desarrollar conductas alimenticias destructivas y adoptar creencias nada saludables acerca de su cuerpo que la acecharán durante el resto de su vida.

LA MADRE DISTANTE
Meta: Proporcionar las necesidades básicas para su hija.
Función: Observadora.
Temor: «Si me involucro, solo empeoraré las cosas».
Respuesta a los sentimientos: Sin comentarios.
Respuesta a los comportamientos: Sin respuesta, a menos que la conducta interrumpa las prioridades de mamá.
Frase materna predilecta: «Deja de portarte como una niña».
Respuesta de la hija: Estoy sola.

LA CRIANZA DESDE MUY CERCA

HIJA: No puedo ir a la escuela hoy. No tengo nada que ponerme. ¡Todo hace que parezca gorda!

MAMÁ: Ay, mi amor, no estás gorda. ¿Qué me dices de tu nueva
blusa rosada? Podría planchártela. Te ves espectacular con esa
blusa.

HIJA: No comprendes. En serio que detesto cómo me veo. A decir
verdad, no puedo enfrentarme a todos hoy.

MAMÁ: Mi amor, por favor, no te sientas tan mal. Eres muy bonita.
¿Y si vamos de compras hoy después de la escuela y te compras algo nuevo para ponerte mañana?

La madre que protege mucho a su hija está más cómoda cuando la hija está feliz y contenta. Cree que su función es la de desvane-
cer la miseria y siempre hacer feliz a todos. Confía en sus propias
habilidades para arreglar todos los problemas y mantener satisfecha
a su hija.

El punto fuerte de este estilo de crianza es su abundancia de
afecto. Y cuando se trata de prevenir trastornos alimenticios, una
cantidad saludable de afecto sustenta y satisface el hambre emocional, evitando que nuestras hijas busquen amor en una bolsa de papas
fritas. Nunca lograremos sobrestimar el sustento de la bondad, la
atención y la devoción que les damos a nuestros hijos. Sin embargo,
una abundancia saludable puede transformarse en una asfixia malsana. Suprimir todo el dolor y el malestar elimina un contexto necesario en el que nuestras hijas pueden crecer y encontrar sus propios
recursos interiores para manejar las dificultades. Además, con facilidad podemos enviar el mensaje de que no es bueno sentir emociones negativas, obligando a nuestras hijas a almacenar, adormecer o
esconder de nosotras estos sentimientos. Y como la madre muy protectora quiere que su hija sea feliz, tal vez pase por alto o desestime
las conductas que se deben tratar.

Solo para ti

Tus respuestas a las siguientes preguntas te ayudarán a examinar la manera en que usas este estilo de crianza:

1. ¿Temes no estar de acuerdo con tu hija? Si es así, ¿por qué?
2. Cuando tu hija está triste o enojada, ¿intentas convencerla de que no se sienta de esa manera? Si es así, ¿sabes por qué esos sentimientos te molestan?
3. Cuando tu hija no es feliz, ¿crees que si no intervienes seguirá siendo infeliz?
4. Cuando tu hija está triste, ¿intentas animarla?
5. Cuando tu hija expresa sentimientos negativos, ¿desestimas o niegas lo que siente?
6. Cuando a tu hija no le va bien, ¿intentas arreglar las cosas?

Cuando surgen problemas con respecto a la imagen corporal y las conductas alimenticias, la madre muy protectora quiere quitar el dolor en lugar de ayudar a su hija a aprender a usar la lucha para bien. Cuando una mamá no quiere entrar al mundo de confusión y heridas de su hija, y en su lugar intenta arreglarlo, puede terminar alejándola y haciendo que se retraiga a su propio mundo. Las adolescentes no piensan en otra cosa que en dejar atrás las modas, el cuerpo y las conductas de la infancia. Su lucha hacia la independencia es saludable. Cuando las hacemos sentir culpables y dejar sus luchas bajo la superficie, perdemos la maravillosa oportunidad de ayudarlas a crecer. Y cuando obviamos las decisiones insensatas que toman en el proceso, porque no queremos ningún conflicto, perdemos la oportunidad de profundizar nuestra relación.

LA MADRE MUY PROTECTORA

Meta: Hacer feliz a su hija.

Función: Animadora, guardiana, la que soluciona problemas.

Temor: «Tengo la responsabilidad de todo lo que le sucede a mi hija, y si no puedo arreglar las cosas en su lugar, no soy una buena madre».

Respuesta a los comportamientos: «¿Qué puedo hacer para hacerte feliz?».

Frase materna predilecta: «Por favor, no frunzas el ceño o tu rostro se quedará así».

Respuesta de la hija: Al sentirse asfixiada, tal vez se retraiga con una mala actitud o se encierre en sí misma, en la ausencia de consecuencias y la necesidad de asumir la responsabilidad por su cuenta.

¿Te reconoces en uno de estos estilos de crianza, o en todos? ¿Qué te lleva a colocarte por encima, por debajo, a la distancia o cerca de tu hija? ¿Es temor o amor?

La crianza de común acuerdo será distinta para cada madre e hija, pero tiene como fundamento tres regularidades: una visión llena de fe, una aceptación esperanzadora y el amor perfecto.

Una visión llena de fe

¿Qué propósito tiene una hija? En realidad, ¿qué propósito tienen las madres? La manera en que respondes a esas preguntas revela tu visión de la crianza. Si crees que tu hija está aquí para alimentar tu ego, revelar tus puntos fuertes o compensar lo que te falta, tu visión se concentrará en objetivos externos. Si crees que estás aquí para producir una individua exitosa de la sociedad, crear una réplica de ti misma o mantener a tu hija en el buen camino, tu visión será la de objetivos basados en resultados.

Las metas externas y los objetivos basados en resultados no son del todo malos, pero no involucran el corazón. ¿Qué crees que tendrá un impacto duradero en tu hija? ¿Tus reglas, tus discursos, tu limpieza o tus logros? En lo profundo de nuestro corazón sabemos lo que influye en nosotras con mayor intensidad. *Las verdaderas relaciones*. Nuestras hijas no son distintas a nosotras. Una visión llena de fe acerca de la crianza se pone en práctica con las decisiones de momento a momento que apoyan una relación verdadera entre una madre y una hija. Esta visión es de una relación que dura mucho más allá de la etapa de «Mamá, ¡me siento gorda!». La escritora y socióloga Gina Bria testifica acerca del poder de las relaciones: «Tus relaciones te hacen lo que eres, porque te dan la oportunidad de manifestarte tu misma, y lo que crees en verdad»[5].

Nuestras hijas necesitan nuestra ayuda, nuestro oído comprensivo, nuestra empatía y nuestra respuesta. Sin embargo, más que todo, nos necesitan a *nosotras*. Quieren saber cómo nos sentimos, qué hemos aprendido e incluso qué errores hemos cometido a lo largo del camino. La mejor manera de invitar a tu hija a que te cuente sus confidencias, es contarles las tuyas. El propósito de abrir tu corazón no es el de conmover, asustar o cargar a tu hija con tus propios problemas, sino construir un puente de conexión. Tu relación en aumento en esta esfera lo determinará la edad y madurez de tu hija.

A medida que llega a los años de la secundaria, recuerda que no es distinta a ti en su disfrute de las relaciones. ¿Cómo te sientes en las relaciones cuando revelas todo, tienes todos los problemas y expresas todas las necesidades? No estamos satisfechas con relaciones que son unilaterales. Sin embargo, es riesgoso ser vulnerables. Tal vez temamos que nos juzguen o nos malinterpreten. Muchas madres temen revelar su condición humana a las hijas, porque desconfían que ellas usen esas revelaciones para justificar sus propias malas decisiones. Rara vez he visto que resulte de esa manera. En realidad, a menudo ocurre lo opuesto. Las hijas confían más en sus madres, buscan su dirección y se desarrolla una verdadera relación.

Cuando mi hija estaba en octavo grado, decidí en oración que era hora de contarle mi propia lucha con la bulimia en la adolescencia y el principio de la edad adulta. Cuando terminé, dije: «No te conté estas cosas antes, porque no pensaba que estuvieras preparada y porque, a decir verdad, temía que me tuvieras a menos o te desilusionaras de mí». Kristin respondió enseguida, para gran sorpresa mía: «Ay, mamá, ¡creo que te hace mucho más interesante!». Ser auténticas es lo que nos conecta.

Una visión llena de fe para una verdadera relación no solo se sustenta en lo que eres al decírselo a tu hija, sino en que tampoco olvida quién es tu hija. Esta visión nunca pierde de vista quién puede ser tu hija, aun cuando esta haga pucheros, grite, desobedezca, se olvide, cuestione y tenga dudas.

Marilyn admitió que se había concentrado tanto en el comportamiento de su hija de comer lechuga, que casi pierde de vista su relación. Le transmitía a Britney que lo único que no le gustaba de su conducta actual era todo lo que le importaba, todo lo que miraba y en lo que podía concentrarse. Se había obsesionado, al igual que su hija. La lechuga con mostaza enturbió su visión.

Marilyn comenzó a vivir con una visión llena de fe, en primer lugar, al recordar quién era. Le contó a Britney que, mientras crecía, todos se sentaban juntos a la hora de la cena y comían una elaborada comida que su madre estuvo preparando todo el día. Describió las comidas de platos completos y recordó sus propios deseos de tener más control sobre lo que comía. Marilyn y Britney se rieron de las comidas rápidas de su propia familia, que comía de carrera, y de los diferentes gustos, y llegaron a la conclusión de que la vida de familia sí que había cambiado desde los días de la infancia de su madre. Marilyn reveló que la había desalentado preparar comidas, porque parecía que todos en la familia tenían gustos muy particulares.

A medida que Marilyn se aferraba a una visión de una relación verdadera con su hija, pudo darle de su verdadera identidad, en lugar de concentrarse solo en la conducta de ella y en su propia «responsabilidad» de corregirla. En su libro *The Art of Family*, Gina Bria escribe: «[Nuestros hijos] nos desean a nosotros, y en cambio, lo que se les da son horas, días y años de decirles quiénes son [...] Esto es generoso, pero es demasiado poco para atravesar juntos una vida [...] Al final, lo que son nuestros hijos y lo que llegan a ser depende de lo que les damos de nosotros mismos»[6].

Lo que forjamos en el corazón de nuestros hijos
respalda lo que viven durante sus vidas. Tiene poco
que ver con cuánto les damos. Tiene todo que ver con
la manera en que los hacemos sentir[7].

LINDA WEBER, *Mom, You're Incredible*

Una vez que tuvo a la vista cuál era su relación, Marilyn procedió a recordarle a Britney quién era. Cuando Britney se hacía un plato de lechuga para la cena, Marilyn le recordaba a su hija sus proyectos creativos y extravagantes de la infancia, y su tenacidad disciplinada para aferrarse a algo. Sorprendió a Britney al halagarla de esta manera: «Comprendo tu deseo de comer en forma saludable y me asombra esta idea única. No veo la hora de ver qué otra cosa se te ocurre». De repente, la cocina ya no era un campo de batalla. Madre e hija dejaron de estar en guerra. En unas pocas semanas, Britney comenzó a planificar comidas más o menos saludables, creativas y a veces extravagantes, y a prepararlas para toda la familia. Se identificó con el desaliento de su madre al cocinar para una familia de comensales exigentes.

La visión renovada de Marilyn para crear una relación con su hija las transformó en aliadas en medio de la prueba, el tumulto y la turbulencia que a menudo vienen con la adolescencia. Cuando la «prueba de la hoja de lechuga» se volvió aburrida y se calmaron el tumulto y la turbulencia, ¡permaneció la relación!

Una aceptación esperanzadora

Una relación creciente entre madre e hija no eliminó las luchas de Britney con la comida y la imagen corporal. Se le siguieron ocurriendo ideas extrañas acerca de las dietas y siguió preocupándose por su talla y apariencia. Sin embargo, Marilyn ya no tenía miedo, porque aceptaba que estas luchas podían transformarse en el crisol mismo en el que se fortalecería su relación.

A medida que Marilyn aceptaba las preguntas y experimentos inevitables de su hija en las esferas de la comida y el ejercicio, encontró esperanza en la oportunidad estimulante de crecer y desarrollarse como madre. Descubrió la verdad que cada pregunta que hacen nuestras hijas, cada error que cometen y cada lucha que enfrentan tienen el potencial de transformarnos a nosotras. Por supuesto, también oramos por su transformación, pero la esperanza se marchita cuando depende del comportamiento de nuestros hijos. La esperanza se alimenta cuando nos rendimos a Dios, invitándolo a usar cualquier cosa que suceda en la relación con nuestras hijas para nuestro propio crecimiento y bien.

Cada vez que le doy un consejo a mi hija,
aprendo mucho.

ANÓNIMO

La crianza de común acuerdo está anclada en la esperanza de que tanto madre como hija cambiarán juntas para mejor. El intento de ayudar a nuestras hijas a cambiar, sin cambiar nosotras, no resultará. Cuando recurrimos a respuestas superficiales o a frases manipuladoras para presionarlas a cambiar, perdemos la esperanza. Esta se restaura cuando aceptamos las luchas de nuestras hijas como regalos, y cuando en oración y de manera intencional, buscamos dónde podemos cambiar nosotras.

Por supuesto, en distintas etapas de la crianza, nuestras hijas necesitan que establezcamos reglas, que guiemos y que hagamos respetar límites. Aun así, en lo que respecta a las luchas con la comida y la imagen corporal, no podemos regular una imagen corporal saludable ni controlar las conductas alimenticias de nuestras hijas. Queremos que lleguen a aceptar sus cuerpos y los cuiden con una buena nutrición y ejercicio. No las guiaremos a este fin si resistimos, tememos o hasta detestamos las luchas que las llevarán allí.

EL AMOR PERFECTO

Podemos aprender todo lo posible acerca de ayudar a nuestras hijas a desarrollar una buena imagen corporal y a adoptar hábitos alimenticios saludables, pero solo se tratará de técnicas si no se fundan en nuestro amor hacia ellas. Es fácil perder de vista nuestro amor por nuestros hijos en medio de los desafíos abrumadores, complejos y aterradores de la crianza, pero si «el amor perfecto echa fuera el temor», según afirma 1 Juan 4:18, tenemos una gran esperanza de transformarnos en las mamás que anhelamos ser.

Podemos criar de manera coherente desde un amor perfecto cuando sabemos, y lo sabemos de verdad, que nos aman. Cuando sabemos que no hay nada que podamos hacer para que Dios deje de amarnos, podemos ser inquebrantables en el amor por nuestras hijas.

¿Quién podrá separarnos del amor de Jesucristo? Nada ni nadie. Ni los problemas, ni los sufrimientos, ni las dificultades. Tampoco podrán hacerlo el hambre ni el frío, ni los peligros ni la muerte [...] Yo estoy seguro de que nada podrá separarnos del amor de Dios: ni la vida ni la muerte, ni los ángeles ni los espíritus, ni lo presente ni lo futuro, ni los poderes del cielo ni los del infierno, ni nada de lo creado por Dios. ¡Nada, absolutamente nada, podrá separarnos del amor que Dios nos ha mostrado por medio de nuestro Señor Jesucristo! (Romanos 8:35-39, *TLA*)

Podemos ofrecerles consuelo a nuestras hijas porque tenemos una relación con el único que promete que nunca nos dejará sin consuelo: «No los voy a dejar huérfanos; volveré a ustedes» (Juan 14:18). Al enfrentarnos a errores y conductas insensatas, no condenaremos a nuestras hijas si nosotras hemos descansado en la realidad de que no hay condenación en Cristo (Romanos 8:1). Viviremos con una fe inquebrantable en quiénes son nuestras hijas y en lo que pueden ser, porque sabemos que Dios está de *nuestra* parte. «¿Qué diremos frente a esto? Si Dios está de nuestra parte, ¿quién puede estar en contra nuestra? El que no escatimó ni a su propio Hijo, sino que lo entregó por todos nosotros, ¿cómo no habrá de darnos generosamente, junto con él, todas las cosas?» (Romanos 8:31-32).

Cuando Kristin tenía cinco años, podía demostrar su pasión y su terquedad de maneras dramáticas. Una vez, cuando las cosas no salieron como quería, me echó una mirada feroz, pataleó y declaró: «Está bien, me voy a encerrar en mi habitación y nunca más te voy a hablar». Resistí el impulso de responder: «Por mí está bien». Hacía poco, había estado buscando respuestas de Dios acerca de algunas desilusiones en mi propia vida. Me preguntaba qué se proponía en nuestra relación y estaba aprendiendo que, en sí, anhelaba amarme. Había pasado un mes leyendo 1 Juan y meditando en este versículo, y estas palabras vinieron a mi mente con rapidez cuando consideré cómo responderle a mi hija:

> Conocemos lo que es el amor porque Jesucristo dio su vida por nosotros; así también, nosotros debemos dar la vida por nuestros hermanos. Pues si uno es rico y ve que su hermano necesita ayuda, pero no se la da, ¿cómo puede tener amor de Dios en su corazón? (1 Juan 3:16-17, *DHH*)

Empezaba a comprender hasta dónde estaba dispuesto a llegar Dios para revelarme su amor por mí, y quise que mi hija irritable sintiera mis brazos de amor a su alrededor, de la misma manera en que yo había sentido a Dios envolverme en su amor.

Después que Kristin estuvo en su habitación durante casi una hora, fui a echarle un vistazo a mi obstinada hija. Le sonreí y le dije que estaba horneando galletas. Ni una respuesta. Un poco más tarde, le llevé galletas y leche, y las tomó de mal humor. Entré a su habitación más tarde, recogí el plato vacío y le froté la espalda con suavidad durante un minuto. Todavía, ninguna respuesta. Al fin, su resistencia se debilitó cuando golpeé su puerta y le pregunté si quería jugar a algo. Nunca olvidaré su respuesta: «Bueno, mamá, ya entiendo. Me amas».

Solo para ti

1. ¿Cómo sabes que Dios te ama?
2. Escribe una visión para la relación con tu hija.
3. ¿Qué preguntas o luchas enfrenta tu hija en este momento que te preocupen?
4. ¿Cómo estas luchas pueden llegar a formar parte de tu propia transformación?
5. ¿De qué manera representas a Dios para tu hija?

6. Si quisieras tener una charla íntima con tu hija, ¿cómo la abordarías?

Hay momentos para disciplinar, para instruir, para servir, para retroceder y para afirmar, pero siempre es un buen momento para amar. Aunque de seguro no puedo controlar el corazón de mi hija, puedo esforzarme para mantener puro mi propio corazón. La crianza de común acuerdo ama como Dios nos ama a nosotras, y al amar de este modo, invitamos a nuestras hijas a obtener un vistazo de su amor. ¡Qué llamado tan maravilloso y sagrado!

Solo para las dos

Cada muchacha es diferente... un mundo en sí misma. No obstante, sin importar cuál sea su tipo de personalidad, las siguientes preguntas te ayudarán a comprender la clase de relación que tienes con tu hija. Debes saber qué clase de relación tienen antes de seguir adelante en la tarea de comprender su mundo más a fondo.

En oración, considera hacerle a tu hija estas preguntas de manera que te ayude a evaluar tu relación con ella. Usa sus respuestas para reevaluar la posición en que estás con respecto a tu hija y el impacto que esta posición produce en ella. Mientras consideras pedirle a tu hija analizar las preguntas contigo, ten en mente las siguientes cosas:

- Realiza preguntas adecuadas para la edad. Algunas quizá sean demasiado abstractas para niñas menores.
- No procedas con remordimiento. Estas preguntas son solo una manera de abrirle la puerta a una relación distinta y mejor.
- Sé valiente. Si tu corazón comienza a latir con fuerza, te empiezan a sudar las palmas de las manos y no crees tener la suficiente valentía como para preguntar,

(continúa en la siguiente página)

finge que la tienes. Descubrirás que en verdad eres una mujer valiente.

1. ¿Te interrumpo cuando intentas decirme algo?
2. ¿Hago planes para ti sin preguntarte ni consultar tus horarios o gustos?
3. ¿Confío en ti? Si no es así, ¿hay alguna razón?
4. ¿Te sermoneo?
5. ¿Te hablo como si fueras una niñita?
6. ¿Intento animarte cada vez que estás triste o te sientes mal?
7. Si estás disgustada, ¿actúo como que lo que sientes es importante?
8. ¿Puedes decirme cuándo estás triste, enojada o deprimida?
9. ¿Hay algo de lo que no puedas hablar conmigo? ¿Por qué?
10. ¿Sientes que comprendo lo que intentas decir?
11. ¿Me enojo si no estás de acuerdo conmigo?
12. ¿Te critico? Si es así, ¿qué critico?
13. ¿Hay algo que quisieras preguntarme, pero que temes decir?
14. ¿Confías en mí?

Capítulo 3

Ser muchacha

Azúcar y especias y todas las cosas lindas;
De eso están hechas las muchachitas.

CANCIÓN INFANTIL

Pregunta: ¿Cómo puedo reconocer a una adolescente?
Respuesta: Puedes reconocer a una adolescente no
tanto por la manera en que luce, sino por la manera
en que te cierra la puerta en la cara después que dices
algo ofensivo, como «hola»[1].

LEWIS BURDI FRUMKES, *The KGB Diet*

Hace varios años, nuestros hijos tuvieron una conversación extraordinaria camino a casa de la iglesia un miércoles por la noche. Nuestro hijo, Graham, quien entonces tenía seis años, entró al auto y dio un portazo, gimiendo:

—Fue una noche horrible... no me dieron nada... no me dieron ni una insignia, ni una cinta, ni un globo. Nuestro equipo no ganó ninguno de los juegos. Además, no me gustaron las galletas que tenían para comer.

Kristin, que tenía ocho años, comenzó a corregir a su hermano.

—Bueno, Graham —sermoneó—, deberías estar agradecido. Hay chicos que ni siquiera cenaron y no pueden ir a la iglesia. Ni siquiera conocen a Jesús.

Me sentía dividida entre el orgullo que me producía la opinión que expresara Kristin y la sensación de estómago un poco revuelto ante su tono de superioridad moral. Concluyó el sermón hacia su hermano:

—Tienes muchas cosas por las cuales estar agradecido. Ahora bien, en mi caso, ¡*yo* sé lo que es sufrir!

La respuesta de Graham se transformaría en una de sus preferidas en los años futuros. Sacudió la cabeza, espetó la palabra y con un estremecimiento dijo:

—¡Muchachas!

El padre de la psicología, Sigmund Freud, imita la frustración de mi hijo al escribir: «A pesar de mis treinta años de investigación del alma femenina, no he podido responder [...] ¿qué quiere una mujer?».

Entrar al mundo de las muchachas es una aventura de proporciones heroicas, sobrecogedora para muchos (incluyendo al fundador de la psicoterapia), pero es un viaje para el que las madres se encuentran equipadas de manera especial por nuestra naturaleza femenina y nuestro ferviente amor hacia nuestras hijas. Al entrar a su mundo, tenemos una perspectiva única. Comenzamos con la confianza de que ya estuvimos en su mundo, cuando nosotras mismas experimentamos la montaña rusa de ser una niña en crecimiento. Sin embargo, pronto nos damos cuenta de que es un territorio inexplorado. Ser una muchacha hoy en día es diferente a lo que era mientras crecíamos, y criar a una niña en crecimiento es una experiencia nueva y desafiante todos los días.

ENTRA AL TORBELLINO

Imagina despertarte mañana por la mañana y descubrir que ninguna de tus prendas de vestir te queda bien. Subes a la balanza del baño y, como esperabas, subiste cinco kilos... ¡de la noche a la mañana! Te miras al espejo y no puedes creer lo que ves. Aumentaste varios centímetros. Desde algún lugar, en los archivos bien guardados de la adolescencia, escuchas la cantilena burlona de tu hermano: «¡Jo, jo, jo! ¡Es el Alegre Gigante Verde!». Te acercas más al espejo, y tu pánico se intensifica porque tu rostro se ha llenado de granos como cuando usabas frenillos dentales y comprabas por cajas la loción para el acné. ¡Atraviesas de nuevo la pubertad!

Al fin, encuentras algo que puedes ponerte y sales corriendo para el trabajo, pero allí descubres que tus cambios durante la noche tienen efectos de gran alcance. Tus compañeros de trabajo te sonríen con suficiencia y te sientes más acomplejada por tu apariencia de lo que te has sentido en muchos años. Los ves reunidos juntos y sabes que hablan acerca de tu cabello, de tu ropa o de tus cambios corporales. Cuando llega la hora del almuerzo, ya tuviste suficiente. Lo único que quieres es salir corriendo hacia tu casa, volver a la cama, taparte hasta la cabeza y esperar que cuando despiertes todo vuelva a la normalidad.

¡Bienvenida al mundo de tu hija! Por supuesto, una niña no pasa de tener ocho años a la adolescencia de la noche a la mañana, pero a veces le parece como si fuera de esa manera... ¡y también para nosotras las mamás! A los diez años quizá pese treinta y cuatro kilos, ¡y solo cinco o seis años más tarde puede hacer que la balanza marque cincuenta y siete! Tenemos un estante lleno de fotografías para registrar sus cambios año tras año: una niñita con vestido lleno de volantes y un lazo rosa en el cabello, una niña en edad de jardín de infancia, con aplicaciones de personajes de caricaturas en sus monos, una niña de segundo grado a la que le faltan cuatro dientes y coletas. Los años que siguen están confusos hasta llegar a la fotografía de una hermosa jovencita en una posición formal, al lado de un adolescente desgarbado que sostiene una caja con un ramillete.

¡En verdad se pasa en un minuto! Y entrar a cada etapa de este torbellino con nuestras hijas es una tarea en constante cambio y siempre desafiante... en especial, en lo que se refiere a ayudarla a comprender y respetar lo que sucede en su desarrollo físico.

Este desafío nos sale al encuentro mucho antes que a las madres de las generaciones pasadas. Estudios recientes indican que por distintas razones, la pubertad, con todas sus complejidades, llega a las muchachas más temprano que nunca. Los estudios científicos más recientes enumeran los detonadores de este comienzo temprano de la pubertad como la obesidad, la contaminación, los aditivos de la comida, el divorcio y los comerciales sensuales[2]. (En otras palabras, la razón no está clara). Sin duda, podemos esforzarnos por mantener a nuestras hijas alejadas de un exceso de comida chatarra, comprar comida orgánica, mantener nuestros matrimonios fuertes y censurar los medios de comunicación sensuales, pero no podemos escapar a la realidad de que nuestras hijas crecen en una cultura donde las muchachas son más adultas. El Dr. Michael Freemark, jefe de Endocrinología Pediátrica en la Universidad de Medicina Duke, informa: «Es como si a toda una generación de muchachas se les hubiera apretado el botón de avance rápido de las hormonas: se disparan hacia arriba, se llenan hacia los costados y crecen como Alicia cuando masticaba el lado indebido del hongo, lo que las hace quedar mucho más altas, al lado de una generación de muchachos que, al revés de las chicas, parece achicarse cada año»[3].

Solo para ti

1. ¿Recuerdas tu transición a la pubertad? ¿Cuáles fueron tus principales sentimientos? ¿De qué hablaste con tu madre? ¿De qué te hubiera gustado hablar con tu mamá?

2. En concepto de niña en crecimiento, ¿cómo te sentías en cuanto a ser mujer? ¿De qué maneras se respetaba y celebraba en tu familia? ¿De qué maneras se deshonraba y se avergonzaba?

3. En concepto de adulta, ¿cómo te sientes en cuanto a ser mujer? ¿Cómo honras y celebras tu diseño físico y emocional único?

4. A medida que prevés la entrada de tu hija a la adolescencia, ¿te llenas de pavor, temor, entusiasmo? ¿Por qué?

La infancia es lo bastante corta tal como están las
cosas, con niños bombardeados desde todas direccio-
nes con películas, letras de rock y vídeos de MTV

explícitamente sexuales y con modas subidas de tono.
Si los cuerpos de las niñas las empujan hacia la
adultez antes de que sus corazones y mentes estén
preparados, ¿qué se perderá para siempre?[4]

Michael D. Lemonick, revista *Time*

Cada chica es diferente, y ningún libro puede esbozar la evolución exacta del desarrollo físico, emocional o espiritual de tu hija. Sin embargo, este capítulo explorará tres características que espero te ayuden a comprender el mundo único de tu hija. Para entrar al mundo de tu hija hacen falta *coraje, curiosidad* y un *compromiso* hacia la relación que sea inquebrantable. Sin estas tres *C*, suponemos cosas que tal vez pasen por alto quiénes son nuestras hijas en realidad, perdemos oportunidades para guiarlas y para desarrollar nuestra relación y podemos perdernos con facilidad en el laberinto de preguntas y luchas que surgen en la vida de una muchacha en crecimiento. Entrar al mundo de tu hija con coraje, curiosidad y compromiso les dará una oportunidad mucho mejor de comprender y disfrutar el proceso de transformarse en una mujer y de ser una.

CORAJE

Entrar al mundo de una hija no es una tarea para las débiles de corazón. Cuando nuestra bebita llegó a nuestras vidas, nunca pensamos en los trastornos alimenticios, en las luchas con la imagen corporal, ni en la posibilidad de que un día tal vez quisiera parecerse a la muñeca Barbie. ¿Qué madre podría anticipar que su hija en cuarto grado volvería a casa e informaría que «los chicos se vuelven locos con las chicas que tienen pechos»?[5] Cuando mirábamos a nuestra niñita de rostro dulce, no podíamos imaginar el día en el que caminaría furiosa por la casa gritando: «¡No tengo nada que ponerme! ¡Todo hace que parezca gorda!». La Dra. Annie G. Rogers, terapeuta, enfatiza en que permitir que las muchachas tengan su opinión puede ser «profundamente perturbador y perjudicial»[6].

Nuevos peinados y colores de cabello, los aros en el cuerpo, el vegetarianismo, el exhibir el estómago al igual que las heroínas como Britney Spears: todo forma parte del mundo de las muchachas que nosotras no enfrentamos mientras crecíamos. A medida que nuestras hijas cruzan desde la inocencia de los ocho años a la adolescencia experimentada, hace falta valentía para comprender, involucrarse, infiltrarse y estar presentes de manera agradable en su mundo.

Solo para las dos

Tengo una lista de «Preguntas que le haré a mi hija cuando haga acopio de suficiente valentía». No puedo explicar por qué me resulta difícil hacer algunas de estas preguntas. Tal vez sea porque sé en lo profundo de mi corazón que necesito hacerlas y que es probable que causen una conversación difícil. Añado preguntas a la lista mientras estoy sentada en la sala de espera de ortodoncia, mientras veo actividades deportivas y mientras espero en el carril de transporte colectivo. ¡Se ha transformado en un desafío ver si se me puede ocurrir una pregunta que sorprenda a mi hija con mi enfoque o que incluso la deje sin palabras por mi audacia!

Aquí tienes algunas preguntas para que comiences. ¡Ten en mente que el objetivo es invitar a tu hija a abrir la puerta a su mundo interior y a informarle que puedes manejar lo que sea!

1. ¿Qué dicen los chicos en la escuela acerca de los cuerpos de las muchachas o incluso acerca de tu cuerpo? ¿Cómo te hace sentir? ¿Influye en la manera en que quieres vestirte?

2. ¿Qué nuevo peinado o color de cabello te gustaría probar?

3. ¿Hablas con tus amigas acerca de las malas y buenas comidas? ¿Es difícil comer una cierta comida después que la catalogan como mala? ¿Alguna vez escondes lo que comes de tus amigos?

4. ¿Qué detestas acerca de las presiones y las expectativas de tu mundo?

5. Si pudieras ir por los pasillos de tu escuela gritando una cosa, ¿qué sería? ¿Y por los pasillos de nuestra casa?

6. ¿Por qué te parece que le gustas a la gente? ¿Por qué te parece que no le gustas?

7. ¿Qué cambio en tu apariencia crees que garantizaría que les gustaras o disgustaras más a tus pares? ¿Y a los adultos?

Cuando se trata de la imagen corporal y las conductas alimenticias, nuestras hijas sentirán la tentación de experimentar con amoldarse a las presiones únicas de su mundo. Un estudio del centro de trastornos alimenticios de Harvard sugiere que las preadolescentes crean *vínculos* a través del odio por el cuerpo y las elecciones alimenticias mutuas. Las relaciones se forman con conversaciones como: «Estoy muy gorda. Detesto mi estómago. Portémonos bien y solo almorcemos una ensalada». El estudio de Harvard sugiere que las muchachas que no participan en este ritual de vinculación pueden llegar a experimentar asilamiento social[7]. (Veremos más de cerca la presión de los pares en el próximo capítulo).

Algunas muchachas pueden retraerse o rebelarse contra la cultura de «la apariencia es todo» y comer de más o vestirse con modas radicales, lo cual puede ser igual de alarmante para las mamás que no están seguras de lo que se encuentra en la raíz de los comportamientos de sus hijas. A medida que las muchachas miden sus propios cuerpos y la manera en que tienen un sitio, pueden deprimirse o enojarse. A cada paso, debemos reunir todo nuestro coraje para caminar de la mano con nuestras hijas mientras se abren paso a través de esta época difícil de la vida.

CURIOSIDAD

«Mi mamá tiene todas las respuestas», se lamentó Janine en mi oficina. Con rapidez, le echó un vistazo a su mamá y añadió en voz baja: «Ni siquiera sabe las preguntas». Janine tenía dieciséis años y luchaba con la bulimia. Su madre estaba atrapada en la pesadilla de espiar a escondidas por la puerta del baño, para escuchar los sonidos de un trastorno alimenticio y en una búsqueda desesperada para encontrar algo o a alguien que ayudara a su hija con sus hábitos alimenticios cada vez más destructivos. Sabía que la mamá de Janine no tenía todas las respuestas, y también sabía que era probable que tampoco yo supiera las preguntas adecuadas.

Las niñas quieren que sus madres sean la principal fuente de información acerca de la pubertad. Valoran las historias de sus madres sobre sus propias experiencias y necesitan escuchar la misma información una y otra vez[8].

JESSICA GILOOLY, *Before She Gets Her Period*

La curiosidad es una habilidad que ni se enseña ni se alienta en nuestra cultura. Leemos libros acerca de nuestras hijas, escuchamos a expertos hablar del desarrollo femenino, y hasta observamos la cultura que avanza y se aferra con cada vez más fuerza a nuestras niñas en crecimiento. El resultado es que llevamos dentro definiciones de lo que es una niña «normal» de ocho o trece años, memorizamos con temor las estadísticas acerca de los trastornos alimenticios y nos enojamos con una cultura que convierte en sexuales a las muchachas y glorifica la delgadez. Demasiado a menudo interactuamos con nuestras hijas basadas en lo que sabemos del mundo, olvidando que nuestras hijas son en sí un mundo aparte para que se explore y descubra con mucha expectativa.

«¿Qué quisieras que te preguntara tu mamá?», averigüé con suavidad con Janine.

«No lo sé», fue su previsible respuesta adolescente.

Cuando Janine y su madre llegaron a esta crisis, su patrón para relacionarse estaba consolidado. La mamá de Janine usaba su riqueza de sabiduría y experiencia para realizar suposiciones en forma pasiva acerca de Janine que quizá fueran verdad o no. Su estilo de crianza era ante todo desde arriba, y Janine respondía con desdén frente a las suposiciones indebidas de su madre y se retraía cada vez más.

Le pregunté a Janine si estaría dispuesta a darle otra oportunidad a su madre para que aprendiera a hacerle preguntas a su hija. Janine accedió a regañadientes. Por supuesto, Janine también necesitaba realizar cambios importantes en sus actitudes y conductas, pero el principio de la sanidad de su relación comenzaría con uno de los principios más importantes para las relaciones entre madre e hija: Si quieres una verdadera relación con tu hija, no solo una obligatoria que viene debido a su parentesco, ¡tendrás que hacer la mayor parte del trabajo!

Entonces, ¿por qué sugerí que la mamá de Janine comenzara a abordar la crisis en su relación con curiosidad? Porque cuando les pregunto a las muchachas qué es lo que más quieren de sus madres, obtengo una respuesta uniforme: «Comprensión». La comprensión no puede venir de ninguna otra fuente que de nuestras hijas. Como cumplimos tantas funciones distintas al ocuparnos de nuestros hijos, es fácil pasar por alto el proceso que le abre la puerta a la mejor relación entre madre e hija. Proteger, enseñar, admirar, disfrutar, guiar y ayudar a nuestras hijas, forma parte de la crianza, pero a menos que las *comprendamos*, nuestra relación se volverá superficial y tal vez hasta se marchite por completo.

El teólogo Helmut Thielicke escribió: «El evangelio se debe reenviar reiteradas veces a nuevas direcciones porque el destinatario cambia sin cesar de lugares de residencia»[9]. Nuestro «evangelio», ya sea del amor y la manera de vida de Dios o de una imagen corporal saludable y buenos hábitos alimenticios, se debe formar a cada momento de manera que se adecue al «lugar de residencia» de nuestra hija. Ella es como un formulario continuo de cambio de dirección, pidiéndonos «¡Por favor, presta atención!». A menos que seamos curiosas, nuestro mensaje sobre el amor y la vida, y hasta nuestra relación en sí, quedará «perdido en el correo».

> *No importa qué verdadero sea nuestro mensaje ni*
> *qué apasionados y nobles sean nuestros esfuerzos para*
> *comunicar ese mensaje. Si no les hablamos a [nues-*
> *tros hijos] desde la ventajosa posición de conocerlos a*
> *ellos y su mundo, es probable que no les interese lo*
> *que tengamos que decirles*[10].
>
> Walt Mueller, presidente del *Center for*
> *Parent-Youth Understanding*

Cuando tu hija pequeña dice: «¡Mírame, mamá!», ¿qué quiere en realidad de ti? Luego de mirarla, pregunta por qué le gusta mostrarte las cosas, qué le gusta más de tu respuesta y qué le gusta menos. ¿Qué has aprendido de tu hija que revele su verdadera naturaleza? ¿La nutre la atención? ¿Le gusta actuar para los demás? ¿Está insegura de sí misma y busca aliento o dirección? La curiosidad se verá aplastada si respondes para tus adentros: «Solo quiere atención. No quiero que se vuelva demasiado egocéntrica». *Por supuesto* que quiere atención, y las madres son las candidatas ideales para prodigarles el alimento de la atención a sus hijas. El sustento de la curiosidad materna puede evitar que las muchachas busquen amor en un bol de helado... o en cosas peores.

Cuando tu hija en desarrollo desecha uno de sus vestidos preferidos, diciendo: «Detesto este vestido; es estúpido», ¿qué dice en realidad? Puedes preguntarle: «¿Qué te *gustaría* ponerte?». «¿Qué detestas en este vestido?». Ten a mano algunos catálogos de ropa adecuados para la edad y sugiere que circule las ropas que le gusten, de modo que logres conocer su sentido cambiante de la moda.

La curiosidad se ve burlada cuando te concentras en las palabras negativas de su expresión, al reprender: «No se dice "estúpido", y deberías estar agradecida por la ropa que tienes». Tu curiosidad por lo que hay debajo de las preguntas y las expresiones de tu hija le enseña a utilizar sus sentimientos y preferencias, a fin de elegir buenos comportamientos. Los trastornos alimenticios son la manera de expresarse de una muchacha. En los próximos capítulos examinaremos esto con mayor profundidad. Cuando nuestras hijas crecen sin aprender a expresarse de maneras saludables, tal vez utilicen la comida como medio de expresión.

Solo para ti

Lograrás ayudar mejor a tu hija cuando se sienta gorda, si tienes curiosidad respecto a tus propios sentimientos negativos por el cuerpo.

1. Toma nota de los momentos en que te sientes gorda. ¿Hay algún contexto? ¿Cuál es el día de la semana o momento del mes?

2. ¿Sucedió algo entre ayer y hoy que pueda ser parte de sentirte gorda? ¿Te sientes obligada a hacer algo que no quieres hacer?

3. Cuando te sientes gorda, ¿qué otros sentimientos puedes descubrir? ¿Soledad, enojo, desilusión, exclusión?

Después que terminé mi primer libro, *Bravehearts*, me preocupé muchísimo por la manera en que lo recibirían los demás. Mientras esperaba con ilusión las charlas y las oportunidades para hablar acerca del material de mi libro, solo podía sentirme gorda. Me decía sin cesar que si al menos pudiera bajar cinco kilos, el libro sería un éxito mayor. Al escribir estas oraciones, me doy cuenta de lo absurdas que parecen, pero sentirse gorda en conexión con el pensar acerca de presentarle mi libro a los demás era mi realidad interior. Una vez que fui consciente de lo que hacía, comprendí que lo que sentía en realidad era temor. Temía que a la gente no le gustara mi libro... o que no les gustara yo. Cuando identifiqué el sentimiento, pude expresarles mis inseguridades a mis amigos, a mi esposo y a Dios, y afrontar mis temores humildemente alentada por el amor y el apoyo de los demás.

(continúa en la siguiente página)

4.   ¿Qué me dices de ti? ¿Expresas tus sentimientos de
     manera saludable o permites que la pesadez interior se
     vuelva en contra de tu cuerpo físico? ¿Se te ocurre algún
     ejemplo reciente?

Cuando tu hija exclama: «¡Me siento gorda!», ¿sucede algo más?
Pregúntale acerca de los factores de estrés, las expectativas o las amistades en su vida. ¿Puedes ayudarla a descubrir sentimientos que logre
usar para sustituir la palabra *gorda*? En su maravilloso libro, *When
You Eat at the Refrigerator, Pull Up a Chair*, Geneen Roth explica que
«sentirse gorda» es una «manera conveniente de referirse a estados
internos de la mente y el corazón. Aunque es evidente que hay una
realidad física de la gordura o la delgadez, esa realidad se afecta de
manera profunda con las cosas que nos decimos, la falta de respeto,
de curiosidad o de bondad que podemos reunir»[11]. La curiosidad
acerca del mundo de nuestras hijas surgirá en forma más auténtica
de una curiosidad y una comprensión de nuestro propio mundo.

COMPROMISO

Hace poco, regresé exhausta y frustrada de un viaje por los muchos
retrasos y cancelaciones durante mi viaje. Llamé a mi esposo apenas
salí del aeropuerto y empecé a contarle en detalle mis experiencias.
Su silencio al otro lado de la línea me desconcertó, así que en un
momento durante mi relato me detuve y pregunté: «Dave, estás
ahí?».

«Estoy aquí», respondió. «Continúa».

Cuando terminé la historia de mis infortunios de viaje, Dave
comenzó a sugerir con amabilidad algunas maneras de evitar los mismos problemas en el futuro. Sonreí cuando terminó la conversación
con mi esposo el «Sr. Arréglalo todo». Y luego llamé a mi amiga Joan.

De inmediato, Joan hizo sonidos de empatía y compasión: «Ay...
cuánto lo siento», y «¡Huy!... qué horrible». Luego, me contó acerca

de un viaje de pesadilla que experimentó poco tiempo atrás, ¡y terminamos la conversación sintiendo pena mutua!

La comprensión de las diferencias que tengo con mi esposo evita que me frustre demasiado con su respuesta frente a mis luchas. Para mi esposo y para muchos otros hombres, el lenguaje es un recurso para resolver problemas. Quiere escuchar toda la historia antes de hacer un comentario. En comparación, para muchas mujeres el lenguaje es un proceso para crear conexión. Interactuamos a través de la historia y proporcionamos compasión y apoyo, así como identificación. Estas diferencias entre los hombres y las mujeres a menudo aparecen poco después del nacimiento. Los estudios indican que:

- Las niñas se interesan en las personas. Los niños se interesan en las cosas.
- Las niñas pequeñas pasan casi el doble del tiempo que los niños manteniendo contacto visual con los adultos.
- A los cuatro meses, las niñas reconocen fotografías o rostros familiares.
- Las niñas pueden escuchar hasta cinco tonos diferentes. Los niños solo escuchan tres.
- Las niñas aprenden a hablar más temprano. Los niños tienen una mejor coordinación entre ojos y manos[12].

Ninguno de estos enfoques a la vida es superior, y de seguro que hay mucho espacio para la individualidad aparte de estas normas, pero comprender la composición única de las muchachas puede ayudarnos a ofrecer lo que *más* necesitan nuestras hijas mientras crecen. La mayoría de los estudios sugiere que las relaciones son una parte central del desarrollo femenino.

Por supuesto, no necesitamos estudios para confirmar lo que todas experimentamos. Observa a las muchachas alejarse de un grupo para ir al baño... ¡de dos en dos! ¿De qué hablan las muchachas y las mujeres, qué leen, cuáles son sus sueños? Las relaciones. Usamos nuestras historias para afrontar problemas y resolver situaciones con los demás. Los «ay» y «ah» de la conversación femenina nos hacen sentir comprendidas. Contar experiencias similares nos permite sentirnos conectadas. La empatía por nuestro dolor o alegría nos afirma que no estamos solas.

Me entristece el informe de la psicóloga clínica Catherine Pines de la universidad DePaul: «Las verdaderas amistades, la clase que se basa en la interdependencia y el respeto mutuo, son muy raras entre madres e hijas. Esto se debe a que es muy difícil para las madres amar y aceptar a sus hijas tal cual son»[13].

La crianza de común acuerdo puede erradicar esta triste realidad a medida que nos ofrecemos a nuestras hijas con un compromiso inquebrantable. Recuerdo a menudo que mi hija no es distinta a *mí*. Quiere una relación. No necesita que sea una experta en todo ni que la arregle. Me quiere a mí. Y necesita que la quiera a *ella*.

La mejor manera de ayudar a tu hija a evitar un trastorno alimenticio es detenerlo antes de que comience. Cuanto más temprano una hija tenga una comunicación abierta con sus padres y se sienta amada sin importar sus logros, errores o apariencia, será más fuerte[14].

DR. TIMOTHY BREWERTON, director del programa de trastornos alimenticios, en la Universidad de Medicina de Carolina del Sur

---

Al reflexionar acerca de tu compromiso con la relación con tu hija (cuando contesta, rechaza tus opiniones, se ve ridícula, hace preguntas aterradoras, se queja por todo y comete grandes errores), considera la afirmación sencilla de Dios de un compromiso inquebrantable con nosotros a pesar de que contestamos, rechazamos su opinión, nos vemos ridículas, hacemos preguntas aterradoras, nos quejamos de todo y cometemos grandes errores: «Nunca te dejaré; jamás te abandonaré» (Hebreos 13:5).

PRACTICA LAS TRES C

El coraje, la curiosidad y el compromiso con nuestras hijas tomarán distintas formas durante las muchas etapas de su crecimiento y desarrollo, en especial, a medida que enfrente preguntas y luchas con respecto a la imagen corporal y las elecciones alimenticias.

ENTRE LOS OCHO Y ONCE AÑOS DE EDAD

Una niña de entre ocho y once años está en la cúspide de cambios importantes. El desarrollo de la curiosidad respecto a tu muchachita en esta etapa te preparará para los años más complicados que vienen por delante. Durante esta etapa del desarrollo, comienza a crecer el interés de tu hija por el mundo exterior. Se da cuenta de que hay personas, ideas y experiencias diferentes a las que ha conocido en su mundo centrado en la familia. Una de mis escritoras y poetas preferidas, Annie Dillard, describe esta etapa de la infancia: «Los niños de diez años se despiertan y descubren que están aquí [...] Caminan como sonámbulos, con grandes zancadas [...] provistos de cientos de habilidades»[15].

A los nueve años, recuerdo que caminé por una cerca, alrededor del parque, pensando que en realidad me gustaba tener nueve años y que no me importaría tener nueve años para siempre [...] Recuerdo que tenía una verdadera sensación de alegría y de confianza acerca de sortear el mundo por mi cuenta[16].

EMILY HANCOCK, *The Girl Within*

A medida que observes a tu hija experimentar, encontrar alegría y participar en su mundo, podrás vislumbrar quién es y en quién se convertirá. Ahora es el momento de observarla, de tomar en cuenta cómo vive su vida y de hacer muchas preguntas. Tu interacción corajuda, curiosa y comprometida con tu hija te permitirá conocer quién es... y conocerlo de verdad. Anota cosas que diga y que haga que revelen sus dones únicos, su carácter y su fe creciente. En un diario o álbum de fotografías, registra experiencias que disfruten las dos. Documenta el desarrollo de su relación. Cuando olvide en medio de las tormentas de la adolescencia que ustedes dos han forjado una relación, tal vez haga falta que se lo recuerdes.

Una de las mayores sorpresas que he encontrado al trabajar en este libro es la respuesta recibida de las madres de niñas en el grupo de ocho a once años. Muchas madres se han resistido a enfrentar el problema de la imagen corporal y la alimentación en esta etapa de la vida de sus hijas, afirmando: «Es demasiado temprano y no quiero darles ideas». Sin embargo, un estudio de la Universidad de Medicina de Carolina del Sur, entre más de tres mil alumnas de clase media de entre quinto y octavo grado, reveló lo siguiente:

- Cuarenta por ciento se sentía gorda y anhelaba poder bajar de peso.
- Treinta por ciento ya había hecho dieta.
- Ocho por ciento había ayunado.
- Tres por ciento les había hurtado a sus padres pastillas para adelgazar.
- Cinco por ciento se había obligado a vomitar[17].

¿Puedo sugerir que con tacto comiences a mencionar el asunto ahora? El comienzo anterior de la pubertad, el bombardeo de muchachas sensuales y delgadas en los medios de comunicación y la certeza de que las compañeras de tu hija piensan y hablan de aspectos relacionados con la imagen corporal hacen que sea necesario hablar de este asunto temprano.

Al comenzar a interactuar con tu hija sobre los cambios en su cuerpo, no querrás abrumarla. Una serie de conversaciones informales acerca de sus inquietudes inmediatas puede surgir en forma natural de tu práctica de ser curiosa en cuanto a tu hija. La niña de entre ocho y once años está creciendo de maneras importantes. Su estatura es mayor y adquiere más curvas a medida que su cuerpo se prepara para la menstruación. Un día, tal vez se sienta confiada y fuerte, y al día siguiente se sienta incómoda y torpe. Tal vez quiera ser alta y al minuto siguiente quiera ser una niñita de nuevo. Tu curiosidad por tu hija la ayudará a conocerse, a comprender su propio desarrollo y a no recibir un impacto demasiado grande cuando se despierte siendo adolescente.

Solo para las dos

Considera entretejer las siguientes preguntas en conversaciones con tu hija:

1. ¿Alguna vez me viste pararme frente al espejo y quejarme por mi apariencia?

2. ¿Qué piensas de mis quejas? ¿Alguna vez hiciste lo mismo? ¿Has escuchado a adultos o a amigas hablar acerca de bajar de peso? ¿Te preocupa tu peso?

3. ¿Crees que debemos tener una apariencia perfecta, es decir, el cabello, el maquillaje, la ropa, etc.?

4. Inventa un cuestionario de «Aprende a conocerte» para realizar en forma periódica con tu hija. Salgan a almorzar o a caminar por el parque, y vean cuánto se conocen la una a la otra. Mantente alerta a los temas de imagen corporal o alimentación. Algunas de las preguntas pueden incluir:

   • Si tuvieras mucho dinero, ¿qué comprarías?

   • ¿Qué es lo mejor que puedes hacer para dejar de estar de mal humor?

   • Si un amigo te ofreciera una barra de chocolate, ¿qué dirías?

   • ¿Cuál es tu conjunto de ropa preferido?

5. Ahora es el momento de crear una biblioteca de libros (lee la sección de Recursos) que respondan preguntas, proporcionen dibujos y desarrollen en detalle el crecimiento femenino. Mi esposo a menudo bromea diciendo que las mujeres compran revistas de mujeres para saber si son normales. Nuestras hijas no son distintas a nosotras. En especial, en este rango de edad, las mucha-

(continúa en la siguiente página)

chas quieren saber si son normales, y somos su mejor fuente de información más confiable.

6. Comienza a preparar a tu hija para la menstruación. Lo que sepa acerca de este acontecimiento importante, y la forma en que interactúes con ella, puede tener un gran impacto en la manera en que se sienta sobre su transformación en mujer. No renuncies al privilegio de hablar acerca del diseño sagrado de Dios para la mujer, a favor del vídeo de educación sexual de la escuela con ovarios animados. (Lee los medios sugeridos acerca de este tema en la sección de Recursos).

ENTRE LOS DOCE Y DIECISÉIS AÑOS DE EDAD

Hace poco, nuestra hija volvió de una noche con el grupo de jóvenes de la iglesia. Cerró la puerta del frente de un portazo, subió corriendo las escaleras, deshaciéndose de su abrigo y zapatos en el camino, y cerró de un portazo la puerta de su habitación. El silencio que vino a continuación no auguraba nada bueno. Mi esposo y yo nos miramos, y él expresó lo que yo sentía con exactitud: «Ni siquiera quiero saber».

La montaña rusa emocional en la que anda una adolescente puede hacer que deseemos mantenernos lo más alejadas de este juego como sea posible. Sin embargo, no hay otro momento en el que una muchacha necesite más a su madre.

Mientras nuestras hijas al principio de la adolescencia se encuentran en medio de diversos cambios físicos, también hay un desarrollo igual de importante a escala mental y emocional. Es la etapa durante la que una muchacha empieza a comprender su mundo y a buscar modelos que le muestren cómo lucir y vivir. Está en busca de discrepancias entre lo que le han enseñado y lo que está experimentando. Anhela que las relaciones sean más íntimas, encontrar la manera de tener un sitio y aun así ser única, y arriesgarse y lograr la independencia.

Las chicas de esta edad no buscan la justicia ni la imparcialidad. Buscan una causa, y si no encuentran una buena causa, a menudo toman una mala... que podría ser obtener la delgadez a cualquier costo. A medida que alentamos a nuestras hijas a amar sus cuerpos y a tratarlos de manera honorable, debemos examinar nuestras actitudes y conductas, ¡porque nuestras hijas sí que nos inspeccionarán! En capítulos siguientes, examinaremos nuestras actitudes con más detalle, pero comienza ahora a observar cualquier discrepancia que puedas presentarle a tu hija. El viejo dicho de «Haz lo que digo, no lo que hago» puede cosechar consecuencias desastrosas en la relación con tu hija.

En los hogares donde las mamás hablan acerca de sentirse gordas, el ochenta y un por ciento de sus hijas adolescentes dijeron que también se sentían gordas[18].

Revista *Young and Modern*

A menudo, creamos una obligación imposible para nuestras hijas. Queremos que tengan una imagen corporal saludable, aun cuando no la tenemos nosotras. No queremos que adoren los modelos de los medios, pero no creemos tener algo mejor que ofrecerle. Y si lo creemos, no se lo presentamos de manera creativa, atractiva y con determinación a nuestras hijas.

Una de mis amigas comenzó a tener miedo al observar a su hija al borde de hábitos alimenticios destructivos. En lugar de recurrir al temor y al juicio, esta madre sabia se le acercó a su hija con curiosidad y descubrió una pasión en el compromiso de su hija con la alimentación baja en grasas y calorías. Se preguntó si el fervor de su hija podría canalizarse de otra manera.

Esta madre maravillosa investigó proyectos de misión adolescente y le presentó varias opciones a su hija. Avivó la pasión de su hija por el viaje y el interés en personas de otros países y dirigió su fervor a planear un viaje de una vez en la vida. Decidieron realizar un plan para juntas acopiar apoyo a fin de que su hija participara en un viaje misionero de un mes a la India. Uno de sus esfuerzos más memorables para recabar apoyo fue servir un desayuno refinado en la cama para madres de hijos pequeños. Al mismo tiempo, cuidaban o entretenían a los bebés y niños de la casa. Una mañana, ¡cambiaron trece pañales durante un desayuno!

Cuando su hija regresó de la India, su compasión por esta gente empobrecida transformó sus conductas alimenticias en forma radical. Ya no se concentró en su propio peso ni en las dietas compulsivas, sino que comenzó a hacer campañas para apoyar tareas de auxilio en la India. Y su gratitud por su propio estilo de vida abundante invadió sus hábitos alimenticios y resultó en una relación saludable con la comida.

Durante esta etapa del desarrollo, tu hija procurará encontrar su lugar en el mundo. Quiere tener un sitio. Quiere ser única. Si deseas ser parte de este proceso a veces loco, debes tomarla de la mano y decirle que no le temes a su mundo, no piensas que es tonto y que la apoyas en su esfuerzo de encontrar su lugar. Mientras tu hija procura comprender su mundo, necesita expresar sus opiniones y probar sus ideas. De acuerdo con la Dra. Ava Seigel, del *Family Insitute* de la Universidad de Northwestern: «Una hija puede tener los ojos, la sonrisa y el sentido del humor de la mamá, pero tiene su propia manera de pensar, de sentir y de hacer las cosas que son distintas a las de su mamá. La madre tiene que ver esto como válido y como algo que merece respeto. Desde el principio, las madres que sueñan con amistades adultas con sus hijas deberían permitirles tomar decisiones adecuadas a la edad, alentándolas a expresar sus propias opiniones y permitir desacuerdos»[19].

Solo para las dos

1. Practica para darte cuenta de las maneras en que tu hija es diferente a ti y dile que disfrutas las diferencias. A cada momento le recuerdo a mi hija lo maravilloso que

es que sea mucho más atlética de lo que seré jamás yo.
Además, Kristin sabe cómo maquillarse y yo nunca
aprendí ese arte. Admiro su capacidad y le pido consejos.

2. Permitirle crecer a tu hija supone ver más allá de algunas de sus elecciones de moda que te resultan ridículas.
Pregúntale a tu hija si quisiera hacer algún cambio a su
apariencia, incluyendo estilos de moda. Recuerda que la
manera en que interactúan acerca de su apariencia
puede ser mucho más importante que la ropa que elija.

3. ¿Acaso tu hija quiere cambiar sus patrones alimenticios?
¿Quiere volverse vegetariana? Puedes honrar sus preguntas e intereses pidiéndole que pase dos semanas
investigando sobre un plan de alimentación en particular, aprendiendo cómo puede ser saludable. Una vez que
se entere de lo que es bueno para ella, déjala que haga
su propia lista de compras y que se prepare su comida y,
a veces, para toda la familia. Cuando descubra recetas
que le gusten, hónrala preparándole «su comida».

4. Comienza a realizar una lista de los proyectos de servi-
cio disponibles. Averigua detalles, horarios, los volunta-
rios que se necesitan y los costos. (Una organización
que proporciona viajes misioneros desafiantes para adolescentes es *Teen Mania Ministries*, 1-800-299-TEEN o
http://www.teenmania.com). Preséntale tus ideas a tu
hija y pregúntale si tiene alguna propia. A veces, tus
ideas desatarán la imaginación de tu hija. Preparen juntas un plan para que se involucre en un ministerio o
proyecto de la comunidad. Si se resiste a ir sola, ofréce-
te para acompañarla o ayudarla a pedirle a una amiga
que participe.

Después de una vida de trabajo, Freud afirmó que no sabía lo
que quería una mujer. *Nosotras sabemos*. Queremos relaciones.

Queremos a alguien que nos vea, nos conozca, nos aliente, nos apoye, nos perdone, nos recuerde, nos crea y nos comprenda. En un ámbito muy práctico, necesitamos a alguien que le podamos preguntar mil veces: «¿Estoy gorda?», y sepamos que le escucharemos decir mil veces: «No estás gorda. Estás hermosa». Nuestras hijas no quieren menos de lo que queremos nosotras.

Capítulo 4

La cultura de tu hija

Aunque el propósito del «entretenimiento» se ve casi
siempre como una simple diversión o algo rentable,
su verdadero propósito es la educación. El adolescente
va a la escuela de la adolescencia con el entreteni-
miento como amigo y maestro[1].

QUENTIN J. SCHULTZE, *Dancing in the Dark*

El sábado por la noche, nuestra hija asistió a su primer baile de comienzo del instituto. Se despertó a las nueve de la mañana con algo de pánico. Al fin y al cabo, ¡solo tenía nueve horas para prepararse! Pasó el día mimándose, pintándose las uñas y experimentando con todo tipo de maquillaje con brillos. Por último, una hora antes de reunirse con un grupo de amigos a cenar antes del baile, se puso su vestido aterciopelado y zapatos de tacón alto. Se hizo un moño informal en el cabello que solo podría ocurrírsele a una muchacha en edad del instituto y que solo ella podía controlar. Y estaba lista.

Antes de que tomáramos fotografías, ¡su padre se preguntó si Kristin se pondría un suéter! Su expresión exasperada le dijo: *No me molestes esta noche. Es demasiado importante.* Como si ya no lo supiéramos.

En oración, llevamos a nuestra hija a encontrarse con sus amigos y nos preguntamos cómo llegamos tan rápido a este rito de transición. Parecía que fuera solo unos meses atrás que le encantaba jugar con su muñeca *American Girl* y leer su libro preferido, *Heidi*, una y otra vez. Parecía haber muchísimo más en juego a medida que entraba en un mundo lleno de hormonas del instituto, música con un ritmo de sexualidad y compañeros vestidos con ropa que nunca soñamos que existiera y mucho menos que nuestros padres consideraran dejarnos usar.

Durante toda la noche, pensé en Kristin, oré por ella y me resultó difícil no ceder a un pánico cada vez mayor. ¡Solo las madres de chicas en edad del instituto saben que es posible que un baile de tres horas de duración parezca de tres semanas! Durante mi vigilia, tuve mucho tiempo para pensar en las adolescentes y sus vestidos sensuales, moviéndose al ritmo de la música que solo destaca sus nuevas curvas femeninas. ¿Kristin se compararía con los demás y se sentiría demasiado alta o «tonta»? Durante un momento, ¡me pregunté si mis antepasados bautistas tenían razón al creer que el baile debería temerse y evitarse!

Sabía que habría un grupo de estudiantes con ropa de baile más gótica que deslumbrante, con accesorios negros. ¿Debía preocuparme por sus intenciones de ir contra la corriente del instituto con más que una simple moda alternativa? ¿Y qué me dices de los acicalados muchachos con corbatas y flores en el ojal, que escuchan música contemporánea que se refiere a las muchachas como prostitutas y que alienta la relación sexual sin límites? ¿Podría Kristin detectar a los muchachos respetables y rechazar a los deshonrosos? ¿Y si nadie la invitaba a bailar? ¿Supondría que nadie la invitaba porque no «se veía bien»?

Hace poco, se citó a la escuela de Kristin como la escuela de nuestra área con la tasa más alto en el uso de la mariguana. Ya me había dicho que había rumores de que algunos chicos intentarían pasar de contrabando alcohol al baile. ¿En qué pensábamos al dejarla asistir a una actividad tan peligrosa? Estaba lista para tomar una linterna, conducir hasta la escuela de Kristin y rescatarla del territorio enemigo. Decidí que Mark Twain tenía razón cuando dijo: «Cuando un niño cumple doce años, deberías colocarlo en un barril, cerrar la tapa con clavos y alimentarlo a través de un agujero en la madera. Cuando cumpla dieciséis, tapa el agujero».

A la velocidad de la luz, diseñé un plan. Podíamos vender todo lo que teníamos y mudarnos a una zona remota de Nebraska. Sin televisión, radio, revistas o compañeros, quizá mis hijos estarían a salvo. Cuando empecé a imaginar cómo hacíamos nuestra propia ropa, ¡supe que necesitaba enfrentar la realidad! Debía regresar a una verdad liberadora en la crianza de una hija adolescente.

LA CULTURA NO ES EL ENEMIGO

¿Cómo puedo decir eso? Sé que la música, las películas, las revistas y los diseñadores de moda conspiran para hacernos creer que la delgadez está de moda, que los cuerpos son productos y que no hay un precio demasiado alto para lucir bien. La cultura de la delgadez ha producido siete millones de muchachas y mujeres estadounidenses que luchan con trastornos alimenticios[2]. La cultura es un blanco fácil para nuestro desdén, indignación e incluso odio. Queremos creer que si podemos domar la música adolescente, llenar las películas y las revistas con muchachas y muchachos saludables y regresar a las modas de los años de 1950, nuestros hijos estarán a salvo.

Nuestra familia vive en una comunidad (Littleton, Colorado) que ha examinado con detenimiento la cultura durante los últimos dos años. El 20 de abril de 1999, una tragedia en un instituto de nuestro barrio estremeció nuestro mundo. Dos alumnos de último año entraron a su escuela, el instituto Columbine, y abrieron fuego, hiriendo y matando a doce de sus compañeros y a un maestro. Nuestra comunidad ha procurado con desesperación identificar al enemigo que causó este acontecimiento inconcebible. Hemos considerado los videojuegos violentos, la música oscura de *heavy metal*, una subcultura gótica, los maestros y administradores descuidados, el racismo, los grupos crueles de compañeros, el abuso del alcohol, los antidepresivos recetados por el psiquiatra de uno de los pistoleros, las normas liberales para las armas y los padres negligentes. A pesar de las audiencias, la investigación y el testimonio de expertos, nadie puede determinar con exactitud la razón específica por la que dos muchachos, inmersos en una cultura similar a la de tantos otros adolescentes, respondieron con una conducta tan horrenda.

En lo que respecta a las luchas con la imagen corporal y los trastornos alimenticios, hay una plétora similar de sospechosos: revistas brillantes con imágenes poco realistas del tamaño corporal; una moda e industria de la belleza que gasta millones de dólares para promocionar una imagen súper delgada, películas en las que todas las chicas bonitas y populares se parecen más a Barbie que a las chicas reales, música cantada por heroínas delgadas y sensuales o por héroes atractivos que buscan la cita perfecta; una industria de la dieta que siempre está lista para vender la cura para la depresión de la imagen corporal. Cuando le añadimos la presión de los pares a la presión cultural, parece absurdo pensar que nuestras hijas logren evitar sucumbir ante las luchas de la imagen corporal y los trastornos alimenticios.

Las adolescentes son árboles jóvenes en un huracán.
Son árboles jóvenes y vulnerables que el viento sopla
con fuerza de tormenta[3].

MARY PIPHER, *Reviving Ophelia*

Hace poco, asistí a un seminario acerca de luchas adolescentes y pasé varias horas escuchando cómo expertos puntualizaban las causas de los problemas adolescentes. Durante una sesión de preguntas y respuestas, un asistente le preguntó a una panelista: «Sin embargo, ¿qué sucedería si fuera *su* hija la que estuviera en peligro? ¿Cómo le respondería?». La respuesta de la experta me dejó atónita. Explicó que nunca la tomaría por sorpresa un problema con su hija porque conocía todas las señales de advertencia, comprendía los vínculos causales de las luchas adolescentes y podría «cortar de raíz el problema». Se me rompió el corazón por la falsa confianza de esta experta y por las madres en la audiencia que tenían hijas con problemas, impulsadas hacia la vergüenza por no haber sido tan «perspicaces».

El peligro de adjudicarle problemas complejos a causas esenciales específicas es que comenzamos a creer que podemos tener el control. Nos aferramos a garantías falsas y dañinas en potencia de que si seguimos cierto conjunto de reglas y eliminamos todas las tentaciones peligrosas del mundo de nuestras hijas, estarán a salvo.

Olvidamos la lección en el libro de Génesis acerca de la primera mujer que pensó que podía controlar su mundo al saberlo todo. Génesis 3:1 registra las escalofriantes palabras: «La serpiente era más astuta».

LA CULTURA NO ES EL ENEMIGO... PERO HAY UN ENEMIGO

Cuando usamos toda nuestra energía para luchar contra la cultura, no solo es posible que nos atraiga una falsa sensación de control, sino que también nos distanciemos de nuestras hijas, las que quizá se unan a la cultura para luchar contra nosotras. Lo que es más importante es que podemos dejar pasar al verdadero Enemigo.

El apóstol Pedro advirtió: «Su enemigo *el diablo* ronda como león rugiente, buscando a quién devorar» (1 Pedro 5:8, énfasis añadido). Por supuesto, «a quién» incluye a nuestras hijas. Es un enemigo astuto con muchos recursos para atrapar a nuestras hijas (en cuerpo, alma y espíritu) para sus propósitos (2 Corintios 2:11). La cultura es un recurso poderoso que el Enemigo usa con habilidad contra nuestras hijas y contra nosotras.

Si queremos más que control (el que nunca tendremos de todos modos), debemos desistir de intentar el control. Si queremos una conexión con nuestras hijas en relaciones poderosas y continuas, debemos cultivar una pasión a fin de comprender la cultura, entablar conversaciones con nuestras hijas acerca de la cultura y aprender a *usar* la cultura para invitar a nuestras hijas a crecer y a acercarse a Dios.

Sé que parece una tarea abrumadora. No comprendemos las letras de su música, nunca nos perforaríamos el ombligo y la revista *Seventeen* nos revuelve un poco el estómago. Sin embargo, recuerda que nuestro enemigo también es el enemigo de Dios. No estamos solas en esto. En el Nuevo Testamento, Dios nos promete que Él es mayor que el que manipula la cultura de la maldad (Juan 16:33), y en el Antiguo Testamento, nos alienta en esta tarea de usar una cultura perversa para bien. Las palabras del profeta Jeremías hablan de forma directa a nuestro corazón de madre: «Entonces dijo así el SEÑOR: Si vuelves, yo te restauraré, en mi presencia estarás; si apartas lo precioso de lo vil, serás mi portavoz» (Jeremías 15:19, *LBLA*).

Jeremías les escribió a personas llenas de desconfianza y desesperación y les recordó que encontrarían descanso al regresar a su relación con Dios. ¡Qué enfoque tan maravilloso para las madres que inspeccionan la cultura con corazones sospechosos e inquietos! Encontramos descanso para atravesar esta época tumultuosa para las chicas cuando nos aferramos a la verdad de que las relaciones son centrales: nuestra relación con Dios y con nuestras hijas, y la relación de ellas con Dios y con nosotras. Si los fracasos de nuestras madres nos han dañado a nosotras mismas o si ya nos equivocamos con nuestras hijas, sabemos que las relaciones pueden dañar. No obstante, si las relaciones pueden dañar, también pueden sanar. Podemos descansar en esa verdad.

En primer lugar, podemos descansar en nuestra relación con Dios. Dean Borgman, profesor de Youth Ministries en el Seminario Teológico Gordon-Conwell, escribe: «Cristo es la clave para nuestra interpretación de la cultura. La naturaleza divina se identifica en forma permanente con la cultura humana. El Hijo eterno adquiere un cuerpo físico en una cultura en particular. Mientras retiene su identidad divina, Cristo renuncia a muchos derechos. Este misterio de la encarnación nos ofrece un modelo magnífico y útil [...] El Verbo se hace carne a fin de que logremos encontrar el espíritu [...] La cultura es la etapa pasajera de un drama eterno»[4].

La humildad de Cristo al entrar en nuestra cultura por una oportunidad de tener una relación con nosotros nos alienta a entrar en la cultura de nuestras hijas, por el bien de una relación con ellas y, en última instancia, para ser un ejemplo del amor y el anhelo de Dios hacia ellas también.

En segundo lugar, podemos descansar en nuestro deseo de una relación maravillosa con nuestras hijas. Walt Mueller, presidente del *Center for Parent-Youth Understanding*, advierte que «atacar la cultura crea un clima para que nuestros hijos respondan con amargura y falta de disposición a franquearse, y no cultiva la intimidad»[5]. Crear un clima que fomente la franqueza y que cultive la intimidad requiere «un enfoque claro, humildad y una tolerancia de las diversas opiniones»[6]. La base más segura para un corazón que sea astuto como una serpiente y sencillo como una paloma (Mateo 10:16) es un compromiso valiente en la relación con nuestras hijas. Recordar el poder de esta relación es el lugar al que debemos regresar siempre.

Tal vez nos veamos tentadas a sentirnos abrumadas, enojadas o incluso celosas con respecto a la cultura. Y con razón. El especialista en juventud Tom Piotrowski explica que «nunca deberíamos descartar el factor *relacional* que muchos jóvenes tienen con los medios de comunicación que consumen, ya sea música, televisión, películas o material impreso» (énfasis añadido)[7]. Cuando sentimos que la cultura aleja a nuestras hijas de nosotras, somos *nosotras* las que debemos esforzarnos para crear una relación que ofrezca más que la cultura.

No hay mejor manera de hacerlo que usando la cultura de la que intentamos separarnos de inmediato nosotras y a nuestras hijas. Dean Borgman instruye: «Los elementos de la cultura joven son tan preciosos para ellos como el lenguaje y los rituales, la música y las danzas son para las sociedades tribales»[8]. Podemos tomar lo que es precioso, separarlo de lo vil y usarlo para crear una relación con nuestras hijas que sea menos vulnerable a los ataques del Enemigo.

TRES REGLAS PARA USAR LA CULTURA

1. Conoce la cultura de tu hija.
¿Qué está de moda? ¿Qué libros, música, películas y revistas le gustan a ella? ¿Qué libros, música, películas y revistas les gustan a sus amigos? En verdad necesitamos conocer la cultura de las muchachas mejor que ellas.

Cuando una de mis amigas descubrió que el círculo de amistades de su hija de quinto grado estaba leyendo una serie de libros llamada *The Baby-Sitters Club*, compró varios de los libros de la serie y los leyó. Después que su hija leía un libro, planeaban una sesión para charlar al respecto. Mi amiga diseñó una serie de preguntas que le permitían usar la cultura para conocer mejor a su hija y para abrirle la puerta a conversaciones importantes:

- ¿Qué te gustó o disgustó acerca de la historia?

- ¿Alguna de estas cosas sucede en tu vida?
- ¿Por qué crees que los personajes hicieron o dijeron ciertas cosas?
- ¿Alguna vez te sucedió algo así?
- ¿Qué piensas de lo que los personajes hicieron o dijeron?
- ¿Qué te parece que harías en una situación similar?
- Si pudieras rescribir la historia, ¿cómo lo harías?

Con sabiduría y encanto, mi amiga abrió la puerta a conversaciones acerca de la cultura en una época de relativa inocencia, con la esperanza de que la puerta de la comunicación siga abierta cuando el mundo de su hija se vuelva más complicado.

2. Busca algo positivo primero.
A nadie se le juzga, critica, ni presiona para que cambie. Si nuestras hijas creen que estamos en una cacería de brujas, separarán con una pared partes de su corazón de nosotras. Si en cambio nos ven acercarnos a su cultura con curiosidad y sentido del humor, estarán observando y esperando escuchar nuestra respuesta.

Una de mis clientas llevó a su hija de sexto grado y a tres amigas a ver un recital de la ídolo pop Britney Spears. Esta madre apenas si podía mirar más allá de la ropa increíblemente escasa de la artista. Sin embargo, cuando fueron a tomar un helado luego del recital, dijo: «¡Vaya! Britney sí que tiene mucha energía y pasión cuando canta». Su comentario llevó a una conversación acerca de la pasión y de lo que apasionaba a cada una de las niñas. Al final de la charla, mi clienta comentó con tranquilidad: «Claro que no me gustaron algunos de los conjuntos de Britney». Las niñas pronto contestaron: «Sí. Daban vergüenza. Desagradables». Suficiente. Recibieron el único comentario negativo de esta madre y tendrá un impacto en su hija porque lo amortiguaron muchos comentarios positivos.

3. Conecta la cultura con historias.
Si tu hija tiene un artista musical preferido, intenta averiguar acerca de la vida de esta persona y conecta las letras de sus canciones con su historia personal. Si a tu hija le gusta ver revistas para adolescentes, busca algo acerca de las modelos de las propagandas. Si ven juntas

una película, conecta parte del argumento de la película con tu propia historia o con la de tu hija. Las relaciones son una historia continua, y las historias son el alma de las relaciones. Con sabiduría, puedes usar historias de maneras que vayan más allá de las palabras para hablar el idioma del corazón.

¡Escuchen! ¡Escuchen las historias! [...] las historias transmiten el misterio y el milagro, la aventura, de estar vivos [...] [Las historias] les hablan a los límites de nuestro esfuerzo [...] sugieren esperanza y, en última instancia, la promesa de nuestro viaje en común[9].

ERNEST KURTZ Y KATHERINE KETCHAM, *The Spirituality of Imperfection*

Las siguientes tres «historias» pueden contarse con gracia mientras observan la cultura con tu hija:

• La modelo Kate Moss mide un metro setenta y pesa cuarenta y cinco kilos. Cuando Kathy Bruin tenía doce años, comenzó una rebelión en contra de los anunciantes que mostraban solo mujeres muy delgadas en sus anuncios. Utilizando un anuncio real de perfumes, creó cientos de carteles con la fotografía de Kate Moss tendida casi desnuda en un sofá. En lugar de las palabras «Obsesión de Calvin Klein», sus carteles decían «La escualidez da asco, basta de imágenes de inanición». Los amigos y la familia la ayudaron a colocar los carteles por toda la comunidad. Sus esfuerzos resultaron en una organización llamada *About-Face*, la cual lucha contra las imágenes negativas y distorsionadas de las mujeres[10].

• La columnista Margie Boule cuenta la historia de la lucha de Megan Gerking, de dieciséis años, a fin de superar la anorexia: «Cuando era más joven, miraba toneladas de revistas. Al ver revistas y televisión, siempre tienes la necesidad de lucir más bonita o mejor. Es una lucha. Piensas: "¿Por qué no soy tan delgada?". Ahora, las hojeo y pienso cosas como veamos qué modelos tienen trastornos alimenticios»[11].

- Las normas ideales de nuestra cultura (según las determina el peso de Miss Estados Unidos) se hicieron aun más delgadas entre 1979 y 1988. Para 1992, el peso de Miss Estados Unidos estaba entre un trece y un dieciocho por ciento por debajo del peso promedio esperado para una mujer[12].

Antes de ver maneras más prácticas de usar la cultura a fin de caminar de la mano con nuestras hijas, déjame darte el consejo siempre relevante del pastor del siglo dieciocho Henry Venn. Una madre preocupada le escribió al pastor Venn acerca de su hija, pidiéndole sugerencias para salvar a su hija de los problemas. Su respuesta debería impregnar todo lo que hacemos las madres hoy en día: «[Considera] tu propia debilidad e incapacidad de dar siquiera un rayo de sol, o de despertar ni la más débil convicción de pecado, o de comunicar la menor partícula de bien espiritual a alguien que te es más preciado que la vida. Esto debería quitar cualquier pensamiento orgulloso acerca de nuestra propia suficiencia y mantenernos sinceros y hacer que seamos suplicantes insistentes a la puerta de la misericordia y libre gracia del Todopoderoso»[13].

Solo para ti

1. ¿Cómo ves la cultura de tu hija? ¿Como una enemiga? ¿Como una amenaza? ¿Como un recurso?
2. ¿Cómo veían tus padres tu cultura? ¿De qué manera influyó su punto de vista en la relación entre ustedes?
3. ¿Cómo la vida de Jesús desafía tu forma de pensar sobre la cultura de tu hija?
4. ¿Cómo influye la cultura en tu vida? ¿De qué manera la enriquece o empobrece los medios de comunicación?
5. ¿Cuán importantes son la música y las películas para ti?
6. ¿Cómo escuchas música o ves televisión y películas con tu hija?

7. ¿Cómo oras por la cultura de tu hija? Considera orar todos los días por un aspecto de la cultura de tu hija, de modo que la presencia de Dios se manifieste de alguna manera. Una madre e hija que conozco leen los reconocimientos en las carátulas de los discos compactos, y siempre que leen que un artista le agradece a Dios y que los fortalece su fe en Cristo, le dan gracias a Dios por eso y oran para que esto se refleje con más intensidad en la vida del artista.

8. ¿Cómo oras por tu hija? Confecciona una lista de las influencias culturales a las que temes. Ora por tu hija con respecto a cada una de estas cosas y comienza a orar por la manera en que puedes usar estos temores para fortalecer la relación con tu hija.

EL USO DE LA CULTURA: UNA SESIÓN DE PRÁCTICA

A mi hija le encanta ver revistas para adolescentes. Tenemos muchos rituales maravillosos conectados con estas revistas. La mayoría de estos rituales se llevan a cabo en mi habitación. Tenemos un montón de revistas en una cesta junto a la cama, con la esperanza de usarlas durante algunos de nuestros momentos preferidos juntas. Con el gentil permiso de Kristin, me gustaría contarte de una de nuestras noches memorables con las revistas.

Más temprano ese día, anoté tres principios acerca de la imagen corporal en los que quería ahondar tanto por mí como por Kristin:

• El cuerpo es importante
• El cuerpo no es lo único que existe
• El cuerpo es un templo

Elegí estas categorías como resultado de conversaciones anteriores con Kristin acerca del enfoque de la cultura adolescente ante la imagen corporal. Si quieres incorporar esta práctica con tu hija, puedes adaptarla a su edad utilizando su cultura. Puedes inventar tus propios principios para buscar en sus revistas, libros, música o películas que tengan que ver con lo que está pensando y con las cosas que afronta a su edad. No dudes en usar revistas, música o libros cristianos; estos también forman parte de nuestra colección. En la próxima sección «Solo para las dos» hay sugerencias que las ayudarán a crear su propia noche de revistas.

Le expliqué en pocas palabras a Kristin mis intenciones y le pedí su ayuda. Le pedí que eligiera su más reciente revista preferida con el propósito de ver lo que podíamos aprender acerca de estos tres principios. Le dije que quería saber lo que decía su revista acerca de la importancia del cuerpo, del impacto del cuerpo en el resto de nuestra vida y del cuerpo como una morada para Dios.

Kristin y yo le llamamos a mi cama «El Trono». La llenamos de almohadas, encendemos velas, a veces ponemos música y colocamos un cartel de «No molestar» en la puerta del dormitorio. Nos turnamos para traer los bocadillos. Esta noche en particular era el turno de Kristin, y había traído caramelos de regaliz y Dr. Pepper. (En general, los bocadillos de Kristin son mucho más interesantes que los míos).

Así que, tienes todos los elementos: mi hija y yo; El Trono; la revista *Seventeen* de diciembre de 2000; caramelos de regaliz y refresco *Dr Pepper*; velas y música de Navidad de fondo (aunque era principios de noviembre, decidimos que era hora de hacer arrancar el espíritu navideño). Estos elementos sencillos proporcionaron el contexto para una noche que nunca olvidaremos, así como enfoques hacia tres principios importantes que se han transformado en parte de nuestra manera de pensar y nuestro comportamiento con respecto a la alimentación y la imagen corporal.

EL CUERPO ES IMPORTANTE

Con rapidez, hojeamos la revista y vimos cuerpos por todas partes. En las tres primeras páginas notamos unas sensuales rubias con pantalones de cuero negro y camisas que dejaban ver el estómago, promocionando el champú *Sheer Blonde*; una modelo joven y sensual, una vez más mostrando el estómago, complementada con unos zapatos de tacón de aguja, que promocionaba a *Levi's*; y una pareja joven que lucía muy a la moda, ambos con el estómago al descubierto, vestidos con abrigos de cuero rojo y negro, promocionando el cuero *Wilson's Leather*. Eso nos llevó a contar la cantidad de jovencitas que aparecían en la revista con el estómago al descubierto. ¡Veintisiete!

Le pregunté a Kristin de qué pensaba que se trataba esta moda de mostrar el estómago. Dijo: «Supongo que si te gusta tu estómago, ¡quieres mostrarlo!». Notamos que todas las muchachas que aparecían tenían estómagos planos o incluso cóncavos. Decidimos ver por nuestra cuenta cómo nos quedaría esta moda. Nos pusimos un par de pantalones vaqueros ajustados y experimentamos con una camisa que revelaba distintos grados de nuestro estómago. Nos reímos tanto que estoy segura que quemamos tantas calorías como si hubiéramos hecho cincuenta abdominales. No es un estilo de moda que me verás usar a mí.

«¿Por qué tanto escándalo con el cuerpo?», le pregunté a Kristin. Su respuesta pareció evidente: «Supongo que es lo que todos ven primero». Hablamos acerca de cómo nuestros cuerpos representan lo que somos, acerca de si está bien que los demás nos juzguen por nuestro cuerpo y si está bien creer que el cuerpo es importante de verdad.

Elogié a Kristin por la manera en que me ha alentado a cuidar mi cuerpo. Hay muchísimos productos maravillosos para mimar el cuerpo hoy en día, y a Kristin le encanta disfrutar de distintos aromas y cremas. Reconoce que cuando falta alguna de sus cremas preferidas, es probable que esté en mi baño.

La revista *Seventeen* sabe que el cuerpo es importante. Los anunciantes saben que el cuerpo es importante. Y el Enemigo sabe que el cuerpo es importante. Nuestras hijas se preguntan si está bien que el cuerpo sea importante. Le expliqué a Kristin que mientras crecía, me confundía mi cuerpo, a veces me asustaba que estuviera fuera de control, y estaba tristemente convencida otras veces de que era un enemigo terrible y traicionero. La respuesta de Kristin fue de compasión, ¡con un elemento de seguridad en sí misma de que nunca sería un desastre como yo! En silencio, oré para que Kristin siguiera creciendo con una relación saludable con su cuerpo que informara sus decisiones acerca de la alimentación y el ejercicio, ¡así como acerca de mostrar el estómago!

EL CUERPO NO ES LO ÚNICO QUE EXISTE

Este número en particular de *Seventeen* estaba dividido en doce secciones: Moda, Belleza, Chicos, Test, Características, Alimentación, Cuerpo, Un día en la vida, Pase entre bastidores, Ficción, Columnas y ¿A que no lo sabías? Le pregunté a Kristin si pensaba que estos temas representaban las inquietudes de las chicas de su edad. Ella pensaba que sí lo hacían. No pude resistir hacer un comentario acerca de la falta de contenido espiritual. Kristin respondió con educación: «Ajá».

Decidimos elegir una sección cada una y encontrar todo lo que nos gustaba allí. Kristin eligió Moda y yo ¿A que no lo sabías? (¡porque no lo sabía!). Kristin señaló varios conjuntos de ropa, estilos y accesorios que le gustaban. Sin que la indujera, también señaló algunas de las incongruencias de las revistas para adolescentes. Hemos estado buscando estos mensajes confusos durante mucho tiempo, y ahora este hábito surge en forma natural. Nos reímos del anuncio de una salsa de queso, solo a unas páginas de uno con esas modelos que muestran el estómago y a unas páginas más de un artículo acerca de cuidar la línea durante las fiestas. El discernimiento de Kristin me alienta a pensar que está desarrollando habilidades para elegir entre los muchos mensajes conflictivos que le arroja la cultura a diario.

Un «pastel humilde» fue mi bocadillo para la noche siguiente a la que leí el artículo seleccionado. El artículo en la sección «¿A que no lo sabías?» se titulaba «Los campos de oración», y se refería a la lucha por la oración en los eventos deportivos de las escuelas. Este artículo informaba sobre una encuesta reciente realizada en http://www.seventeen.com, que resultó en que el ochenta y un por ciento de los encuestados adolescentes no está de acuerdo con la decisión del Tribunal Supremo de mantener la oración fuera de los campos de juego de las escuelas. Le admití a Kristin que esta revista sí tomaba en cuenta lo espiritual y que me había equivocado al suponer que no lo hacía. Hablamos de la manera injusta en que los adultos colocan a los adolescentes en una caja, realizando suposiciones erróneas acerca de quiénes son y de lo que es importante para ellos. A Kristin se le ocurrió una metáfora maravillosa: «Es parecido a que cada vez que la gente quiere pintar a los adolescentes, solo tienen un color».

Estuve de acuerdo con Kristin en que los adolescentes están conectados a una gran variedad de ideas, pasiones, creencias y planes. No pude resistir el impulso de traer la conversación de regreso al cuerpo y usar la metáfora de Kristin: cuando nos concentramos *solo* en nuestros cuerpos, es como pintar con un color. ¡Obsesionarse con la imagen corporal y la pérdida de peso evita que experimentemos muchas otras cosas! El cuerpo es importante, pero Kristin estuvo de acuerdo en que no es lo único importante para las adolescentes, independientemente de lo que intente decirnos la cultura.

EL CUERPO ES UN TEMPLO

Debo confesar que esperaba encontrar más «vil» que «precioso» con respecto al tema de tratar el cuerpo de uno como el templo del Dios vivo (1 Corintios 6:19, *LBLA*). Kristin y yo hemos hablado a menudo acerca de la actitud descuidada y hasta profana hacia el cuerpo que es frecuente en su cultura. Mientras mirábamos el índice de la revista *Seventeen*, mi corazón saltó y mi voz exclamó: «¡Cómo así!», al ver el título de la columna Sexo y Cuerpo: «¿Puedo quedar embarazada del semen en una toalla?». Cuando Kristin era pequeña y empezaba a mirar revistas para adolescentes, yo siempre las revisaba primero, y arrancaba cualquier cosa que fuera inadecuada para que leyera o comentara a su edad. Sigo leyendo todas las revistas de Kristin, pero ahora hablamos de todos los temas porque, como Kristin bien dijo: «Esas cosas están por todos los pasillos de la escuela».

Kristin se dio cuenta de dónde se detuvieron mis ojos en el índice y me recordó mi propia regla de buscar algo bueno primero. Así que nos dimos a la sobrecogedora tarea de buscar algo de aliento para tratar nuestros cuerpos como templos del Espíritu Santo. Kristin me recordó que arreglarse bien y embellecerse es honrar nuestros cuerpos y a Dios. Yo estaba de acuerdo. Leímos un artículo maravilloso acerca de la necesidad del sueño y coincidimos en que la protección de nuestro sueño es sagrada.

La página 145 parecía un lugar poco probable para conectar el cuerpo con un principio espiritual importante. Mostraba un artículo acerca de la conocida banda de muchachos *98 Degrees*. Esta banda le recordó a Kristin una historia que proporcionó una conclusión maravillosa para nuestra noche.

Solo para las dos

Aquí tienes algunas sugerencias para guiarlas en tu noche de revista con tu hija.

1. Compra algunas de las revistas dirigidas a las muchachas. Léelas primero tú, y arranca cualquier cosa que no te resulte cómodo que lea tu hija.

2. Abastécete de tus bocadillos preferidos y elige un lugar especial de la casa solo para las dos.

3. ¿Se te ocurre algún tema en particular que te gustaría hablar con tu hija usando su cultura? Si no, intenta alguna de las siguientes ideas. Cuanto más practiques usar la cultura, más hábil te volverás.

   • Deja que tu hija vea una revista y elija todo lo que piense que te gustará o que te disgustará mientras tú ves otra revista, eligiendo lo que le gusta y no le gusta a tu hija. Sé específica en cuanto al tema de la imagen corporal. Comparen sus elecciones.

   • Busquen la hipocresía. Por ejemplo, un artículo en una página acerca de trastornos alimenticios y una fotografía de una modelo talle 0 en la página siguiente. (¡¿Sabías que *Gap* vende una talla 0?!)

   • Realicen un *collage* de todas las formas de cuerpo de una revista. ¿Son todas idénticas? Si es así, ¿qué mensaje les envía a los lectores?

   • Si es posible, consigue algunas revistas viejas de tu adolescencia. Véanlas juntas, fíjense en los estilos, las modas y los mensajes de la época. Cuando mi hija y yo hicimos este ejercicio, ¡nos divertimos muchísimo! Nos reímos de los estilos mientras que yo defendía mi era (no *todo* era feo en los setenta, ¿no?). Tuvimos una gran charla acerca de la fugacidad de los estilos, las modelos cada vez más delgadas y los cambios en la publicidad. Estuvimos de acuerdo en que los peinados lucen mucho mejor ahora, en que la ropa actual se parece cada vez más a la de ayer y en que las modelos son cada vez mucho más delgadas. Al final de la noche, el poder de la cultura siempre cambiante, inconstante y a menudo ridícula se esparció, mientras se fortalecía nuestra relación.

Uno de los miembros de la banda (Nick) sale con la estrella de música pop Jessica Simpson. Kristin me dijo que había leído acerca de su compromiso con permanecer sexualmente pura debido a su fe y a su dedicación a Dios. Me preguntó con ansia: «¿Crees que alguna vez encontraré a un chico tan atractivo que también ame a Dios?». Le pedí que describiera al chico perfecto para su vida de quince años. Luego, oramos de manera específica por sus motivos. Le pedí que describiera con exactitud quién quería ser *ella* cuando llegara ese muchacho. Con elegancia sencilla, describió su anhelo de amar a Dios, lucir bien, tener amigos, sacar buenas calificaciones, jugar *lacrosse* y escribir poesía. Enseguida dijo que sería necesario cuidar su cuerpo con amor y diligencia para ser la joven que anhela. Y, luego, ¡decidimos obtener las recomendadas ocho horas de sueño!

Al desearle buenas noches a Kristin, balbució con sueño: «Gracias, mamá, por interesarte en las cosas que me interesan». Debo admitir que hubo muchos momentos en nuestra noche en los que quise sermonear, arrancar hojas y sugerir que, en cambio, leyéramos *Heidi* una vez más. Sospecho que Kristin sabe que no me gustan las blusas que muestran el estómago, que si estoy sola no leería acerca de «geles de ducha energizantes» ni de «lacas brillantes para labios», y que parte del material de *Seventeen* me resulta ofensivo. Sin embargo, sé que en el fondo Kristin sabe que *ella* me importa. Y su cultura es un recurso poderoso que puedo usar para comunicar mi amor por mi hija.

«PERO MAMÁ, ¡TODOS LOS DEMÁS...!»

La cultura quizá parezca increíblemente difícil de usar bien para beneficio de nuestras hijas cuando su grupo de pares parece empeñado en usarlo a cada momento de manera destructiva. Tal vez aprendamos a usar la cultura, ¿pero es suficiente para vencer la presión de que «todos los demás» hacen dieta, se obsesionan con el peso e intentan con todas su fuerzas parecerse a sus heroínas culturales? Es doloroso y aterrador cuando nuestras hijas comienzan a sustituirnos como la influencia central de sus vidas. Es difícil no ofenderse cuando la opinión de una amiga, un novio o una revista para adolescentes importa más que la nuestra.

No podemos descartar el poder de la presión de los pares. Como sugiere la investigación citada en el último capítulo, las muchachas crean lazos tempranos a través de inquietudes acerca del tamaño corporal y la alimentación. Y es lamentable que no siempre se den el mejor consejo ni ejemplo a seguir. Se ha dicho que los trastornos alimenticios son contagiosos porque las chicas se dan ideas acerca de comportamientos dañinos. A medida que comiences a usar la cultura para fortalecer la relación con tu hija y señalarle una dirección saludable con respecto a la imagen corporal y las elecciones alimenticias, debes ser consciente de todas sus amigas que quizá la conduzcan en una dirección opuesta por completo.

En los años de 1960, la mayoría de los adolescentes citaban a sus padres como la influencia más importante de sus vidas. Para la década de 1980, la mayoría de los adolescentes decían que sus amigos eran la mayor influencia en sus vidas. Los padres se

*habían deslizado al segundo lugar y los medios de
comunicación mostraban un ascenso notable*[14].

DEAN BORGMAN, *When Kumbaya Is Not Enough*

En lugar de levantar los brazos con desesperación por el poder
de la presión de los pares o encerrar a tu hija en su habitación hasta
que cumpla veintiún años, puedes responder a la realidad de la
influencia de los pares de maneras que logren fortalecer la relación
con tu hija en lugar de romperla.

En primer lugar, *no lo tomes en forma personal*. La importancia
del grupo de pares de tu hija no tiene que ver contigo. Dile a tu hija
una y otra vez que quieres tener una buena relación con ella, pero
que valoras sus demás relaciones. Cuando te sientas dejada de lado u
olvidada, recuerda que el desarrollo de las relaciones con sus pares es
una parte necesaria e importante de crecer. El especialista en juventud, Dean Borgman, escribe: «Deberíamos recordar cuánto crecimiento adolescente sucede fuera de la familia y de la iglesia. El desarrollo significativo de la autoestima tiene lugar entre las amistades;
necesitamos comprender los grupos de pares como un sistema social
muy influyente»[15].

En segundo lugar, *mantente pendiente de la influencia positiva de
los pares*. Felicita a tu hija o a sus amigas cuando se den buenos consejos o ideas acerca de la imagen corporal y la pérdida de peso, o
cuando critiquen la hipocresía de los medios de comunicación.
Busca cualquier oportunidad para validar al grupo de pares de tu hija
y hacer cumplidos al respecto. Al igual que con la cultura como un
todo, cuando transformas a las amistades de tu hija en el enemigo,
corres el riesgo de que tu hija se una a sus pares solo para estar en tu
contra.

En tercer lugar, *deja sitio para que la influencia de los pares se una
a la tuya*. Cuando le pides a tu hija que pase por alto todo acerca de
su grupo de pares, te arriesgas a que pase por alto todo lo que crees
y aconsejas. La Dra. Bárbara Stagger trabaja con adolescentes en el

hospital infantil de Oakland, California, y les da este consejo a los padres:

> No llegamos muy lejos al decirles a los adolescentes que no se arriesguen porque nos asusta. Cuando exigimos saber el porqué cometieron un error, el chico dice: «Tuve que hacerlo. Todos los demás lo hacían». El adulto responde: «Si todos los demás saltaran de un precipicio, ¿acaso lo harías tú también?».
>
> La respuesta sincera a esa pregunta es sí. Es importantísimo que lo comprendamos. Para el adolescente, en ese momento, estar juntos en el fondo es mejor que estar solo al borde del precipicio.
>
> Tenemos que lograr que nuestros adolescentes analicen esta pregunta: ¿Qué otra cosa puedes hacer para ser parte de un grupo y sobrevivir, mientras corres riesgos razonables? Si tienes que saltar del precipicio, ¿no puedes elegir uno que no mida quince metros de altura? ¿Puedes, en cambio, saltar de uno que mida un metro?[16]

Cuando una de las hijas de mi amiga dijo que quería agujerearse el ombligo (porque «todos los demás» tenían un aro en el ombligo), mi amiga se preguntó acerca de los riesgos de salud y le preocupó lo que pensarían «todos los demás» en su propio mundo de adultos... ¡revelando de inmediato que las mamás también somos vulnerables a la presión de los pares! Le dijo a su hija que le diera otra buena razón para agujerearse el ombligo.

Dos días más tarde, su hija dijo que había estado pensando en las conversaciones que tuvieron acerca de las citas. Hablaron sobre conseguir un anillo de pureza para simbolizar su compromiso de reservar la relación sexual para el matrimonio. La hija explicó que quería un aro en el ombligo para simbolizar su compromiso con la pureza sexual. Dijo que le parecía que un aro en el ombligo le resultaba más simbólico de una decisión a honrar su cuerpo de esta manera, en lugar de un anillo en el dedo.

Su mamá admiró su creatividad e individualidad al expresar sus valores mientras que al mismo tiempo quería identificarse con su grupo de pares. Fortaleció mucho la relación con su hija al dejar espacio para que la influencia de los pares complementara la suya. Para ella, un aro en el ombligo parecía ser un salto de un metro en comparación con el salto de quince metros de la relación prematrimonial.

Por último, *lucha con compasión contra la influencia negativa.* Cuando estés con tu hija y sus amigas (aprovecha cualquier oportunidad para hacer de chofer, ofrecer las fiestas y transformar tu hogar en la central de fiestas de pijamas), reconocerás por intuición a las muchachas que quizá sean una influencia negativa en tu hija. Cuando tengas la oportunidad, lejos de sus amigas, sugiérele a tu hija que eres consciente de la posible influencia negativa, pero sugiérelo con compasión. Las adolescentes son muy leales a sus amistades, así que la sabiduría y la amabilidad deben guiar cualquier conversación acerca de las amigas.

La intervención compasiva podría parecerse a lo siguiente:

- «Me pregunto si Maureen y su madre pueden hablar con franqueza acerca de la obsesión de Maureen con su peso. Me alegra que tenga una buena y sabia amiga como tú».
- «Apuesto a que Jessica ni siquiera sabe lo absurda que parece cuando dice que está gorda. Espero que haya alguien en su vida que le haga cumplidos por su belleza».
- «Me he dado cuenta de lo poco que come Katie. Espero que no esté jugando con un trastorno alimenticio. Temo que pierda su personalidad chispeante y sus ganas de vivir».
- «Oí por casualidad que Meagan dijo que no quiere comer nada que tenga grasa. ¿Sabes cómo se le ocurrió esa idea? Debe estar presionándose mucho. Espero que tú y Meagan puedan hacer algo muy divertido juntas y apartar su mente de esta obsesión con la grasa».

Uno de los mejores momentos para mí en la crianza surgió algunos meses atrás cuando oí por casualidad a mi hija hablar con su amiga Alyssa. Conversaban de una próxima actividad, y Alyssa dijo: «Me voy a matar de hambre. Tengo que bajar cuatro kilos y medio».

Kristin respondió: «No creo que matarse de hambre sea una buena idea. Podrías hablar con mi mamá al respecto. Ella podría ayudarte».

Nuestras hijas necesitan saber que nos importan sus amigos y que queremos ser sus aliadas en sus amistades, así como en las luchas con la alimentación y la imagen corporal.

Solo para ti

1. ¿Cuán importante era para ti tu grupo de pares mientras crecías? Piensa en su influencia positiva y también en la negativa. ¿Qué importancia tiene hoy? Toma nota de las veces en que te encuentras preguntándote lo que pensarán, o lo que piensan, los demás.

2. Enumera las maneras en que el grupo de pares de tu hija alienta el crecimiento y desarrollo saludable en ella.

3. Comienza a prestarle atención a los amigos de tu hija. Piensa en los talentos y habilidades únicos de cada amigo y encuentra maneras de afirmar a los amigos de tu hija cuando estés a su lado. Ora por cada uno de ellos en forma regular.

4. ¿Las amigas de tu hija suelen frecuentar tu casa? ¿Cómo puedes hacer que tu hogar sea más central para sus reuniones?

5. Conoce a los padres de los amigos de tu hija. Nuestras hijas serán bendecidas si las rodean mamás que las conozcan y se conozcan entre sí. Si algunas de las muchachas en el grupo de pares de tu hija no provienen de familias saludables y que las apoyen, tienes una oportunidad maravillosa para darles una idea de lo que es la participación de los padres.

6. Alienta la amistad de tu hija con amigos adultos o mayores. He orado con constancia a fin de que Dios trajera amigas mayores a la vida de mi hija, de modo que le proporcionen una influencia positiva. Kristin tiene una amiga de edad universitaria a la que admira y

con la que le encanta estar. Alguna vez, he llamado a Amber y le he contado algunas de las luchas e inquietudes de Kristin, sabiendo que el consejo de Amber añadirá al mío y lo fortalecerá.

Segunda parte

Construye un puente entre sus mundos

Con la rodilla vendada y un vestido manchado de pintura, [mi hija] vino a mi encuentro con una sonrisa. Brazos hambrientos me envolvieron, mientras susurraba en mi oído: «Te amo mucho, mamá [...]». Por primera vez en meses, sentí que volvía a haber algo de equilibrio. El peso de mis plazos de entrega, mi carrera ilusoria con el tiempo, mi realidad cansada y cargada eran resultado de mi ceguera, no de mi visión. No necesitaba reducir las tareas que tenía a la mano. No era necesario que le echara más arena al reloj de arena. Lo único que necesitaba era recordar lo más importante. El amor era el propósito detrás de todas las cosas. El amor por mi hija, mi familia [...] Este era el hilo de oro de mi pasión, la fuente de mi paz y de mi fuerza... la convicción misma de mi alma. Eso es lo que hizo posible lo imposible[1].

LISA WEEDN, *Across the Porch from God*

Capítulo 5

«Mamá, ¡no entiendes!»

Entra la adolescente... Después de años de intentar
ser sensible con tu hija y de mantenerte sintonizada
con sus sentimientos, es demoledor que te digan que
«no tienes idea» de quién es ella. Aun cuando en el
fondo sabes que sus acusaciones no son del todo racio-
nales, cuando te dice que fallaste de manera terrible
como madre y te cierra la puerta en la cara,
es difícil no cuestionarte. Tu sentido mismo
de autoestima está en juego[1].

RONI COHEN-SANDLER Y MICHELLE SILVER,
«I'm Not Mad, I Just Hate You!»

¿Recuerdas cuando tu hija no se cansaba de estar contigo? Te seguía desde la habitación a la cocina, incluso al baño. Te observaba limpiar, hacer la cena y maquillarte. Se acurrucaban y se reían juntas y a veces hablaban un lenguaje que nadie más comprendía. Y luego, al parecer, las cosas cambiaron de la noche a la mañana. Quería tiempo a solas, cerraba su puerta de un portazo, les contaba sus secretos a sus amigas en lugar de a ti, y a veces parecía estar ofendida por tu misma presencia.

Es posible que no hayas observado a tu pequeñita transformarse en una forma de vida extraterrestre... todavía. Sin embargo, cuando tu hija pasa por la evolución natural de niña a adolescente, puedes llegar por error a la conclusión de que crías a un fantasma aterrador de tu antigua hija, ¡o a un torbellino irascible y caótico al que sobrevivirás con suerte!

Sé testigo de este intercambio muy típico entre Sara, de quince años, y su mamá:

La mamá de Sara golpeó con vacilación la puerta del dormitorio de su hija. Al entrar a la habitación, susurró una oración: «Señor, ayúdame».
—Sara, ¿podemos hablar un momento?
Sara levantó la mirada del libro que leía sin responder.
—Estoy preocupada por ti. Vuelves de la escuela y te quedas en tu habitación toda la noche. Estás en la computadora o hablando por teléfono, pero nunca tienes tiempo para tu familia. Cuando comes con nosotros, no hablas y apenas comes algo. Ya no desayunas. Pareces cansada y tienes ojeras. Quiero que comiences a comer mejor y a pasar más tiempo con nosotros.
—Bueno, mamá —empezó Sara con palabras saturadas de sarcasmo—, tú sí que sabes cómo hacer sentir bien a una chica.
—Sara, no es mi intención hacerte sentir mal, pero estoy preocupada por ti.
—Mamá, estoy bien. Solo que no comprendes mi vida en este momento.
—Bueno, ¿por qué no me la explicas? —preguntó la mamá de Sara con un asomo de agitación.
—Por más que quisiera, no podría. No lo entenderías, y seguirías queriendo que coma tus absurdas cenas y que intente conversar con un hermano que es un tonto y con un padre que comprende incluso menos que tú.
Sara cerró su libro y se levantó de la cama.
—No he terminado con esta conversación —alegó su madre.
—Bueno, yo sí —dijo Sara de manera concluyente.
—Si te vas a comportar así, te diré cómo serán las cosas —dijo la mamá de Sara, cada vez con más frustración—. Comerás con nosotros y disfrutarás de una cena familiar o no saldrás con tus amigos este fin de semana. Y eso es todo.
La mamá de Sara cerró la puerta de la habitación con un poco de fuerza, y Sara prendió su estéreo bastante alto.

Al considerar el punto de conflicto sobre la alimentación entre madres e hijas, creo que debemos comenzar con una base que es distinta a la de mucho de lo que define hoy en día a las adolescentes. Nuestras hijas se transforman en mujeres, y eso significa que prueban las alas de la pasión, la expresión emocional, la intuición y la independencia.

Cuando Kristin comenzó a caminar, lo hizo a su tiempo y a su manera. A veces, se caía de inmediato y lloraba, no quería volver a intentarlo; otras veces daba algunos pasos tambaleantes y se sentaba; y en otras ocasiones, caminaba con un modo de andar que nos dejaba a todos riéndonos a carcajadas. Nunca nos miramos con exasperación, preguntándonos cómo sobreviviríamos a una niña tan torpe. Veíamos cada paso y caída como una señal de esperanza para el crecimiento y el desarrollo saludable de nuestra hija.

Es triste que cuando nuestras hijas empiezan a caminar hacia la adolescencia, a menudo vemos su torpeza con desesperación, temor y hasta vergüenza. Me pregunto cómo se habría afectado el crecimiento y desarrollo de nuestras bebitas si hubieran percibido que las rechazábamos, que les temíamos o que estábamos decididas a controlar todos sus movimientos. Cuando vemos a nuestras hijas como embarazosas, histéricas, difíciles o manipuladoras, es más probable que se transformen en lo que vemos. En la primera parte de este libro, vimos cómo las muchachas se desarrollan en las relaciones. Si en el espejo de su relación con nosotras nuestras hijas se ven como un desastre caótico, ¿quién puede culparlas por acatar la imagen que reflejamos?

Cuando Kristin comenzó a entrar en la pubertad, Dave y yo experimentamos de inmediato sus cambios de humor momento a momento, sus expresiones irracionales y sus elecciones a veces irresponsables. Además, notamos que comenzó a tomar decisiones independientes y a veces extrañas con respecto a la comida. Decidió que no comería carnes rojas, y empezó a comentar acerca de la comida «desagradable y grasosa» que antes disfrutamos juntas siempre. Nuestros amigos nos dijeron que nos preparáramos para un tornado que duraría unos años, pero nos aseguraron que sobreviviríamos con nuestra razón intacta si solo recordábamos que las adolescentes están locas.

Sin embargo, sé sincera: ¿Era todo perfecto entre tú y tu hija hasta que cruzó el umbral de la adolescencia? Quítate los lentes color de rosa un momento y recuerda cómo eran las cosas en verdad cuando tu hija era pequeña.

EL CONFLICTO ES INEVITABLE

Los investigadores sugieren que los niños normales y saludables están sincronizados con sus madres solo alrededor de un tercio del tiempo. Durante otro tercio, están fuera de sincronización, pero vuelven a reponerse. Durante el tercio restante de sus interacciones, los niños y madres saludables están fuera de sincronización y se mantienen de esa manera[2].

Recuerda. Justo cuando pensabas que tu bebé iba a dormir toda la noche, comenzaba a despertarse a las tres de la mañana. Cuando pensabas que tu niña dormiría en su propia cama, comenzó a venir a tu habitación en medio de la noche, preguntando si podía dormir contigo. Un día, a tu hija de seis años le encantaban los vegetales, y al día siguiente los escupía como si fueran venenosos. Así que respira hondo y descansa: el conflicto es inevitable. La armonía es pasajera. Siempre será de esta manera entre dos individuos distintos.

Solo para ti

A medida que te preparas para abordar el conflicto con tu hija, será útil pensar en cómo se lidiaba con el conflicto en tu familia de origen. Cuando una madre vino a verme para que la ayudara con el conflicto entre ella y su hija, le pregunté cómo se trataba el conflicto mientras crecía. Me explicó: «Ah, mis padres nunca peleaban. No se hablaban durante días, pero nunca tuvimos conflictos en el hogar».

El conflicto es inevitable. Quizá sea como el elefante del refrán, sentado en la sala mientras nadie reconoce que está allí, pero está allí de todos modos.

1. ¿Tus familiares hablaban de los pensamientos y sentimientos? ¿O los sentimientos se encontraban «bajo tierra»?
2. ¿Cómo y cuándo se expresaba el afecto?
3. Cuando había diferencias entre los familiares, ¿se resolvían juntos? ¿En forma individual? ¿Nunca se resolvían?
4. ¿Cuál describe mejor la manera en que tu familia abordaba el conflicto?
   • Se evita el conflicto a toda costa.
   • Se deja todo en casa.
   • El conflicto es malo.
   • Lo más importante es que nos llevemos bien.
   • A nadie le gusta una muchacha prepotente o histérica.
5. ¿Alguien tenía la última palabra en tu familia? Si es así, ¿cuál era la respuesta de tus familiares en desacuerdo?
6. ¿Qué clases de conflicto tenía tu familia por la comida o las conductas alimenticias?
7. Escribe un conflicto memorable que tuvieras con tu madre. ¿Qué se dijo? ¿Qué no se dijo? ¿Cómo se resolvió? Al mirar atrás, ¿qué quisieras que hubiera sido distinto?

¿Cómo manejamos los primeros conflictos con nuestras hijas pequeñas? ¿Y cómo los manejaron nuestras hijas? *Cada una aprendió a tranquilizarse y a reestablecer la conexión.* ¿Recuerdas cuando decidiste no responder al llanto de medianoche de tu bebé y dejarla que aprendiera a tranquilizarse y volver a dormir? Si te pareces a mí, ¡también necesitaste tranquilizarte! Yo oraba para que Kristin se durmiera enseguida, le pedía a mi esposo que espiara en su habitación para asegurarse de que estuviera bien y me prometía que la llevaría al parque por la mañana. Cuando llegaba la mañana, volvíamos a conectarnos con alegría y esperanza de que vendrían largas noches de buen dormir.

El saber tranquilizarse y la reconexión son las piedras angulares para atravesar el conflicto con nuestras hijas a cualquier edad. Si siempre entramos al conflicto con el deseo de disciplinar, instruir y controlar a nuestras hijas, viviremos en el sufrimiento. Intentar controlar o desterrar el conflicto cuando todo dentro de nuestra hija grita: «¡Independízate!», es como decirle a una niña que gatea que no se pare ayudándose de todos los muebles que encuentre a su paso.

Por supuesto, hay veces en que hacen falta la disciplina y la instrucción, pero no debería ser durante momentos de conflicto. Nos han condicionado a creer que el conflicto con los adolescentes debería estar lleno de negatividad, gritería y portazos. *No tiene por qué ser de esa manera.* La manera en que manejas el conflicto con tu hija le dará a la relación su forma y sabor. Espero que este capítulo te aliente a que hay una manera de *disfrutar* a tu hija durante esta parte necesaria del crecimiento y desarrollo, del mismo modo en que lo hiciste cuando daba sus primeros pasos vacilantes.

Si descubres que sientes aprensión al enfrentar el conflicto con tu adolescente porque te sentirás herida por su enojo, es útil recordar que una adolescente necesita saber que el vínculo de su relación es lo bastante fuerte como para resistir su enojo, y el tuyo, contra la otra[3].

JUDI CRAIG, *You're Grounded Till You're Thirty!*

EL CONFLICTO, LA IMAGEN CORPORAL Y LA ALIMENTACIÓN

Dediquemos un momento para tratar la importancia de comprender el conflicto con respecto a la imagen corporal y los trastornos alimenticios. Si el conflicto constructivo supone tranquilizarse a uno mismo y la reconexión, considera lo que puede provocar el conflicto destructivo. Cuando nuestras hijas no aprenden maneras saludables de tranquilizarse, tal vez se vuelquen a la comida en formas no saludables. Cuando la lasaña que sobró o el no comer nada se transforma en el bálsamo para el conflicto, nuestras hijas corren peligro de practicar conductas alimenticias malsanas o adictivas. Si el conflicto en la relación con nuestras hijas no se transforma en una oportunidad para la reconexión, nuestras hijas pueden crear lazos solo con sus compañeros o con las imágenes de los medios de comunicación. Por supuesto, es inevitable que se identifiquen con sus amistades y con los héroes de los medios hasta cierto punto, pero cuando esa identificación se yuxtapone en contra de nosotras, perdemos la oportunidad de ser una presencia poderosa en la vida de nuestras hijas.

EL CONFLICTO DESTRUCTIVO

Nuestra familia intenta aprovechar el privilegio de vivir en Colorado al ir a esquiar varias veces al año. Cada uno de nosotros tiene estilos muy distintos de esquiar. Mi esposo es atlético y puede conquistar casi cualquier terreno. Nuestro hijo, Graham, ¡apunta sus esquís cuesta abajo y sale volando! Su elección es cualquier cosa que lo haga llegar cuesta abajo con mayor rapidez. Puede caerse, deslizarse y quedar cubierto de polvo al final del camino, pero abordó la montaña a su manera. Nuestra hija es elegante y aventurera. Está dispuesta a probar un nuevo trayecto, salto de esquí o a montar en el telesilla con un nuevo amigo que conozca en la cola. A mí me gusta tomármelo con c-a-l-m-a. Disfruto de los trayectos fáciles, del hermoso paisaje, ¡y me enorgullece decir que casi nunca me caigo!

Hace algunas semanas nos paramos en la parte más alta de un trayecto algo desafiante (léase: muy desafiante para mí). Comenzamos a ir cuesta abajo, enseguida perdí de vista a mi familia y casi de inmediato estaba en guerra con esta montaña. Empecé a preocuparme por Graham, que esquiaba por esta colina empinada, y me pregunté si se habría puesto el casco. Me di cuenta de que este trayecto iba más allá de mis habilidades y me puse tensa. Comencé a anticipar lo que venía luego de cada curva, deseando que las colinas se hicieran menos empinadas y pasé mucho tiempo buscando la parte más fácil de la montaña. Era muy consciente de todos los demás esquiadores que pasaban volando a mi lado y yo aminoraba la marcha y me detenía para mantenerme fuera de su camino. A medio camino en la montaña, vi a mi familia que me esperaba. Mi frustración aumentó. «No esperen», grité, mientras me caía en una pila de nieve.

Me levanté y seguí bajando la montaña despacio, preocupándome por todos los elementos de esta colina empinada, incluyendo el clima. Noté que el viento se levantaba y comencé a preocuparme porque mis dedos estuvieran demasiado fríos para maniobrar aun de manera torpe por la colina. Al acercarme a la última parte del trayecto (parecía la parte más empinada hasta entonces), le eché un vistazo al telesilla en lo alto. Espié a mi hija, que estaba sentada junto a un adolescente mayor, charlando sin parar. Le grité: «¿Por qué no me esperaste?». Kristin, por supuesto, no me escuchó, y no me di cuenta hacia dónde me dirigía. Más que esquiar, tropecé cuesta abajo, sin poder aminorar la marcha, y al final me estrellé contra la cola de gente que esperaba para subir al telesilla. Mi hijo y mi esposo se pararon con rapidez en otra cola para el telesilla, ¡e hicieron como si no tuvieran ni la menor idea de quién era yo!

Mi trayecto montaña abajo es una buena metáfora para un enfoque destructivo ante el conflicto. En lugar de concentrarme en el autocontrol, en usar y mejorar mis habilidades para esquiar y disfrutar mi trayecto, me preocupé e intenté controlar el clima, la pendiente, a los otros esquiadores y a mi familia. El resultado final fue que no controlé nada ni a nadie, incluyéndome a mí, y perdí la oportunidad de desarrollar mi habilidad para esquiar y disfrutar de un trayecto desafiante y hermoso en la montaña.

Las madres no solo se desesperan por sentir que la relación con sus hijas se ha perdido, sino que las aterroriza rendir cualquier hilo persistente de control que puedan haber sostenido[4].

RONI COHEN-SANDLER Y MICHELLE SILVER,
«I'm Not Mad, I Just Hate You!»

De la misma manera, el conflicto se vuelve destructivo cuando intento controlar los sentimientos, las creencias o los valores de mi hija durante una conversación. En el proceso de intentar controlarla, es inevitable que pierda el control de mí misma, recurriendo a los gritos, los sermones o el retraimiento. Y pierdo la oportunidad de disfrutar del proceso. Sí, dije *disfrutar*. No hay mejor oportunidad para obtener una comprensión de nuestras hijas que durante el conflicto. Y no hay mejor momento para desarrollar nuestra propia perspicacia, autocontrol y habilidades de comunicación que durante el conflicto. ¡En verdad deberían *deleitarnos* las oportunidades de choque!

Traslademos esta metáfora del esquí a un conflicto común que ocurre entre las madres y las hijas al principio de su relación. Una de mis amigas me expresó su angustia por los hábitos alimenticios quisquillosos de su hija. Esta solo tenía ocho años, pero ya tenía un desagrado decidido por muchas comidas. Le pregunté a mi amiga cómo respondía ante los gustos de su hija y en especial las cosas que no le gustaban.

—Me temo que no muy bien —fue su respuesta—. En general, terminamos en una pelea que arruina toda la comida, y la obligo a sentarse en la mesa hasta que coma unos bocados de todo.

Mi amiga siguió explicándome que había intentado hacer solo las comidas favoritas de su hija, lo cual causó problemas con otros en la familia. Llevó a su hija al pediatra, el cual le dijo que su hija tenía un percentil bajo para su peso, pero que no se preocupara. «Los niños suelen comer lo que necesitan cuando lo necesitan», le aseguró.

—Entonces, ¿a qué le temes? —pregunté.

—Temo que no aprenda a comer y le gusten las buenas comidas —respondió mi amiga.

Sabía poco sobre la infancia de mi amiga y hablamos acerca de su familia de origen. Su mamá era soltera y tenía que trabajar mucho. Mi amiga a menudo se las arreglaba sola en cuanto a la comida, y estaba decidida a proporcionarle comidas equilibradas y caseras a su familia. Hubo una pausa en la conversación.

—Sin embargo, lo que más temo —me confió mi amiga—, es que lo único que recuerden mis hijos de mí es que estaba enojada con ellos y que hacía que la cena fuera un momento deprimente para todos.

La reflexión de mi amiga fue el comienzo de la esperanza para ella en este conflicto con su hija.

Solo para las dos

Este quizá sea un buen momento para evaluar dónde estás en sincronización con tu hija y dónde no. ¿Cómo ves las diferencias entre ustedes? ¿Cómo tus puntos fuertes y las debilidades de tu hija? ¿De qué manera honras las diferencias? He sugerido varias preguntas para que comiences a evaluar las diferencias. Logra que sea un momento de intercambio mutuo a fin de conocerse mejor la una a la otra, comprender lo que les resulta relajante a cada una y hablar de cómo pueden usar estas diferencias para fortalecer su relación.

1. ¿Prefieres quedarte en casa o pasar tiempo fuera de casa?
2. Cuando te quedas en casa, ¿qué te estimula o te reconforta?
3. Cuando llegas a casa de una actividad, ¿cómo te gusta que te pregunte al respecto?
4. ¿Prefieres tiempo a solas o tiempo con tus amigos?
5. Cuando estás sola, ¿qué te gusta hacer? ¿Quieres interactuar conmigo?
6. Cuando estás con amigos, quiero saber de qué hablan y qué hacen. ¿Cuál sería la mejor manera de que analicemos esto?
7. ¿Prefieres jugar a algo o ver televisión? ¿Qué juegos te gustan y por qué? ¿Con quién quieres jugar?
8. ¿Qué programas de televisión te gustan? ¿Cuáles te gusta ver sola y qué programas quieres ver con los demás? ¿Por qué?
9. ¿Prefieres la comida casera o la rápida? ¿Qué te gusta acerca de comer en familia? ¿Qué no te gusta?

10. ¿Te gusta comer en el auto? ¿Sola? ¿Por qué?

11. ¿Cómo te gusta que alguien demuestre su amor por ti? ¿Con un regalo? ¿Un abrazo? ¿Una nota?

12. ¿Prefieres ir al cine o al parque?

13. ¿Qué te gusta del cine? ¿Qué te gusta de ir con los amigos o con la familia? ¿Te molesta cuando tu familia está en el mismo cine que tú y tus amigos? ¿Por qué?

14. ¿Qué te gusta hacer en el parque? ¿Te gusta hacerlo con la familia, con amigos o sola? ¿Por qué?

15. ¿Qué disfrutas de la cocina? ¿Prefieres hacerlo sola o con otra persona? ¿Te gusta limpiar? Sí o no, ¿por qué?

—¿Por qué no comienzas con lo que *puedes* controlar? —sugerí.

Gastaba tanta energía intentando controlar a su hija, a su familia y hasta intentando reescribir su propia historia de vida, que había perdido el control de sí misma y se transformaba en una madre rezongona y negativa. Mi amiga notó enseguida que el conflicto se había vuelto destructivo debido a *su* respuesta al inevitable desfase que ocurre entre las madres y las hijas.

—¿No sería maravilloso si en verdad pudiéramos *disfrutar* juntas de las comidas? —preguntó mi amiga.

Usando el conflicto, incluso a la hora de comer, a fin de comprender a tu hija y desarrollar tu relación con ella, puede hacer que la hora de la cena sea placentera hasta con el comensal más quisquilloso.

TU RESPUESTA AL CONFLICTO

Veamos más de cerca tres de las respuestas destructivas más comunes frente al conflicto. Hace falta valentía para mirar tus propios patrones problemáticos. Será más fácil reconocer las respuestas contraproducentes de tu hija ante el conflicto, pero reconocer tus propias elecciones es el comienzo para aprender una nueva manera de relacionarse en medio del conflicto.

Cuando lo tomas en forma personal

Enumero esto primero porque es la reacción que me resulta más difícil superar. Cuando mi hija está enojada, triste o preocupada, tomo sus sentimientos y expresiones en forma personal. Al tener una inclinación a ser una «madre muy protectora», quiero arreglar a Kristin y hacer que todo esté bien. Sin embargo, estoy aprendiendo que no necesita que la arreglen y que yo necesito aceptar que a veces la vida es dolorosa y decepcionante.

Kristin fue una gimnasta competitiva durante siete años. Tuvo que dejar la gimnasia a los trece años debido a una lesión en la espalda. El dolor por la pérdida de su deporte resurgió muchas veces durante el año siguiente. Cuando los amigos no llamaban, anhelaba volver a estar en el gimnasio. Cuando otros pasatiempos no resultaban, expresaba frustración por tener que darse por vencida. Incluso se miraba al espejo y se quejaba: «Me estoy poniendo muy gorda. Necesito volver a hacer gimnasia. Sin eso, no soy más que una gran masa sin forma».

Mi respuesta a su angustia emocional fue recordarle lo dolorosa que resultó la gimnasia, enumerar todas las medicinas y las cosas que probamos, y renovar de nuevo mis quejas por este deporte que glorifica los cuerpos pequeños y que puede provocar lesiones tan terribles. Tomaba sus quejas y dolor en forma personal y a menudo terminábamos la discusión retirándonos a nuestras propias esquinas.

Una noche, encontré a Kristin en su habitación mirando todos sus objetos de recuerdo de la gimnasia y llorando. Describió su dolor y sus cuestionamientos acerca de abandonar ese deporte. Respondí: «Debe ser espantoso para ti volver a recordar esta pérdida una y otra vez. Lamento el dolor que te está causando». La abracé y dejé la habitación. Unas horas más tarde, Kristin me buscó y me felicitó: «¡Nunca habías manejado mejor mi abandono de la gimnasia!».

Solo para ti

1. Vuelve a leer acerca de los diferentes estilos de crianza en el capítulo 2. ¿De qué maneras específicas tu estilo

de crianza influye en la manera en que lidias con el conflicto? ¿Cómo le permite a tu hija tranquilizarse o la alienta a hacerlo o a volver a conectarse contigo?
2. Cuando tu hija tiene un mal día, ¿cómo la alientas a tranquilizarse?
3. Si a tu hija no le gusta lo que hiciste para cenar, ¿cuál es tu respuesta? ¿Abre una brecha en su relación? ¿Cómo vuelves a conectarte?
4. ¿Crees que la mejor decisión que tu hija puede tomar es la que sugieres tú? Si decide otra cosa, ¿cómo le reafirmas tu amor y apoyo y restableces la relación, si es necesario?
5. ¿Te esfuerzas hasta el límite o haces todo lo posible para complacer a tu hija? Si es así, ¿cómo evita esto que aprenda a resolver sus problemas y logre consolarse?
6. ¿Te avergüenza el conflicto? Si es así, ¿por qué? ¿Cuán a menudo el conflicto resultó en el final de una relación para ti?

Cuando tomamos las expresiones y elecciones de nuestra hija en forma personal, le negamos el objetivo mismo que intenta lograr con estas expresiones: el desarrollo de su propia persona. Aun cuando sus palabras estén dirigidas de forma directa a ti, es bueno darse cuenta de que «muchas veces, cuando las chicas están enojadas, en especial consigo mismas, prefieren echarle la culpa a otra persona. Por supuesto, sus blancos favoritos son sus madres»[5]. Aprender a eludir los ataques y a descubrir lo que hay detrás de ellos será más útil para tu hija que solo reprenderla por sus palabras.

Al tomar los comentarios y el conflicto en forma personal, perdemos los posibles beneficios del conflicto. En primer lugar, nuestra hija aprende que lo único que calma las cosas es estar de acuerdo con nosotras. Por supuesto, ella no se tranquiliza, pero nosotras sí. En segundo lugar, cualquier reconexión que ocurra es a menudo superficial porque no se permitieron, escucharon, ni validaron las quejas de nuestra hija.

La hija que vive con una madre que toma el conflicto en forma personal tiene más probabilidades de desarrollar una lucha con la sobrealimentación o no comer de plano. Varios investigadores informan que los trastornos alimenticios surgen de un problema de desarrollo cuando a las muchachas no se les permite ni se las alienta a desarrollar una identidad separada de sus madres[6]. «Las hijas y las madres miden fuerzas por muchos asuntos. Se enfrascan en una lucha, con la hija que intenta descubrir quién es de modo que logre establecer su individualidad, pero manteniendo un vínculo con su madre»[7]. Comer es un acto de expresión personal. La sobrealimentación puede ser la expresión de tu hija de intentar hacer que algo, la comida en concreto, se trate de ella y solo de ella. No comer en absoluto quizá sea una validación inconsciente de tu hábito de hacer que todo en la vida de tu hija se trate acerca de ti. Ella comienza a creer que ni siquiera merece la comida.

CUANDO PRESENTAS OPOSICIÓN

Una respuesta de oposición se usa más a menudo por la madre que se coloca por encima de su hija en la relación y cree que el conflicto es solo una oportunidad para instruir y disciplinar. Cuando nuestras hijas están sensibles o toman decisiones insensatas e irresponsables, nuestra primera respuesta puede ser aclararles las cosas. Recuerda la última discusión con alguien que analizó tus pensamientos o sentimientos para mostrarte lo equivocada que estabas. ¿Cuán bien respondiste?

La comunicación con nuestras hijas no se ve debilitada por una brecha generacional ni por todas las dificultades de los «terribles años de la adolescencia». En su lugar, la comunicación se ve más debilitada por nuestro deseo de tener la razón. Una vez que nos ponemos a la defensiva y argumentamos, cada palabra que sale de la boca de nuestras hijas se transforma en munición para que nosotras probemos lo que decimos.

Es mejor disculparse mil veces que dejar que un comentario venenoso permanezca sin recibir un antídoto. Tu disculpa es muy importante[8].

JOYCE L. VEDRAL, *My Teenager Is Driving Me Crazy!*

Si en verdad te preocupa la conducta de tu hija, el mejor regalo que puedes darle es *escuchar* lo que tiene que decir, en lugar de discutir con ella. Cuando la amiga que mencioné antes empezó a preguntarle a su hija de ocho años qué no le gustaba de ciertas comidas, descubrió el sensible paladar de su hija. Ciertos aromas, texturas y colores le producían náuseas de verdad. Esto abrió la puerta para que mi amiga reconociera y comenzara a ayudar a dirigir la personalidad sensible de su hija. Le explicó a su hija que no todos son tan sensibles, y que sería maravilloso que aprendiera a usar su sensibilidad para ayudar a los demás, para disfrutar la belleza y descubrir los aromas, texturas y colores que le gustaban en verdad. Incluso si el conflicto por las judías verdes hubiera continuado hasta que su hija cumpliera los dieciocho años, habría sido más o menos pasajero. Sin embargo, ¡la oportunidad de ayudar a su hija a usar su naturaleza sensible para bien tendrá un impacto en ella para toda la vida!

Solo para ti

1. Reflexiona acerca de tu familia de origen. ¿Había muchos gritos y portazos? Cuando crecemos en un hogar combativo, comenzamos a ver este comportamiento como normal.
2. Pregúntale a tu hija si te ha escuchado gritarle y cómo la hace sentir.
3. En medio de las discusiones, fíjate cuán a menudo escuchas y formulas tus propios argumentos.

(continúa en la siguiente página)

4. Registra el ciclo de tu enojo. Nota cuándo te sientes afligida, frustrada o enojada. ¿Tratas esos sentimientos con calma o te los tragas? ¿Durante cuánto tiempo puedes mantenerlos reprimidos?

5. Cuando explotas, ¿cómo actúan los demás en respuesta? ¿Con respeto? ¿Con desprecio? ¿Con burla?

6. Reflexiona en Efesios 4:26: «"Si se enojan, no pequen". No dejen que el sol se ponga estando aún enojados». ¿Cómo puedes aplicar esto al conflicto con tu hija?

Una respuesta de oposición al conflicto también puede resultar en gritos, portazos y salidas bruscas de una habitación. El daño que provocan estas conductas persiste durante mucho tiempo después que se acaba la discusión. Nuestras hijas aprenden a tranquilizarse explotando. La adrenalina que se libera en una discusión explosiva es tranquilizante. Luego de un arrebato, madre e hija pueden retirarse a sus habitaciones, recalcándole a la hija que el conflicto termina en desconexión.

Cuando usas el silencio

La mamá que se coloca por debajo de su hija y la madre que se coloca a la distancia de su hija pueden elegir el tercer estilo de enfrentar un conflicto. Nos retraemos, nos enfurruñamos o nos guardamos lo que pensamos. Obligamos a nuestras hijas a adivinar lo que sentimos y a preguntarse qué creemos con respecto a ellas. Tal vez ardamos en el interior, pero actuemos como si todo estuviera bien en la superficie. A veces, no podemos evitarlo y nos disparamos comentarios sarcásticos la una a la otra. O pueden resultar la misma clase de escenas explosivas que son comunes para un enfoque de oposición al conflicto. Cuando reprimimos nuestros sentimientos y no ponemos en palabras nuestras opiniones de maneras saludables, a la larga, explotamos.

Una de mis clientas que luchaba con la bulimia me dijo que cuando comenzó a experimentar con la bulimia, sabía que su madre se daba cuenta de que sucedía algo. Aunque su madre nunca hizo preguntas, mi clienta sospechaba que su madre la espiaba. Esta madre e hija hicieron un pacto silencioso de evitar el conflicto y guardarse todas sus inquietudes. Mi clienta siguió aliviándose con conductas destructivas de hartarse de comida y purgarse. Hablaremos más acerca de esto en el capítulo de la bulimia, pero comer (en especial comidas altas en carbohidratos) produce químicos en el cerebro que calman. Purgarse también resulta en una calma luego del acto violento.

Cuando mi clienta volvió a casa de la universidad durante el verano en su segundo año, fue a ver al médico de cabecera para un chequeo anual. Se enteró de que su madre le había expresado al médico sus inquietudes acerca de los comportamientos alimenticios de la joven y él afrontó a mi clienta. Ella sintió dos cosas a la vez: la amabilidad incómoda en los ojos del médico y la puñalada de la traición de su madre. (Por supuesto, ella también la había traicionado). Se fue del consultorio más segura que nunca de que su madre no podía manejar todo lo que había en ella y que esto debía ser bastante monstruoso. La reconexión no era una opción para ella en ese momento.

Solo para ti

1. Cuando tu hija está enojada, resentida o triste, ¿sientes que te faltan las palabras? ¿Evitas el contacto visual? Si es así, ¿por qué? ¿A qué le temes?

2. ¿Resuelves el conflicto manteniendo la boca cerrada? ¿Cuán a menudo ves resurgir los mismos conflictos?

3. ¿Se te ocurre algún conflicto que resolvieras? ¿Qué permitió la solución?

4. ¿Creciste en una familia que creía que a los niños hay que verlos y no oírlos? Si fue así, ¿cómo se transmitía este mensaje? ¿Cómo te afectaba?

(continúa en la siguiente página)

5. ¿Atraviesas a menudo períodos de no hablarles a familiares y amigos? Si es así, ¿sientes más temor o enojo durante estas épocas?

6. ¿Te pregunta a menudo la gente: «¿Qué te sucede?»? La próxima vez que alguien lo haga, pregunta con valentía cómo actúas que haga que esta persona quiera preguntarte eso.

7. Cuando tu hija atraviesa un momento difícil, ¿sientes que es mejor mantenerte fuera de su camino? ¿Cómo te sientes acerca de ti misma cuando la evitas a ella o a su problema?

8. Cuando te retraes, ¿de qué te retraes? Cuando te retraes, ¿de qué se retrae tu hija?

La cantidad de energía creativa, intelectual [...] que está atrapada por la necesidad de reprimir el enojo [u otros sentimientos] y permanecer inconsciente de sus recursos es solo incalculable[9].

HARRIET LERNER, *The Dance of Anger*

La hija que vive en un hogar bajo la tensión del silencio solo puede imaginar lo peor de sí misma y encontrar maneras de calmarse que quizá no sean saludables. Es posible que se vuelva vulnerable a cualquier conexión que alivie el dolor de la desconexión con su madre. O también puede aprender a aislarse y a retraerse. Se hace vulnerable a una gran cantidad de conductas alimenticias reservadas.

EL CONFLICTO CONSTRUCTIVO

La mayoría de nosotros no tenemos mucha experiencia con el conflicto constructivo. Algunas parejas pasan por todo un matrimonio y nunca resuelven ni un problema en realidad. Muchos chicos abandonan el hogar con la esperanza de poder dejar atrás el conflicto y evitarlo en el futuro. *No tiene por qué ser de esa manera.*

Te ofrezco tres verdades que pueden expandir tu comprensión del conflicto y abrirle la puerta a una mejor relación con tu hija. No se trata de una metodología, sino de una manera de abordar el conflicto que puede ayudarte a *ti* a crecer mientras mantienes una relación cercana con tu hija.

Tal vez deberíamos comenzar preguntándonos si es lo que queremos en verdad: el crecimiento personal y una relación más profunda. Debo admitir que muy a menudo solo quiero tener razón, tomar el control o lograr mis propósitos. No obstante, si elijo, el conflicto puede ser un crisol en el que crezco de maneras importantes y desarrollo una relación maravillosa con mi hija.

Solo hay tres cosas que necesitas dejar de hacer: juzgar, controlar y tener razón. Suelta estas tres y tendrás la mente sana y el corazón alegre de un niño[10].

HUGH PRATHER, *Letting Go*

EL CONFLICTO ES OPTIMISTA

Cuando tu hija dice: «No puedo comer eso» o «Es que no comprendes», es hora de sentirse optimista. ¡Está aprendiendo a caminar! Mira más allá del conflicto inmediato a su intención positiva, el despliegue de sus alas y la expresión de su personalidad única. Si tu corazón se ve preso del temor o el enojo, busca más hondo la raíz de tu preocupación.

¡La semana pasada a Kristin le quitaron los frenillos dentales! Celebramos el gran día con una bolsa de caramelo masticable y nuestra propia sesión de fotos de su sonrisa hermosa y no metálica. Hoy fuimos al dentista en ortodoncia para buscar su aparato de retención. Kristin salió de la consulta con una caja rosa de plástico y una expresión desagradable en el rostro. Arrojó la caja con el accesorio de trescientos dólares al suelo y dijo: «No puedo creer que tenga que usar más metal, veinticuatro horas al día. ¡Y ahora ceceo al hablar!». Se deshizo en lágrimas.

Levanté el recipiente de plástico rosa y lo metí en mi bolso. Me preparé para descargarme con Kristin acerca de su desagradecimiento, su exageración de una dificultad bastante insignificante y, por supuesto, los miles de dólares que habíamos gastado para asegurar su sonrisa perfecta. Enseguida pensé en este capítulo acerca del conflicto sobre el que estoy trabajando, pero deseché con rapidez cualquier pensamiento de que una conversación cargada de sentimientos acerca de su aparato tuviera algo de esperanza para el bien de Kristin o para el desarrollo de nuestra relación. Estaba preparada para sermonear. Y lo hice.

Kristin respondió a mi sermón con una mirada fija y fría por la ventana del auto. Una lágrima corrió por su mejilla, y sentí un momento de compasión por ella, pero lo deseché con rapidez. Cuando llegamos al estacionamiento de su escuela, otra madre dejaba a su hija allí. La bajaban de la camioneta con un elevador, mientras ella estaba sentada en su silla de ruedas, cubierta con una manta de punto hecha en casa. Respiraba a través de un tubo blanco de plástico que se conectaba a una máquina en la parte trasera de la silla.

Miré a Kristin y no pude retener otro punto de mi sermón al observar: «Ahora bien, *eso* es una dificultad». Kristin me echó una mirada feroz, se bajó del auto y se dirigió a la escuela.

Durante toda la tarde, pensé en cómo mi respuesta frente a las inquietudes de Kristin mataron la esperanza. Tomé su angustia por el aparato en forma personal, desestimé sus sentimientos y la sermoneé con muy poca compasión.

Al cabo de dos horas de dejar a Kristin en la escuela, llamó y dejó un mensaje.

«Lamento que fui desagradecida, mamá», se disculpó con un torrente de palabras. «Sé que tengo mucho para estar agradecida y que tengo una vida maravillosa. Te veo más tarde. Adiós».

¡Mi hija! Es bondadosa y está muy dispuesta a ver sus propios defectos y a realizar cambios. Sin embargo, esta vez perdí la oportunidad de que el cambio ocurriera *en el contexto de nuestra relación*. Kristin llegó por su cuenta a una resolución maravillosa de sus quejas acerca del accesorio dental. Me sentí triste por perder la oportunidad, en medio de sus temores y quejas, de tomar su mano y caminar con ella. Mientras estaba tan ocupada señalando las dificultades de la otra hija que dejaban en la escuela, pasé por alto mi propia oportunidad de ser agradecida... agradecida por una hija que puede expresarse, hablar de sus temores y escuchar mis pensamientos. Mi oración es que nunca olvide la alegría, y la gran esperanza, de criar a una hija que está dispuesta a entrar en conflicto.

PUEDES RESPONDER CON RESPETO

Comienza controlando lo que puedes: a ti misma. Al entrar en conflicto con mi hija, intento recordar un pasaje de las Escrituras: «El Espíritu de Dios nos hace amar a los demás, estar siempre alegres y vivir en paz con todos. Nos hace ser pacientes y amables, y tratar bien a los demás, tener confianza en Dios, ser humildes, y saber controlar nuestros malos deseos» (Gálatas 5:22-23, TLA). No puedo controlar a mi hija, pero con la ayuda del Espíritu de Dios, puedo responder con respeto. Uso los atributos de los versículos anteriores para medir mi respuesta.

Tal vez haga falta un tiempo separadas cuando se intensifica el conflicto. Tú o tu hija pueden necesitar algo de tiempo a solas para reflexionar. Deberás determinar qué es demasiado tiempo y asumir tú misma la responsabilidad de la reconexión. Tal vez parezca un sacrificio y sea humillante reconectarse, en especial si tu hija se comportó mal, pero esta es la manera en que reflejamos el estilo de crianza de Dios a nuestros hijos: «Dios nos demostró su gran amor al enviar a Jesucristo a morir por nosotros, a pesar de que nosotros todavía éramos pecadores» (Romanos 5:8, TLA).

PUEDES TENER UNA BUENA PELEA

Muchas madres no pueden pensar en el conflicto con sus hijas sin imaginar gritos, portazos y problemas sin resolver. El residuo que aumenta entre madre e hija a menudo se vuelca en los conflictos subsiguientes, asegurando que el conflicto nunca se resuelva y casi siempre sea destructivo.

Te aliento a examinar tus conflictos y a descubrir lo que quizá resulte un obstáculo para el conflicto saludable. Tal vez se trate de dónde eliges hablar, el tono de tu voz, tu tendencia a interrumpir o tu repetición de problemas pasados. Analiza tus conflictos y elabora algunas pautas que les permitan ser aliadas aun en medio de una pelea.

Solo para los dos

1. Parte de responder con respeto supone poder calmar nuestra propia ansiedad y resistir infectarse con la angustia de nuestras hijas. Confecciona una lista de conductas para calmarse a uno mismo que puedes usar durante un momento de conflicto. Podrían incluir salir a caminar, escuchar música, tomar una taza de té, llamar a una amiga u orar con alguien.

2. A medida que te resistes a pagarle a tu hija con la misma moneda, serás un ejemplo de cómo calmarse a uno mismo y cobrarás energía para la relación. Puedes ayudar a tu hija a diseñar su propia lista de factores calmantes. El mejor momento para hacer esta lista es durante un momento en calma en la relación.

3. Sobre todas las cosas, lleva tus inquietudes a Dios. Él ha prometido: «No os dejaré huérfanos; vendré a vosotros» (Juan 14:18, RV-60).

4. Crea una frase que puedas usar para indicar que sientes que sería una buena idea tomar un descanso de la conversación actual. Una frase como «Está subiendo la temperatura aquí» podría ser una manera no amenazadora de ponerse de acuerdo para detener el conflicto por el momento.

5. Cuando decidas realizar un descanso y tranquilizarte, siempre sepárate con una promesa de reconexión. Puedes decir: «Está subiendo la temperatura aquí, ¿entonces por qué no volvemos a hablar de esto mañana después de la escuela?».

Relacionadas abajo hay algunas pautas que Kristin y yo hemos desarrollado a fin de tener un conflicto constructivo. Puedes usar nuestras reglas o crear las tuyas, utilizando el tranquilizarse a uno mismo y la reconexión como piedras angulares. Si tu hija no es lo bastante mayor o madura como para tomar parte de estas pautas, úsalas tú hasta que esté preparada.

- Espera el momento indicado. Para nosotras, eso significa no en la noche, cuando estamos cansadas.
- Evita tomar las cosas en forma personal al repetirte mientras la otra habla: «Lo dice en serio. Se trata de lo que siente y piensa; no se trata de mí».
- No digas que no hasta que escuches todo lo que quería decir la otra y pienses y ores al respecto por al menos una hora.
- Nunca ataques.
- Cuando te atasques o las cosas comiencen a deteriorarse, pónganse de acuerdo en posponer la charla para un momento concreto. Sean específicas sobre cuándo reanudarán la conversación y usen el tiempo separadas para tranquilizarse.
- Cuando reanuden la charla, empiecen comunicándose una cosa por la que estén agradecidas de la otra. Es solo una manera en la que el conflicto se transforma en una oportunidad para la reconexión.
- Si siguen atascadas, encuentren una cosa que cada una esté dispuesta a ceder en esta discusión. De esta manera, se profundiza la relación. Por ejemplo, si tu hija ya no quiere desayunar con la familia, pueden ponerse de acuerdo en que puede saltarse las comidas familiares durante los días de clase con el propósito de tener más tiempo para prepararse, mientras ella acceda a comer algo saludable.
- Si las cosas siguen sin resolverse, especifiquen un momento para volver a comenzar. Repito, que el tranquilizarse a uno mismo y la reconexión sean sus pautas.

Recuerda durante un momento todas las horas esperanzadoras que pasaste tomando las manos de tu hija mientras aprendía a caminar. Es hora de volver a tomar su mano con esperanza, mientras camina (y a veces tropieza) a través de etapas adicionales del desarrollo. El conflicto es el proceso inevitable a través del cual crecerá, tú crecerás y su relación se consolidará de maneras nuevas y significativas.

Capítulo 6

«Mamá, ¡detesto mis muslos!»

*Estamos tan ocupadas obsesionándonos por nuestros
defectos, ya sea nuestro peso, desproporción, arrugas,
granos, exceso de cabello o limitaciones funcionales,
que no desarrollamos nuestro potencial como seres
humanos. Si pudiéramos aprovechar una pequeña
fracción de la energía y la atención desperdiciada en
el odio hacia el cuerpo y usarla como combustible
para la creatividad y el desarrollo personal,
solo piensa lo lejos que llegaríamos en nuestros
objetivos para la vida[1].*

MARCIA GERMAINE HUTCHINSON, *Love the Body
You Have*

A menudo, la imagen corporal está poco relacionada con nuestro
cuerpo físico real. En el capítulo 1, definí la imagen corporal
como la manera en que vemos nuestro tamaño, nuestra forma y
nuestras proporciones, además de la manera en que nos sentimos
con respecto a nuestros cuerpos. Las muchachas y las mujeres que
tienen cuerpos normales y saludables muchas veces creen que están
gordas.

Considera el siguiente intercambio entre una muchacha y su
mamá. ¿Te parece conocido?

—Mamá, ¡detesto mis muslos! Son inmensos. ¿Por qué no
puedo tener piernas derechas y delgadas como todos los
demás?

—¿Todos los demás? —preguntó su madre—. Hay todo tipo de tamaños y formas por ahí, cariño. Aparte de eso, tus piernas tienen la forma de las mías. No hay mucho que podamos hacer al respecto.

—Ah, muchas gracias, mamá. No me tomas en serio. Viene el verano y tendré que quedarme en mi cuarto toda la temporada.

El tono de la muchacha reveló el dolor muy real que sentía.

—Mira los estilos que se usan —continuó la muchacha—. Pantalones muy cortos. Trajes de baño de dos piezas. No hacen ropa para chicas con muslos largos y gruesos.

Su madre contuvo una sonrisa, pero notó que los ojos de su hija se llenaban de lágrimas.

—Lamento que te preocupe tanto —comenzó su madre, sin saber bien cómo consolar a su hija y continuó—: Cuando tengas mi edad, el tamaño y la forma de tus piernas no importará mucho.

Con rapidez, le echó un vistazo al espejo de la habitación de su hija para ver si crecía su nariz.

Aunque la madre de la historia anterior había superado hasta cierto punto el «trauma de los muslos» de su hija adolescente, debía admitir en su interior que ella también seguía luchando con su imagen corporal. Estaba atrapada en el dilema de intentar responder a las inquietudes de su hija acerca de la manera en que se veía y se sentía mientras reprimía sus propias preocupaciones y sentimientos conflictivos.

Es este capítulo, examinaremos tres maneras diferentes de esclarecer el dilema de la imagen corporal: primero por ti misma, y después por tu hija. Puedes transformarte en la aliada de tu hija a fin de formar una imagen corporal saludable al comprender su biología y ayudarla a aceptarla, al invitar y recibir sus expresiones emocionales, y al equiparla para que afronte las fuerzas culturales que sabotean una imagen corporal saludable.

Uno de los investigadores pioneros en el campo de la imagen corporal afirma: «Vivimos sin cesar con el conocimiento de nuestro cuerpo. La imagen corporal es una de las experiencias básicas de la vida diaria»[2]. En realidad, eso no es nada nuevo, ¿verdad? Todas nos hemos sentido gordas, nos hemos obsesionado con distintas partes del cuerpo y nos hemos comparado con otras personas. Ahora es el momento de poner vida para siempre en nuestros cuerpos de modo que obre a favor de nuestras hijas. ¡Y a lo largo del camino, tal vez nosotras obtengamos una imagen corporal más saludable!

Tal vez consideres una alimentación desordenada y una imagen corporal pobre como una emergencia (y lo son) y enseguida intentes darle a tu hija primeros auxilios, pero tus esfuerzos solo curarán la imagen corporal herida de tu hija en forma temporal, porque necesitas tener una relación saludable con tu propio cuerpo primero[3].

DEBRA WATERHOUSE, *Like Mother, Like Daughter*

COMPRENDE LA BIOLOGÍA DE TU HIJA

En lugar de negar o desestimar las inquietudes de tu hija acerca de su cuerpo, escucha de verdad para descubrir esferas de preocupación. Te guste o no, la insatisfacción con la imagen corporal se ha transformado en la norma para las muchachas. Hoy en día, las chicas se preocupan por la ropa, el maquillaje, el cabello, los amigos y los muchachos. Sin embargo, sobre todo se preocupan por el peso. Es inevitable. Durante los años en que nuestras hijas crecen y cambian de niñas pequeñas a jóvenes mujeres, de seguro que se *preocuparán* por el tamaño y la forma de su cuerpo. Investigadores de la Universidad del estado de Iowa descubrieron que el sesenta por ciento de las muchachas de diez años se pesaban a diario[4]. Para una buena respuesta ante las inquietudes de tu hija con la imagen corporal necesitas comprender su biología e invitarla a que se haga amiga de su cuerpo.

Entre los doce y catorce años, la mayoría de las muchachas ganan entre un quince y un veinte por ciento de su altura adulta y hasta la mitad de su peso adulto. Su estructura ósea, el corazón, los pulmones, el hígado, el bazo, el páncreas y varias glándulas duplican su tamaño. ¡Cómo así! No es de extrañar que las muchachas se sientan fuera de control y se preocupen por su tamaño corporal. Piensan: *Si sigo creciendo a este paso, ¡seré inmensa!* Para cuando tu hija llegue a séptimo grado, es probable que esté hipersensible con su cuerpo y que, cuando se mira en el espejo, la imagen reflejada le parezca como la imagen distorsionada de un espejo de broma.

Desearía lucir de la misma manera que en las portadas de las revistas. Mis fotos están retocadas.

Jessica Simpson, estrella pop, revista *J14*

Aunque tal vez no lo diga o ni siquiera sea consciente de la montaña rusa de sentimientos que tiene con respeto a su cuerpo, cuando dice: «¡Me siento gorda!» o «¡Detesto mis muslos!», es probable que se esté preguntando: *¿Cómo me veré la semana próxima, el mes próximo o el año próximo? ¿Seguiré subiendo de peso? ¿Parezco normal?* En ninguna otra etapa del desarrollo humano nos encontramos tan confundidas e inseguras con respecto a nuestro cuerpo. La manera en la que respondes a tu hija durante esta época de gran vulnerabilidad puede tener un impacto importante en la manera en que se siente con su cuerpo y es probable que quede tejida de forma compleja en su imagen corporal por el resto de su vida.

Antes de poder preparar a nuestras hijas para respetar y disfrutar sus cuerpos, debemos examinar nuestras actitudes hacia nuestros *propios* cuerpos. ¿Cuál es tu imagen corporal? ¿Qué partes de tu cuerpo no te gustan? ¿Por qué? ¿De qué maneras te sientes fuerte y segura en tu cuerpo?

Cuando mi hija comenzó a expresar inquietudes y desprecio por su cuerpo, supe que necesitaba mirar esta parte complicada y confusa de mi propia vida. Las preguntas y luchas de Kristin le encendieron la luz a mis propias inseguridades, ideas destructivas y actitudes nada saludables hacia mi cuerpo. Me di cuenta de que mi hija tenía una posibilidad escasa de desarrollar una imagen corporal saludable si yo criticaba mi propio cuerpo a cada momento.

Así que, ponte tu ropa más cómoda, envuélvete en una manta suave, hazte una taza de té, respira hondo y échale un buen vistazo a tu imagen corporal.

Volver a ver nuestras propias luchas con la imagen corporal puede ser doloroso, pero la recompensa vendrá en una alianza fortalecida con nuestras hijas. Una de mis amigas se conectó en forma poderosa con su hija cuando Kim expresó desprecio por su «estómago sobresaliente». Mi amiga le contó a Kim acerca de su propia convicción en la adolescencia de que tenía unas piernas enormes. Aunque tenía piernas de tamaño normal, se criticaba tan a menudo que no podía ver la verdad. Nunca usaba pantalones cortos, se negaba a ir a nadar y decidió no presentarse a las pruebas para el equipo de atletismo aunque le encantaba correr. Su conclusión fue la siguiente: «Hasta que cumplí cuarenta años, no me di cuenta de que mis piernas estaban bien. Me engañé privándome de mucha diversión y llevé una carga terrible de odio hacia mí misma». Su hija pudo ver el peligro de su autocrítica debido a la revelación de su madre.

Si tu hija no ha entrado en la adolescencia y todavía no se siente gorda ni expresa inquietudes por su cuerpo, ahora es el momento perfecto para comenzar a prepararla para una imagen corporal saludable. A medida que tu hija crece y se acerca a la pubertad, comienza tan temprano como a los seis años a adquirir depósitos grasos que la ayudarán a desarrollar su maravillosa forma femenina. Es casi seguro que tendrá preguntas e inquietudes fugaces acerca de su cuerpo en crecimiento, ya sea que las exprese en forma verbal o no. Los estudios sugieren que las muchachas en el jardín de infancia empiezan a preocuparse por su cuerpo. Una encuesta de 1998 a muchachas entre once y trece años de edad reveló que más de la mitad se preocupaba por lo plano de su estómago y el tamaño de sus muslos; el cuarenta y cinco por ciento de estas muchachas quería ser más delgada; y el treinta y siete por ciento ya había intentado hacer dieta[5]. Este es el momento para enseñarle adrede a tu hija a vivir en su cuerpo con entusiasmo y gratitud.

Solo para ti

Aunque a la larga tal vez quieras hacer algunos de estos ejercicios con tu hija, serás más auténtica y eficiente con ella si antes realizas tu tarea.

1. Saca fotos tuyas de distintas edades. ¿Qué fotografías te atraen? ¿Por qué? Organízalas en forma cronológica. ¿Cómo ha cambiado tu cuerpo? ¿Cuándo fuiste consciente de tu cuerpo? ¿Cuándo te gustó tu cuerpo? ¿Cuándo no te gustó tu cuerpo? ¿Qué sucedía en tu vida en esos momentos?

2. Lee libros acerca del crecimiento y desarrollo femenino. (Lee sugerencias en la sección de Recursos). ¿Cuánto sabías o sabes acerca de tu propio cuerpo? ¿Cómo crees que esto influye en tu imagen corporal? ¿Cómo te enteraste de la menstruación y cómo fue tu primera experiencia? ¿Cómo ha contribuido a tu imagen corporal?

3. Evalúa tu propio cuidado del cuerpo. ¿Es divertido, sensual y positivo o es crítico y negativo? ¿Mientras te aplicas crema dices: «Esta crema tiene un aroma delicioso» o «No puedo creer lo vieja, arrugada y espantosa que se ve mi piel»? Cuando haces ejercicio, ¿te lamentas diciendo: «Tengo que hacer algo con toda esta grasa» o «Qué bien se siente moverse, estirarse y hacer que bombee el corazón»?

4. Anota todo lo que pienses o digas acerca de tu cuerpo. ¿Tu imagen corporal es, en esencia, negativa o positiva?

Esfuérzate para crear la imagen corporal más positiva posible. Si dices (como yo): «Tengo brazos fofos que se mueven como gelatina», en su lugar di en forma consciente: «Estoy agradecida por mis brazos que pueden abrazar a las personas en mi vida con consuelo, fuerza y afecto». En 2 Corintios 10:5 se nos instruye a llevar «cautivo todo pensamiento para que se someta a Cristo». El odio por nuestro cuerpo y un espíritu de queja van en contra de lo que Dios quiere para nosotras y nos impiden vivir con compasión y gratitud.

5. Anota todas las maneras en que tu cuerpo te sirve y todas las cosas que no podrías hacer si no lo tuvieras. Da gracias.

Uno de los regalos más preciosos que podemos darles a nuestras hijas es una visión positiva de sus cuerpos. ¿Cómo otorgamos este regalo? No de una vez, sino poco a poco, experiencia por experiencia. Celebra distintos aspectos del cuerpo con tu hija: los ojos, los brazos, el sentido del olfato, las manos y los pies. Observen juntas estas distintas partes del cuerpo y estos sentidos con curiosidad, asombro y acción de gracias. Trátenlos con cremas, actividades o masajes especiales. Oren juntas: «Te damos gracias, Dios, por la manera exacta en que hiciste nuestras piernas, nuestras manos y todo lo que tenemos». Al realizar estas actividades con tu hija, tu sentido del asombro y la gratitud por tu propio cuerpo aumentarán también. Nuestras hijas son un regalo para nosotras al darnos cuenta de que nunca es demasiado tarde para que Dios redima experiencias y actitudes destructivas que tenemos con respecto a nuestros cuerpos.

El toque es en especial importante para integrar a la relación con tu hija durante esta época importante de su desarrollo. Aprovechar cada oportunidad para tocarla le demuestra que a ti te gusta *su* cuerpo.

*Dios mío, tú fuiste quien me formó en el vientre de
mi madre. Tú fuiste quien formó cada parte de mi
cuerpo. Soy una creación maravillosa, y por eso te
doy gracias [...] Tú viste cuando mi cuerpo fue
cobrando forma en las profundidades de la tierra;
¡aún no había vivido un solo día, cuando tú ya
habías decidido cuánto tiempo viviría! ¡Lo habías
anotado en tu libro!*

SALMO 139:13-16, TLA

A medida que tu hija se hace mayor, es posible que esté menos dispuesta a realizar actividades abiertas para desarrollar una imagen corporal positiva. En general, las adolescentes se vuelven cada vez más sensibles y las acomplejan sus cuerpos que crecen y cambian. Sin embargo, con sutileza, puedes seguir guiando a tu hija adolescente hacia una imagen corporal positiva de las siguientes maneras.

- Cumplidos. Cumplidos. Cumplidos. Elogia su apariencia, sus logros y sus rasgos de carácter. Las tres cosas son importantes.
- Cada vez que tu hija diga: «Me siento gorda» o «Mi cuerpo es gordísimo y desagradable», recuerda que suceden muchas cosas en su mente, corazón y cuerpo. No lograrías abordarlas de repente. Sin embargo, es importante reafirmarla cada vez que exprese estas declaraciones de desprecio por sí misma. Aun cuando tus palabras parezcan caer en oídos sordos, no dejes de decir: «No estás gorda. Tu cuerpo es hermoso». Tus afirmaciones no tratarán todo lo que le sucede a tu hija, pero si no la afirmas, se verá alentada a imaginar lo peor y a hundirse cada vez más en la desesperación.
- No te burles. Declara una moratoria en tu hogar para cualquier burla acerca del tamaño o la forma del cuerpo. Mientras crecía, cada vez que entraba a una habitación mis hermanos imitaban a un personaje de caricaturas de esa época y decían:

«Vaya, vaya. Es la gorda Sharon». Estoy segura de que mis padres no imaginaban que esas palabras me perseguirían durante el resto de mi vida o las hubieran prohibido de inmediato.

- Sé un ejemplo de la actividad física. De acuerdo con el *President's Council on Physical Fitness and Sports*, las muchachas que realizan deportes y ejercicio tienen sentimientos positivos de sus cuerpos, una mayor autoestima, experiencias tangibles de competencia y éxito y una mayor seguridad en sí mismas[6].
- No desestimes cuestiones específicas de apariencia como el acné y los problemas dentales.
- No señales defectos... tuyos ni de tu hija.
- No uses a tu hija como un espejo de ti misma. («Gracias a Dios que no sacaste mis piernas»).
- No subestimes el poder de tu ejemplo. Al amigarte con tu cuerpo, serás un ejemplo de la formación de una imagen corporal saludable para tu hija. Trata bien a tu cuerpo con buena comida, actividad llena de diversión y un cuidado personal amoroso. Al realizar actividades con tu hija, realiza comentarios positivos acerca de tu cuerpo y tu gratitud por él. Por ejemplo, di: «Estoy agradecida por mis piernas fuertes, que me ayudan a seguirte el paso mientras patinamos». Expresa tu agradecimiento por la fuerza y la flexibilidad de tu cuerpo luego de un día en la piscina. ¿Cuánto hace que no cuidas tu cuerpo físico exfoliando, hidratando y dándole unos mimos extras? Cuando le muestres a tu hija que le prestas atención a tus necesidades físicas, ella verá el mensaje de que vale la pena cuidar el cuerpo.

Solo para las dos

1. Alienta a tu hija a tomar un baño de lujo. Compren aceite y cremas para el baño, máscaras faciales y suavi-

(continúa en la siguiente página)

zantes para la piel, o confecciones los suyos. Junten velas aromáticas y pongan música relajante. Enséñale a tu hija a celebrar todos sus sentidos al alentarla a sentir cómo el agua suaviza sus músculos cansados, a oler las fragancias, a escuchar en verdad la música. ¡Toma un baño espléndido tú misma!

2. Bailen juntas. (Sí, ¡esto es en especial difícil para las que nos vemos como torpes y sin coordinación!) Elijan música que les guste a las dos. Muevan los brazos y las piernas, giren, deslícense y den vueltas... ¡solo para disfrutar!

3. Cuando sienta que su cuerpo está fuera de control, es esencial que tu hija aprenda a experimentar un sentido de control de maneras saludables. Si no eres su guía y su apoyo, *encontrará* control por su cuenta. Alienta a tu hija a hacer una lista de todas las características de su cuerpo que no le gusten. Vean juntas la lista. ¿Qué puede cambiarse con facilidad? Por ejemplo, si le preocupa el acné, investiguen el cuidado de la piel y el tratamiento médico. ¿Qué puede cambiarse o refinarse con trabajo y dedicación? Si detesta sus muslos, encuentren ejercicios que puedan tonificar y tensar esos músculos (¡y luego, por favor envíenmelos!). ¿Qué no puede cambiarse? Ayuda a tu hija a hacer las paces con esos aspectos de su cuerpo que no puede cambiar (la altura o el tipo básico de cuerpo).

4. Afirma el cuerpo cambiante de tu hija. Ya sea que diga «Me siento gorda» o no, hazle cumplidos cuando sea adecuado. «Tus caderas se están desarrollando y te están creciendo los pechos. Es normal y es la manera en que Dios diseñó la forma femenina, y les sucede a todas las muchachas».

Nuestros hijos, en especial nuestras hijas, nos obser-
van. Nos miran para ver cómo será su propio futuro
y lo que es posible. Aun más importante que lo que
les decimos a nuestras hijas es lo que les mostramos[7]*.*

HARRIET LERNER, *The Mother Dance*

Como puedes ver, trabajar con nuestras hijas para comprender y
honrar nuestros cuerpos es una tarea diaria, intencional, creativa y
que implica oración. Al tomarla en serio, nos libraremos a nosotras
y a nuestras hijas de una preocupación inútil y destructiva por la
autocrítica, las comparaciones con los demás y las inquietudes superficiales. *¡Diviértete* construyendo una alianza positiva con tu hija! No
reprimas tus propios sentimientos y experiencias. Y cuando temas
que tus propias cuestiones con respecto a la imagen corporal te impi-
dan caminar de la mano con tu hija a través de estas inquietudes,
recuerda que tu hija no necesita que seas perfecta. Solo necesita que
seas auténtica.

Cuando mi hija entró al séptimo grado, descubrí dos cosas acerca de ella. Comenzaba a desarrollar un mal hábito de criticar su cuerpo y anhelaba una camiseta de una tienda por departamentos costo-
sa, *Abercrombie and Fitch*. Un día, me di el gusto y compré dos camisetas en esa tienda. Le mostré la primera camiseta y le pregunté si le
gustaba. Con entusiasmo, quiso tomar la camiseta y yo la quité de su
alcance. Le expliqué que debía realizarle algunos ajustes a mi regalo.
Con las mayores tijeras dentadas que pude encontrar, comencé a cortar la camiseta en tiras.

Mi hija chilló y me rogó que me detuviera. Le pregunté por qué
estaba tan alterada. Me explicó: «Pensé que la camiseta era un regalo para mí. Además, ¡cuesta mucho dinero!». Luego, le entregué la
segunda camiseta intacta, y mientras dejaba escapar un gran suspiro
de alivio, le expliqué que cuando critica su cuerpo, destruye el regalo de Dios para ella, ¡y que su cuerpo es un regalo mucho más valioso que una tienda llena de ropa!

ESTIMULA LAS EXPRESIONES EMOCIONALES DE TU HIJA

¿Qué tienen que ver los sentimientos con la imagen corporal? Todo. Paul Schilder, en su obra pionera *Imagen y apariencia del cuerpo humano*, nos enseña que: «Cada sentimiento cambia la imagen corporal»[8]. Todos sabemos lo que es llevar tensión en nuestros hombros, aguantar el entusiasmo o apretar la mandíbula con enojo. Tu hija también crece en su experiencia del mundo, y eso significa que siente emociones nuevas, cambiantes y cada vez más intensas a diario. No tiene idea de qué hacer con estos sentimientos. Su mundo interior que cambia con rapidez no siempre es lógico; es aterrador, la hace sentir triste o entusiasmada y en forma constante evalúa la manera en que los demás reciben o interpretan sus expresiones de emociones.

El cerebro femenino responde con más intensidad a las emociones. Los sentimientos activan neuronas en un área ocho veces mayor en el cerebro femenino que en el masculino[9].

DEBORAH BLUM, *Sex on the Brain*

Una joven que veo en mi práctica de consejería me dijo cómo su vida emocional comenzó a influir en la experiencia de su cuerpo. Cuando estaba en cuarto grado, llegó a la etapa final de un concurso de recitación de poesía en la escuela. Practicó y practicó para la competencia final. Cuando obtuvo el segundo lugar, se desilusionó mucho y lloró diciéndole a su madre: «Nunca seré buena en nada. ¡Tenía tantos deseos de ganar!». Su madre respondió con buena intención. «Hiciste lo mejor que pudiste. Ganar no es lo más importante, y siempre está el año que viene».

Al obviar la intensidad de la angustia de su hija, esta madre bien-intencionada le señaló a su hija que sus intensos deseos y desilusión no eran aceptables. Luego de otras interacciones similares con su madre, esta hija comenzó a guardarse todos sus deseos más profundos y sentimientos negativos.

Cuando una muchacha se entera de que no debería expresar el enojo, los celos, la desilusión, los anhelos, el dolor, el temor o la tristeza porque la castigarán, juzgarán, pasarán por alto o la motejarán, todos esos sentimientos se acumulan en el cuerpo. Y, a menudo, esas emociones acumuladas se transfieren a sentimientos en contra del cuerpo. La Dra. Kathryn J. Zerbe, vicepresidenta de Educación e Investigación de la Clínica Menninger, explica: «Los pacientes de trastornos alimenticios a menudo hablan acerca de sus cuerpos como recipientes horribles [...] Como un envase protector, el cuerpo alberga nuestras experiencias y sentimientos»[10]. El cuerpo es concreto. Es algo que podemos ver e intentar comprender. Sus imperfecciones inevitables (acentuadas por las fotos brillantes y poco realistas de «perfección» en los medios) son blancos fáciles.

Cuando mi clienta entró a la adolescencia, desarrolló la bulimia y encontraba alivio para todos sus sentimientos acumulados al purgarse. No creía que su cuerpo mereciera alimento, cuidado y atención positiva porque se había dicho durante años que era gorda. Según creía, el problema era su cuerpo, y estaba dispuesta a pagar el precio de un trastorno alimenticio serio.

Es fundamental recordar que el sentimiento de la gordura a menudo está poco relacionado con la realidad de estar gordo o no, y muy relacionado con la manera en que manejamos nuestro mundo interior de sentimientos. Algunos estudios sugieren que tanto como un treinta por ciento de los pacientes con trastornos alimenticios no han aprendido maneras saludables de expresión emocional[11]. Una muchacha que está creciendo y es adolescente siente una multitud de emociones en un día. Invitarla a expresar sus emociones evita que se acumulen en su cuerpo y contribuyan a una imagen corporal no saludable. Zerbe concluye su discusión de la imagen corporal enfatizando el vínculo entre la expresión emocional y el desarrollo de una imagen corporal saludable: «En resumen, la lucha con la imagen corporal que enfrentan los pacientes con trastornos alimenticios deriva de su dificultad para expresar sentimientos y desarrollar una vida emocional plena»[12].

Solo para ti

1. ¿Cómo expresaban sus sentimientos las personas de la familia en la que creciste? ¿Cómo sabías si tu padre o tu madre estaban enojados? ¿De qué discutías con tus padres?
2. Practica expresar tus sentimientos. Si no te sientes cómoda expresando el sentimiento a otra persona, intenta decirte en voz alta lo que sientes. Escribe una carta describiendo el sentimiento o realiza un dibujo que lo represente.
3. ¿Qué sentimientos te resultan fáciles sentir? ¿Cuáles te resultan más difíciles?
4. Fíjate cuántos sentimientos afectan tu cuerpo. ¿En qué parte del cuerpo sientes el enojo, la tristeza o la soledad? ¿Qué sucede cuando te guardas la emoción?

No podrás alentar a tu hija a que exprese sus emociones de maneras saludables si tu propia vida emocional está reprimida, distorsionada o fuera de control. Antes de examinar la manera de ayudar a nuestras hijas con sus sentimientos, aparta algo de tiempo para mirar hacia dentro con valentía, a tu propia vida emocional.

Para ser saludables de verdad, necesitamos tener acceso a todo nuestro menú de emociones y a la libertad para aprender a expresarlas a todos. En su libro *Raising a Daughter*, Jeanne y Don Elium escriben: «La vida de sentimientos es la vida del alma de una muchacha: su corazón, sus emociones y sus sentimientos. El reconocimiento de estas maneras de conocimiento es vital para el desarrollo de una mujer completa y saludable»[13]. Cada emoción nos dice algo importante: lo que nos gusta o lo que nos disgusta, lo que nos entusiasma, lo que nos asusta o lo que necesitamos. A la mayoría de nosotras nos resultan más incómodas las emociones negativas o son las que menos toleramos, y esta actitud puede causarle grandes daños a la alianza con nuestras hijas. «Con esta conciencia parcial, una muchacha está destinada a decir "Sí" cuando en realidad quiere decir "No", "No" cuando quiere decir "Sí", y "No lo sé" cuando en realidad sabe, pero teme decirlo. Nuestras hijas necesitan conocer por completo su corazón»[14].

Solo para las dos

1. Aparta tiempo y busca oportunidades de preguntarle a tu hija cómo se siente con respecto a sí misma, sus amigos, la escuela, sus hermanos, etc. Mientras escuchas, no busques incoherencias ni irracionalidades. No planees tu respuesta ante sus sentimientos. Recuerda: «Lo dice en serio». Preocúpate por lo que le preocupa a ella.

2. Cuando tu hija exprese sus sentimientos, aconseja con moderación. No es necesario que estés de acuerdo con el sentimiento, sino que logres escuchar con atención absoluta. No resuelvas problemas, ni seas muy protectora, ni la disuadas de lo que siente.

3. Cuando diga: «Me siento gorda», pudieras decir: «Parece un sentimiento importante. Cuéntame más». Si tu hija puede hablar más acerca de lo que siente, ayúdala a identificar las emociones que tiene en realidad. (Ten presente que «gorda» no es un sentimiento).

4. Después que tu hija tenga un ataque emocional, busca un buen momento para hablar al respecto. Pregúntale qué le gustó acerca de tu respuesta y qué no le gustó. Pregúntale si preferiría que la dejaran sola para resolver las cosas durante un momento emocional difícil, si le gustaría que solo te sentaras a su lado o si quiere que hablen para ayudarla a resolverlo.

5. Tracen juntas el ciclo de sus sentimientos. Pueden hacerlo de dos maneras:

(continúa en la siguiente página)

- Durante dos meses, lleva la cuenta en un calendario y anota si cada día fue un día emocional difícil o fácil. Puedes hacerlo evaluándolo en una escala del uno al diez. Fíjate cómo tus emociones reflejan tus ciclos hormonales, cómo cambian durante los fines de semana o los lunes, si son más intensos durante la noche o la mañana y la manera en que las afectan tu nivel de actividad. (Mi hija y yo somos más sensibles de acuerdo con nuestros ciclos menstruales. Cuando descubrimos que esta época del mes coincidiría para las dos, hacemos planes para ser amables en especial con la otra, para mimarnos, alentarnos la una a la otra, ¡y advertirles a los varones de la casa que nos den un poco de espacio!)

- Observa el ciclo de un acontecimiento emocional. La mayoría de las mujeres experimenta emociones intensas de la siguiente manera (y recuerda, la mayoría de las emociones son intensas en la adolescencia):
  —Algo provoca la emoción (comienza a fijarte en tus detonantes).
  —La emoción aumenta y se hace más intensa.
  —La emoción nubla el juicio, la percepción y el pensamiento racional.
  —La emoción se transforma en una mayor claridad y comprensión.

Cuando notas este ciclo en la experiencia de emociones de tu hija, puedes dejar de intentar arreglar sus emociones y dejarla que las atraviese, permitiéndole descubrir que tiene los recursos para manejar su vida emocional. Felicita a tu hija cuando resuelva emociones intensas y obtenga nuevas perspectivas. No intentes controlarla cuando vacile entre la confusión y la claridad. Solo ofrece serenidad mientras ella aprende a llevar su propio rumbo.

Parte del proceso natural de maduración de tu hija es el desarrollo de una mente crítica, la cual le ayude a discernir el bien del mal, a reconocer el peligro y a crecer en individualidad e independencia. Durante un tiempo, puede parecer que se queja por todo, que lucha contra todas tus sugerencias y que ve todo en forma negativa. Si tus reacciones sugieren o imponen que tape esta parte del desarrollo de su vida emocional, su mentalidad negativa adquirirá vida propia y tal vez la trague por completo... o, al menos, procure destruir su imagen corporal.

Un amigo me dijo una vez que la mejor manera de comprender a los adolescentes era verlos como si siempre estuvieran drogados con LSD[15].

MARY PIPHER, *Reviving Ophelia*

No permitas que la negatividad transforme a tu hija en una adversaria. Transfórmate en su aliada al alentarla a identificar lo que siente y a aprender a expresarlo de manera eficaz. Recuerda que la expresión eficaz a menudo viene después del ensayo y error en encontronazos, crisis emocionales y ataques de histeria (como los llamaba mi madre). ¡Sean aliadas en la escuela de la expresión emocional!

PREPARA A TU HIJA PARA AFRONTAR SU CULTURA

No podemos subestimar el poder de los medios de comunicación para venderles a nuestras hijas la búsqueda de un cuerpo más delgado a toda costa. Aun si nuestras hijas están protegidas de las revistas de adolescentes, vídeos musicales y comerciales televisivos, es probable que no lo estén sus pares. Al igual que un goteo intravenoso constante, la influencia de la cultura se filtra en la mente y el corazón de nuestras hijas y puede volverlas en contra de sus propios cuerpos.

En el capítulo 4, examinamos maneras creativas de usar la cultura para el beneficio de nuestras hijas, pero no podemos negar que la cultura tiene algunas imágenes e ideas espantosas acerca de la imagen corporal. ¿Qué más podemos hacer para transformarnos en aliadas de nuestras hijas de modo que afronten las fuerzas que sabotean una imagen corporal saludable?

Cuando nuestras hijas expresan que se sienten gordas o que no les gusta algo de su apariencia y comenzamos a temblar ante la sombra amenazadora de la cultura, le damos más poder del que debería tener. Cuando gastamos toda nuestra energía protegiendo a nuestras hijas de la cultura, perdemos oportunidades de guiarlas a desarrollar su propia sabiduría interior al afrontar la hipocresía, la superficialidad y la estupidez. Cuando nos proponemos impedir que la cultura contamine a nuestras hijas, tal vez la hagamos más atractiva, o al menos, más interesante de lo que es en verdad. En realidad, la cultura nos ofrece muchas oportunidades para trabajar en forma productiva con nuestras hijas a fin de discernir la verdad, desarrollar valores y profundizar nuestra relación.

Hace poco, me senté con un grupo de veinticinco muchachas de entre doce y catorce años de edad. Les pedí que imaginaran a la muchacha perfecta. Sus respuestas, en orden de importancia, se encuentran enumeradas a continuación:

- delgada
- rubia
- popular
- hermosa
- atlética
- tiene pechos grandes
- tiene novio
- segura
- dientes derechos y blancos (¡sin frenillos dentales!)
- tiene su propio auto
- no tiene granos
- tiene su propio teléfono

¿Su descripción parece conocida? De inmediato, pensé que su muchacha perfecta se parecía un poco a Barbie. Por supuesto, Barbie no solo tiene su propio auto y teléfono; ¡también tiene su propio gimnasio, un salón de belleza, una casa, una casa de playa, una caravana y un barco! Cuando saqué una muñeca Barbie y les mostré a las muchachas a su chica perfecta, todas refunfuñaron. Me explicaron que no querían ser como Barbie, porque sabían que no era real.

Su respuesta me entusiasmó y me acordó cómo puedo afrontar las imágenes delgadas, pulidas y brillantes de nuestra cultura. Puedo ayudar a mi hija a descubrir que estas imágenes son falsas mientras sigo siendo creativa, alegre, persistente e intencional en una relación real con ella.

Hay tres mil millones de mujeres que no se parecen a las supermodelos y solo ocho que sí se parecen.

ANUNCIO PARA *THE BODY SHOPPE*

¿Cuándo fue la última vez que hojeaste una revista para adolescentes o que viste *MTV*? Las revistas para adolescentes y los productores de *MTV* creen que son expertos en nuestras hijas. Para desentrañar la hipocresía y revelar las mentiras de la cultura acerca de la imagen corporal, necesitamos ser expertas en el tema. Para cuando una muchacha promedio termine la secundaria, habrá estado expuesta a más de trescientos cincuenta mil anuncios televisivos o de revistas. Alrededor de la mitad de esos anuncios recalcan la importancia de ser hermosa y delgada[16]. Por más abrumadora que parezca la tarea, necesitamos sumergirnos en el mundo de la revista *Seventeen*, de *MTV* y la cultura pop, a fin de llegar a ser aliadas capacitadas para guiar a nuestras hijas a través del seductor mundo que las rodea.

Solo para ti

1. Saca de nuevo esas viejas fotografías tuyas. ¿Alguna refleja tus esfuerzos por llegar a los ideales de belleza y cuerpo de las distintas épocas?

2. Evalúa cómo te influye la cultura. ¿Alguna vez compraste algo según las promesas de los anunciantes acerca de la pérdida de peso o el tamaño y la forma del cuerpo, solo para desilusionarte?

3. Comienza a criticar anuncios y lo que dicen acerca de la imagen corporal. (Con el tiempo, querrás hacerlo con tu hija, pero es bueno practicar primero). ¿Qué mentiras dicen los anuncios? ¿Cuál es la verdad? ¿Qué quiere el anunciante que creamos acerca de los cuerpos de las mujeres o muchachas en el anuncio? ¿Qué quiere el anunciante que creas acerca de tu cuerpo? En este anuncio, ¿qué te hace sentir bien o mal contigo misma?

4. Creo que toda madre necesita conseguir *Slim Hopes: Advertising and the Obsession with Thinness* (disponible de *Media Education Fundation*, 26 Center Street, Northampton, MA 01060). Este vídeo revela los secretos y mentiras del mundo de la publicidad. Aprenderás acerca de las técnicas para crear a la muchacha perfecta mediante alteraciones por computadora. Es asombroso aprender que a pesar de que la mayoría de las modelos pesa entre un veinte y veinticinco por ciento menos que las chicas y mujeres promedio, ¡siguen sin ser lo bastante buenas! Las retocan y alteran de modo que luzcan perfectas[17]. Sin embargo, ¡no son más reales que la Barbie de plástico de tu hija! Cuando el momento sea adecuado, mira este vídeo con tu hija.

Una vez que conozcan los nombres, estilos, etiquetas y los discursos de la cultura contemporánea, estarán preparadas para transformarse juntas en detectives de modo que pongan al descubierto los saboteadores de una imagen corporal saludable.

Las muchachas menores de trece años necesitan mucha protección y guía. Es el momento de que las chicas desarrollen su propio sistema de dirección interior y de que las mamás estén a su lado mientras aprenden a ver y a decidir por sí solas en lo que respecta a los mensajes culturales de la imagen corporal. Aunque siempre es bueno mantener al mínimo las horas de televisión, cuando tu hija encuentre un programa que le guste mirar, tómate el tiempo para verlo a menudo a su lado. Alienta las preguntas. Pregúntale qué le gusta y qué no le gusta. ¿De qué tamaño son las chicas/mujeres en el programa? ¿Cómo honran o deshonran sus cuerpos? ¿Sus cuerpos son para vivir en ellos o para mostrarlos? Comiencen a ver comerciales juntas en forma crítica. Las revistas para adolescentes también deberían estar limitadas y censuradas durante esta etapa. Si tu hija te pide que compres una revista, mírala con ella y hablen de los mensajes acerca de la imagen corporal a través de la revista.

Solo para las dos

1. Miren juntas películas y vídeos musicales. Hablen acerca de qué les gustó, con qué se sintieron incómodas, qué no les gustó y qué hubieran cambiado si hubieran sido las productoras (el asunto de la imagen corporal en específico). ¿Cuántos tamaños de cuerpo distintos aparecieron representados? Si aparecen muchachas más corpulentas en la película o el vídeo, ¿qué papel tienen? ¿Hasta qué punto la película o vídeo representa la vida real? Recuerda que el objetivo no es que les gusten las mismas cosas y estar de acuerdo en todo, sino participar juntas en encontrar lo que es bueno en la cultura y agudizar las habilidades para discernir lo que podría sabotear una imagen corporal saludable.

2. Si es posible, consigan algunas películas que fueran populares en tu adolescencia. Véanlas juntas, fíjense en

(continúa en la siguiente página)

los estilos, las modas y los mensajes de la época. ¿Qué ha cambiado desde entonces? ¿Qué influencia han tenido estos cambios en nuestras ideas acerca del cuerpo perfecto?

3. La normalidad es lo que a menudo se pierde en la publicidad. Juntas, elijan y arranquen anuncios que muestren supermodelos delgadas. Lleven los anuncios al centro comercial o al aeropuerto, y mientras miran a la gente, fíjense cuántas mujeres reales se parecen a las modelos irreales.

Cuando tu hija llega a la secundaria, es inevitable que sienta curiosidad y que la bombardee la cultura. Además de usar revistas de adolescentes para afrontar los mensajes dañinos de la cultura, también puedes usar películas y vídeos musicales.

Al comprender la biología de tu hija, invitar su expresión emocional y prepararla para enfrentar las fuerzas culturales que pueden sabotear el desarrollo de una imagen corporal saludable, puedes ayudar a tu hija a hacerse amiga de su cuerpo, a vivir en su cuerpo, ¡y a disfrutar de ser una muchacha real con una vida real!

Capítulo 7

«Mamá, ¡no puedo comer *eso*!»

*El hambre debería valorarse y respetarse de la misma
manera en que se valora y respeta el impulso
de respirar*[1].

MARY PIPHER, *Hunger Pains*

Aunque proporcionar pautas de nutrición y buena comida para
nuestros hijos es una parte esencial de la crianza, el propósito de
este capítulo no es dar un marco de referencia nutricional para guiar
las elecciones alimenticias de tu hija. Hay muchos recursos maravillosos (lee la sección de Recursos) que proporcionan pautas y recetas
para una dieta bien equilibrada. Este capítulo intentará proporcionar
un marco de referencia *relacional* para usar las declaraciones inevitables de tu hija acerca de lo que le gusta y lo que no le gusta en el
campo de la comida, para mejorar tu comprensión de ella y para prepararte de modo que tomes la iniciativa y luches contra los trastornos alimenticios.

Los trastornos alimenticios no se desarrollan a partir de una
Coca-Cola ocasional para el desayuno o una inclinación por las papas
fritas. Aunque estas elecciones quizá no sean la mejor nutrición, no
resultarán en un trastorno alimenticio en sí mismas. Los trastornos
alimenticios se desarrollan cuando quedan ocultos las emociones, los
temores, los deseos, las heridas y la confusión y la comida se transforma en una forma sustituta de expresión para las emociones.
Como mamás de común acuerdo, tenemos una buena posibilidad de
prevenir los trastornos alimenticios si aprendemos a interpretar las
expresiones alimenticias tempranas de nuestras hijas y a guiarlas
hacia una mayor conciencia y expresión propia.

Escuchemos a Anna, de trece años, y a su familia sentados una noche a la mesa del comedor.

—¡Mamá, no puedo comer eso! Ya nadie come carne roja. Por favor, no me obligues a llevarme esa cosa asquerosa a la boca.

Anna miró el pastel de carne en su plato como si pudiera contener desechos tóxicos.

—No te morirás si comes pastel de carne. Trabajé duro para prepararle una linda cena a todos —dijo la mamá de Anna y la miró suplicante.

Anna y su mamá estaban en el borde de un terreno conocido, y toda la familia observó con tensión para ver si la mesa de la cena se transformaría en un campo de batalla una vez más.

—Comeré cereal —anunció Anna mientras se preparaba un bol.

—¡Yo también comeré cereal! —saltó de la mesa con entusiasmo el hermano de nueve años de Anna.

—No pueden cenar cereal —dijo su mamá—. No tiene otra cosa más que azúcar.

La mamá de Anna comenzó a servir el pastel de carne.

—Todos van a comer lo que su madre hizo para cenar o no comerán nada en absoluto —interrumpió con un tono de determinación el padre de Anna la riña familiar.

—Está bien —respondió Anna con resolución—. Estaré en mi habitación.

Es fácil leer acerca de la pelea de esta familia por la comida y ver a una adolescente rebelde y desagradecida por la preparación de la cena, la cual influye en su hermano en forma nociva y toma decisiones insensatas con respecto a la comida que no reflejan una dieta bien equilibrada. Cuando el padre de Anna interviene y decide que habrá carne de vaca para la cena, es tentador sentir alivio porque alguien salvará a esta familia de una pesadilla nutricional. Sin embargo, aunque las respuestas de los padres de Anna son razonables, pierden una oportunidad importante de conectarse en medio de las conductas alimenticias de su hija.

EL IDIOMA DE LA ALIMENTACIÓN

A medida que las chicas entran en la adolescencia, sus elecciones alimenticias no se basan tanto en la razón ni la nutrición, sino en la expresión propia. Anna declaraba su deseo de independencia, revelaba su pasión y expresaba su individualidad. A pesar de comunicarse con la elegancia de un toro en una cristalería, valía la pena escuchar su mensaje de todos modos.

Cuando nuestras hijas comienzan a experimentar con la comida, eligen ciertas comidas en lugar de otras y personalizan sus dietas individuales, tenemos una oportunidad maravillosa de conocerlas de nuevas maneras. Podemos alentarlas a crecer en su independencia mientras las guiamos a tomar decisiones saludables y positivas.

Cuando pasamos por alto lo que comunican las preferencias y elecciones alimenticias de nuestras hijas, cuando criticamos y nos burlamos de sus expresiones o las prohibimos por completo, nos arriesgamos a que esas distintas formas de expresión propia se transformen en trastornos alimenticios secretos y peligrosos.

El idioma que se hablaba en mi casa mientras crecía era el de los logros: la excelencia, la habilidad, el desempeño [...] En mi interior, se movía un anhelo escondido de hablar [...] de comunicar el enojo, el asombro, la tristeza y la alegría de una niña con otro ser humano. Sin embargo, no pude encontrar a nadie que me escuchara. Cada vez más a menudo me adormecía, sofocando y asfixiando todos mis anhelos, todos mis sentimientos, con comida.

MARGARET BULLITT-JONES, *Holy Hunger*

Mis hijos no pueden creer que cuando estaba en la secundaria, no se nos permitía hablar durante la hora del almuerzo. Los administradores de la escuela creían que la hora del almuerzo era para comer y que hablar solo sería una distracción. A diferencia de las cafeterías de las secundarias e institutos de hoy, se nos daba solo una elección para comer si comprábamos una comida caliente. Los vendedores de *Taco Bell*, *Pizza Hut* y *Subway* no nos ofrecían la variedad que disfrutan los chicos hoy en día. Los maestros observaban de cerca para asegurarse de que comiéramos todo lo que teníamos en el plato y en la bolsa del almuerzo. Incluso tuve una maestra en tercer grado que llamó a mi madre para decirle que durante la hora del almuerzo cambiaba mi sándwich por las papas fritas de un amigo. Comer era un asunto serio, y los adultos vigilaban de cerca nuestras elecciones alimenticias.

En casa, comíamos todo lo que preparaba mi mamá, aun si no nos gustaba. Al fin y al cabo, mi mamá se esforzaba para incluir algo de todos los grupos alimenticios en nuestras comidas, y no nos haría daño comer algo que no nos gustara. Recuerdo estar sentada en la mesa de la cena durante horas intentando terminar mi comida para poder dejar la mesa. Nuestros vecinos eran una familia que tenía dos muchachas. Cuando cenaba con esta familia, confirmaba la normalidad de mi propia familia. La Sra. Anderson medía con cuidado todas nuestras porciones y servía solo la cantidad adecuada, porque «ya sabes, no quieres comenzar a subir de peso ahora». La inquietud de la Sra. Anderson me parecía justificable porque cerca de esa época, mis hermanos empezaron a bromear por mi peso.

Para cuando estaba en el instituto, había llegado a tres conclusiones peligrosas acerca de mi alimentación:
• No puedo tomar buenas decisiones por mi cuenta.
• Es probable que lo que quiero sea malo.
• Ya estoy gorda. Si como lo que quiero, estaré muy gorda.

Cuando obtuve mi licencia de conducir y pude conducir sola, un día paré en la tienda *7-Eleven* de nuestra localidad. Compré una bolsa pequeña de un nuevo producto llamado *Doritos* y me comí toda la bolsa antes de salir del estacionamiento. En ese instante, supe que mi madre no aprobaría esa comida chatarra de queso y que quizá no fuera buena, pero me encantaba. Disfruté del delicioso pensamiento: *Podría comprarlos todos los días y nadie se enteraría.*

Solo para ti

1. Recuerda tu propia historia con la comida mientras crecías. ¿Comían en familia? ¿Qué sucedía cuando no te gustaba lo que te servían? ¿Podías preparar tu propio almuerzo? ¿De qué manera comías cuando no había nadie cerca?
2. Examina tu relación con la comida hoy. ¿Cuáles son tus comidas preferidas? ¿Cómo regulas lo que comes? ¿De qué forma comes hoy cuando no hay nadie cerca?
3. Evalúa tus creencias acerca del hambre y la alimentación. ¿Te dices que eres mala cuando tienes hambre? ¿Comes en secreto?
4. ¿Te sientes culpable cuando comes un postre?
5. ¿Usas frases como «pegarse un atracón»?
6. ¿Te refieres a tu forma de comer con frases como «No debería comer esto, pero...» o «Me voy a portar mal por esta vez»?
7. ¿Cuándo disfrutas de la comida? ¿De qué manera comes? ¿Rápido, saboreando la comida, con gratitud, con culpa?
8. Al recordar tus experiencias con la comida en la infancia y la adolescencia, ¿a qué conclusiones llegaste y qué elecciones específicas realizaste con respecto al hambre y la alimentación?
9. Si has luchado con un trastorno alimenticio, escribe la historia del desarrollo de tus conductas alimenticias.

Meses más tarde, comencé a experimentar con un trastorno alimenticio que ahora reconozco como bulimia. Lo único que sabía en ese entonces era que tenía sentido, debido a mis tres conclusiones acerca de la alimentación:

- Quiero algo malo, pero como no puedo tomar buenas decisiones por mi cuenta, necesito mantener en secreto mis elecciones alimenticias.
- No debería tener ganas de comerme esto y llenarme con algo malo.
- Tengo que purgarme de mis malas elecciones para evitar engordar.

Me inunda la tristeza al pensar en las conclusiones y decisiones destructivas a las que llegué con respecto a la alimentación. Durante varios años, luché con la bulimia y su enmarañada red de consecuencias. Como en mi mundo, cualquier expresión independiente a través de la comida estaba prohibida mientras crecía, mi lenguaje alimenticio era tan secreto que nadie podía ayudarme.

Cuando estaba en el segundo año de la universidad, en una capilla, hablaron acerca de los trastornos alimenticios. El orador bienintencionado explicó que los trastornos alimenticios son un pecado, y esto solo me impulsó más a la vergüenza y el secreto acerca de mis elecciones alimenticias. Solo en tercer año de la universidad, comencé a tener esperanza de poder cambiar.

Una muchacha de la habitación del otro lado del pasillo donde estaba yo, reveló durante una reunión de oración de la residencia de estudiantes que había luchado con la bulimia durante todos los años en la universidad, pero que hacía poco había recibido terapia y ayuda. Nos pidió que oráramos por ella. Al día siguiente, le pregunté acerca de la terapia y con el tiempo revelé mi propia lucha. Nos transformamos en compañeras de oración mutua y nos alentábamos a tomar decisiones alimenticias saludables. Comenzamos a trotar durante las tardes (la primera vez que hacía ejercicio en mi vida) y a hablar acerca de nuestra lucha. Estoy muy agradecida por esta aliada que Dios me entregó con generosidad en mi viaje hacia la superación de la bulimia.

CÓMO SE INTERPRETA EL IDIOMA ALIMENTICIO DE TU HIJA

Hablaremos acerca de los trastornos alimenticios con más profundidad en la tercera parte, pero en este capítulo nos concentraremos en

cómo interpretar el idioma alimenticio de tu hija y veremos formas
de alentar elecciones alimenticias saludables y positivas. En su escla-
recedor libro *The Secret Language of Eating Disorders*, la madre y terapeuta Peggy Claude-Pierre cuenta acerca de su propia educación en
el ámbito de la alimentación adolescente:

> La verdadera claridad de mi comprensión de los trastornos
> alimenticios comenzó con mi lucha por salvar la vida de mi
> hija Nicole. Recuerdo que me sentaba en el piso del baño,
> contando las baldosas de dos centímetros y medio, negras y
> azules, para distraerme. Mi espalda se encontraba, en forma
> literal y figurada, contra la pared; el temor y la impotencia
> me adormecían la mente. Tenía una pluma y un cuaderno
> en mis manos [...] Había leído todos los libros que pude
> encontrar acerca de la anorexia [...] Después de meses de-
> sesperados de buscar, por fin comprendí que nadie que
> había contactado o con el que había interactuado podía
> ofrecer una solución viable para revertir la condición de
> Nikki. Mi hija de trece años no era la de siempre. Empecé a
> registrar su conducta y luego a compararla con la muchacha
> que conocía. Con la primera palabra que escribí, sentada en
> esas baldosas frías del piso del baño, entré a una tierra des-
> conocida sin el beneficio del pasaporte ni de un mapa de
> carretera... solo mis buenas intenciones[3].

Peggy se transformó literalmente en detective para descifrar el
idioma alimenticio de su hija. Su vigilancia, curiosidad y compromiso salvaron la vida de su hija. Mi oración es que no esperemos a que
las vidas de nuestras hijas estén en riesgo para aprender su idioma alimenticio y alentar su expresión de maneras que den vida. Hay algo
en la observación de esta desesperada madre por su hija, las notas de
las expresiones de su hija y la creencia de que nadie estaba prepara-
do para comprenderla más que ella, que me llena de una pasión por
hablar el idioma de mi hija... ¡con fluidez!

Nuestras hijas son un mundo complejo en sí mismas y expre-
sarán muchas cosas a través de sus elecciones alimenticias.

Examinemos tres principios fundamentales que pueden ayudarnos a interpretar sus expresiones más únicas.

EL HAMBRE ES UN REGALO DE DIOS

Deuteronomio 8:3 expresa que Dios es el que nos hace tener hambre, y que proporciona nuestra satisfacción suprema. El hambre física y espiritual son regalos divinos que nos obligan a darnos cuenta de nuestra dependencia de que nos alimenten; no nos crearon para ser independientes. Por otro lado, nuestra cultura de la delgadez y el conteo de calorías han producido una generación de muchachas que no saben que es bueno tener hambre. Peor aun, muchas muchachas están convencidas de que deben controlar cada detalle de su consumo de comida y confiar solo en sí mismas para alimentar sus cuerpos y corazones hambrientos.

Nuestras hijas aprenden temprano que su hambre es un enemigo que se debe controlar, y cuando llegan a una edad en la que por naturaleza tienen más hambre (la adolescencia), creen que deberían comer menos. Para lucir como chicas normales (delgadas), deben estar siempre alertas del hambre salvaje en su interior. Se deberían temer todas las comidas tentadoras que provocan el hambre: el chocolate, las papas fritas, los panecillos de canela. Las chicas aprenden temprano que los muchachos pueden tener hambre y comer hasta saciarse, pero las muchachas deben ser ambivalentes o incluso avergonzarse de la comida y la alimentación. Los medios de comunicación solo fomentan esta confusión con los anuncios de comida que dicen «¡come!», ¡mientras que la actriz que promociona la comida es delgada!

Solo para las dos

1. Disfruta del hambre de tu hija... ¡y del tuyo! Afirma el hecho de que el apetito físico es una realidad positiva y dada por Dios. Hablen acerca de los placeres de comer y nutrirse.

2. Cada cierto tiempo, háganse preguntas acerca de la comida:
   - ¿Cuál es tu comida preferida? ¿Cuál te gusta menos?
   - Describan una buena experiencia de comida.
   - ¿Adónde estaban y qué comieron?
   - Describan la comida perfecta.
3. Tomen juntas una clase de cocina.
4. Tengan noches de fiesta en las que preparen y coman sus comidas preferidas. Respeten las preferencias de la otra.
5. Cuando se descubran degradando la sensación del hambre o alimentando el hambre de maneras no saludables, desafíense a hablar acerca de lo que sienten en realidad y de lo que puede traerles verdadera satisfacción.

Como padres, nuestras mejores intenciones pueden a menudo verse distorsionadas por la misma cultura que enfrentan nuestras hijas a diario. «Los chicos de hoy son la primera generación criada por padres que observan su frecuencia cardiaca, analizan su grasa corporal y compran galletas sin grasa. Si mami se queja porque ya no puede cerrarse los vaqueros, se reprocha haber comido ese panecillo de maíz, o vigila en forma precisa cada bocado que su hijo se lleva a la boca, no enseña actitudes saludables acerca de la comida»[4].

La Dra. Susan Sherkow señala que «muchos chicos con trastornos alimenticios son hijos de mujeres que sufren de trastornos alimenticios clínicos o sin diagnosticar aún. Y estas mujeres les transmiten a sus hijos, de manera abierta y encubierta, una preocupación por la delgadez y las dietas»[5]. Si quieres ser la aliada de tu hija en contra de la andanada de mensajes distorsionados acerca de las dietas y el hambre que trae la cultura, debes tratar tu propia forma de pensar distorsionada. La necesidad de tu hija de un modelo a seguir saludable puede impulsarte en forma positiva a trabajar con ella al desafiarla y corregir ideas y conductas distorsionadas.

LA COMIDA NO ES EL ENEMIGO

Como madres, queremos que a nuestras hijas les gusten los vegetales verdes y se mantengan alejadas de los dulces. Alentamos una dieta equilibrada y prohibimos los refrescos en el desayuno. Sin embargo, no pasará mucho tiempo (si es que ya no ha sucedido) antes de que nuestras hijas descubran nuevas comidas y distintas maneras de comer que las que alentamos en nuestros hogares. Cuando hablamos de la mala comida y de las comidas prohibidas, ya sea para nosotras o para ellas, tal vez, sin darnos cuenta, las enviemos en una búsqueda para encontrar lo que se están perdiendo.

Solo para las dos

1. Juntas, evalúen sus actitudes acerca de la comida. Anoten todas las comidas que consideren malas. Vuelvan a evaluar. ¿Podrían cambiar su categorización de modo que sean comidas para «de vez en cuando» en lugar de comidas «malas»?
2. Anoten nuevas comidas que les gustaría probar juntas.
3. Dale a tu hija un libro de cocina divertido, permítele que elija algo que le parezca interesante y ayúdala a prepararlo.
4. De vez en cuando, tengan una comida de «Si pudieras comer lo que quisieras», ¡y deja que tu hija elija todos los platos!
5. Permítele a tu hija preparar sus propios almuerzos.

Cuando la comida se transforma en el enemigo, es inevitable que tengamos una sensación de privación, lo cual puede llevar a ceder a los atracones de comida. Entonces, no solo comenzamos a temer ciertas comidas malas, sino que le tememos a nuestra hambre en sí, porque puede obligarnos a comer cosas prohibidas.

El temor a la comida puede llevar a nuestras hijas a comer en secreto, a comer por culpa, a comer de más o a no comer de plano.

Les entregamos a nuestras hijas un regalo maravilloso cuando les damos permiso para *disfrutar* de la comida. Cuando prohibimos comidas, ponemos en marcha una respuesta de temor y culpa por este disfrute. Si a nuestras hijas las alentamos a disfrutar de su comida, se sentirán más cómodas y satisfechas cuando coman. Será menos probable que escondan sus hábitos alimenticios o que busquen satisfacción a través de un atracón de comida.

Es inevitable que se experimente con las comidas. No lo es mantener las cosas en secreto. Cuando les permitimos a nuestras hijas hablar con libertad de sus preferencias, elecciones e ideas acerca de la comida, proporcionamos un ambiente seguro para que aprendan de sí mismas y, en última instancia, de cómo cuidar sus cuerpos con un gusto por el alimento saludable.

LA ADOLESCENCIA ES UNA ÉPOCA ESTRESANTE DE LA VIDA

Mientras nuestras hijas toman decisiones más independientes sobre sus conductas alimenticias, también entran en una de las épocas más estresantes de la vida. Sus cuerpos parecen estar fuera de control, la presión de los pares se hace más intensa y aumentan las responsabilidades. De manera innata, tu hija percibe cuál es *tu* prioridad para ella durante esta época estresante de la vida. ¿Es ser popular, obtener buenas calificaciones, ser una buena atleta o animadora, ser organizada, ser obediente, ser educada con los demás adultos? Mientras tu hija experimenta con elecciones alimenticias, si la diriges hacia tus intenciones, es más que probable que se rebele en el campo sobre el que tiene control: sus elecciones alimenticias. Si, por otro lado, disfrutas, aceptas, amas y guías con delicadeza a tu hija porque la *conoces* y crees en ella, ambas pueden relajarse un poco.

En una etapa estresante de la vida, ¿qué necesitas? Yo necesito que alguien crea en mí, que me haga recordar mis dones y habilidades y que me aliente a confiar en Dios. Nuestras hijas no necesitan menos que nosotras. Una madre y una hija vinieron a verme porque a la madre le preocupaban los hábitos de su hija con el desayuno. Esta chica de quince años quería comer una barra de chocolate y tomar un vaso de jugo de naranja en el desayuno. Esta madre estaba horrorizada y asustada. La hija comía en forma saludable las otras comidas y solo le gustaba esta combinación para el desayuno.

—¿En verdad crees que tu hija desayunará chocolates cuando tenga cuarenta años? —le pregunté a la madre.

—No —contestó la mamá.

Y antes de que pudiera seguir, la hija aportó:

—Bueno, seguro que actúas como si lo creyeras —repicó la hija antes que pudiera seguir su mamá—. ¿Sabes lo que es para mí empezar el día sabiendo que no solo no apruebas lo que hago hoy, sino que tienes miedo de que nunca tome las decisiones que tú quieres?

Como en general sucede, esta madre e hija estaban atrapadas en una lucha de poder acerca de algo más importante que los dulces en el desayuno. La hija quería la aprobación y la confianza de su madre durante esta época importante y estresante de su vida (y usaba una conducta desagradable para probar a su madre), y la madre quería que su hija se conformara a las normas familiares para asegurar que saldría bien durante esta época estresante de la vida.

Cuando criamos con el temor de lo que quizá suceda en el futuro, perdemos la oportunidad que tenemos delante en ese momento. Cuando esta madre empezó a disfrutar de la individualidad de su hija con respecto a esta extraña combinación para el desayuno, a felicitarla por beber jugo de naranja y hasta sorprenderla al preparar la mesa del desayuno una mañana con una barra de chocolate abierta en su plato y un vaso frío de jugo en la mesa, desapareció la lucha de poder. La mamá se relajó. La hija se relajó y sintió que la disfrutaban. (No puedes disfrutar de alguien a quien no apruebas). ¡Y ahora la chica casi nunca elige una barra de chocolate para el desayuno!

Solo para ti

1. Dedica un momento para recordar tu adolescencia. Anota las maneras en que te vestías y comportabas que preocupaban a tus padres. ¿Qué les preocupaban que comieras? ¿Alguna de estas elecciones duró más de unos cuantos años?

2. ¿Qué te ayuda más cuando estás estresada?
3. Cuando notas que tu hija parece agitada, preocupada, irritable o retraída, toma nota de todo lo que podría estresarla. Dile que te das cuenta de que se encuentra en un período estresante y pregunta cómo puedes ayudar. Ofrécele algo del aliento que te ayudó en tu adolescencia.
4. ¿Tomas en serio los factores de estrés de tu hija? ¿Qué diría acerca de la manera en que reaccionas y la tratas durante sus momentos de tensión?

ESCUCHA LO QUE TE DICE EN REALIDAD

Cuando visito la cafetería del instituto de mi hija, enseguida se aprecia que la función principal del comedor no es la nutrición. Todos tienen una lata de gaseosa. Algunas chicas no comen nada, mientras que otras comen papas fritas y pedazos de pizza. Los grupos están formados, los romances destellan y la tarea está terminada. No puedo evitar comparar el caos ruidoso con la cafetería ordenada y silenciosa de mis días de la secundaria. Comíamos nuestras croquetas de pescado y crema de maíz y regresábamos en silencio a nuestros salones de clase. La cafetería de la escuela de Kristin es un buen recordatorio para mí de que comer no se trata solo de comer. *Comer es una forma de expresión*, una pista importante de lo que sentimos y necesitamos cuando elegimos una comida en particular.

Consideraremos tres formas comunes de expresión a través de la comida, pero hay muchas realidades interiores que nuestras hijas pueden expresar a través de sus elecciones alimenticias. Debemos tomar notas, escuchar con atención y ser conscientes de nuestro propio idioma al comer para comunicarnos con nuestras hijas.

CONSUELO

¿Alguna vez comiste una galleta con chispas de chocolate, un bol de helado o un caliente panecillo de canela garapiñado cuando no tenías hambre? ¿Alguna vez tu hija pidió tostada francesa para la cena o quiso tortillas de harina con queso mientras hacía sus deberes? ¿Por qué tenemos la tendencia de buscar comida cuando estamos estresadas, cansadas, ansiosas o nos sentimos solas?

Cuando el estrés ataca, se liberan varios químicos cerebrales que producen un químico llamado cortisol. El cortisol es un poderoso activador del apetito. Cuando buscamos comidas, casi siempre carbohidratos dulces, estos nos proporcionan un alivio inmediato del estrés. Es lamentable que estas comidas a menudo hagan que nuestra hormona productora de azúcar, la insulina, se ponga a trabajar a toda marcha e intensifique nuestros apetitos, enviándonos a un episodio poco saludable de comer más. La revista *Young and Modern* encuestó a tres mil trescientas chicas adolescentes y descubrió que el cuarenta y ocho por ciento come para animarse, el sesenta y nueve por ciento ingiere comida chatarra cuando está deprimida y el treinta y dos por ciento come para recompensarse por un logro[6]. Podemos ayudar a nuestras hijas, y a nosotras mismas, si comprendemos la comida de consuelo.

Solo para las dos

1. Hablen juntas acerca de sus activadores para comer. (Algunos factores de estrés comunes son la tensión relacional, la soledad, un logro, un fracaso).

2. Reconoce que la necesidad de consuelo es buena. Jesús a menudo consolaba a los angustiados (Lucas 8:48) y nos alienta a consolarnos los unos a los otros (2 Corintios 1:3-4). Dios nos da el Espíritu Santo para consolarnos (Juan 14:16).

3. Decidan que cuando coman para consolarse, lo harán en forma franca y sin vergüenza. Geneen Roth escribe: «Ahora, imagina que te tratas de la manera en que tra-

tas a la gente que amas. Esto significa sentarse en una silla cuando comes. Así que cuando comas en el refrigerador, acerca una silla. Sentarse ante el refrigerador no solo te permite ser amable contigo misma, sino que también te permite ser consciente. En el ámbito práctico, evita que tus dientes se rompan debido a una tarta fosilizada»[7].

4. Anota la comida de consuelo que también pueda ser bastante saludable. Aquí tienes algunas de las cosas en la lista de Kristin y mía:

   • cocer al vapor sin grasa (leche humeante) con siropes de sabores (avellana, vainilla, frambuesa)
   • sorbete con sabor a frutas
   • avena humeante, espolvoreada con canela y azúcar moreno
   • pan integral, tostado con miel
   • uvas (¡y es tan divertido comerlas!)
   • palomitas de maíz

5. Hablen acerca de otras maneras de quitar el estrés. Escuchen música. Tomen una siesta. Dense un baño de inmersión. Vayan a caminar. Aprendan técnicas de respiración profunda. Confecciona una lista de posibilidades con tu hija. Me sorprendió cuando Kristin explicó que pintarse las uñas la relajaba. ¡Mis uñas sin pintar son testimonio de la tensión de esta actividad para mí!

Una de mis clientas, que ha luchado con el peso toda su vida, describe su patrón malsano de encontrar consuelo solo en la comida: «Volvía a casa desde la escuela e iba derecho al refrigerador. Quería a mi madre. Quería que mi madre y mi padre se llevaran bien. Quería buenas calificaciones y amigos. Sin embargo, en su lugar, comía pastelitos rellenos, cereales, galletas, papas fritas y lasaña fría».

Como madres, nuestra tarea es observar a nuestras hijas de cerca y ayudarlas a ver cuándo usan la comida para evitar mirar sus problemas, pedir ayuda a los demás y a Dios y aprender distintas estrategias para lidiar con las luchas y desilusiones inevitables de la vida.

CONTROL

Cuando la vida es estresante, es fácil concentrar toda nuestra atención en un campo que creemos poder controlar: la alimentación. Los trastornos alimenticios se desarrollan cuando nos obsesionamos con la alimentación y el control del peso. Cuando la vida se limita a las galletas, al yogur libre de grasas o a perder los próximos dos kilos, es un síntoma de un trastorno alimenticio en potencia y un intento de encontrar control en un mundo incontrolable.

Algo anda mal cuando nos encontramos tambaleándonos desesperados por comer un pedazo de pan de ajo o tres bombas de chocolate[8].

GENEEN ROTH, *When Food is Love*

Todas nuestras hijas corren riesgo de conductas alimenticias malsanas y trastornos alimenticios que pueden amenazar la vida, sin importar cuán seguro y amoroso sea el hogar que les proporcionamos, debido al mundo caótico en el que viven fuera de la casa y al caos inevitable que esto produce en sus corazones y sus mentes. Las estadísticas miden el aumento en las experiencias sexuales, el uso de drogas y alcohol y el suicidio entre los adolescentes, y estos factores de seguro contribuyen a crear un clima de temor, incertidumbre e incluso violencia. Sin embargo, las estadísticas no pueden medir la cantidad infinita de inquietudes con las que una muchacha lucha a diario, impulsándola hacia una determinación de encontrar algún sentido de control.

Les pedí a diez de las amigas de Kristin que enumeraran lo que más las preocupaba. Sus inquietudes son pistas acerca del caos en el corazón de un adolescente:

Me preocupa que [...] mis dientes sean demasiado torcidos, mi pecho demasiado chato, mis caderas demasiado anchas, mi vestimenta demasiado vulgar, mis pies demasiado grandes, mis amigos se rían de mí, mis padres se divorcien, mi hermano se drogue, ser demasiado tímida, mi papá me grite, algo malo suceda en nuestra escuela, deje de gustarle a mi novio, mis brazos sean demasiado grandes, no sea muy inteligente, todos piensen que soy una santurrona, se muera mi abuela, mi ropa no sea muy linda, mi mamá pierda su trabajo, alguien descubra mi secreto, a nadie le importe mi secreto.

Solo para las dos

1. Juntas, confeccionen una lista de estrategias para comer que les den control de manera saludable. Aquí tienes algunas decisiones conscientes que Kristin y yo intentamos tomar:

   - Come despacio. Deja el tenedor entre bocados.
   - Detente cuando estés llena. ¡Al estómago le lleva unos veinte minutos comprender lo que ha estado haciendo tu boca!
   - No malgastes calorías en refrescos.
   - Ten zanahorias peladas, cubos de queso, uvas y nueces para merendar.
   - No te peses todos los días. (Ni siquiera tenemos una balanza).
   - No pases por alto el desayuno.
   - Seca tu pizza con una servilleta de papel si parece aceitosa.

(continúa en la siguiente página)

- Lávate los dientes cuando quieras llevarte algo a la boca.
- No veas anuncios televisivos de comida, a menos que lo hagas con cuidado.

2. Analicen el hecho de que hay cosas, personas y situaciones que no pueden controlar. ¿Qué haces cuando un amigo no te llama, cuando no le gustas a un chico, cuando un compañero se burla de ti o cuando tu día se desmorona? Si comes porque puedes controlar lo que comes y olvidar los sentimientos dolorosos durante un rato, intenta orar en su lugar, o escribir en un diario, hacer ejercicio, respirar hondo, hablar acerca de tus sentimientos, a fin de soltar lo que no puedes controlar.

Debido a la necesidad de nuestras hijas de una mayor independencia e individualidad, y a su inevitable deseo de controlar parte de su mundo caótico, debemos aprender a interactuar con sus expresiones de control a través de la comida.

CRISIS

A veces, las conductas alimenticias de una hija indican una crisis. Quizá comience a comer hasta hartarse, a purgarse, a no comer o se vuelva reservada en sus conductas alimenticias. No es momento para dejarse llevar por el pánico; es momento para investigar. Escucha con más atención. Observa más de cerca la vida de tu hija.

Recuerda, comer no solo se trata de comer. Cuando la conducta alimenticia de tu hija cambia de manera drástica, indicando que puede haber una crisis, sé persistente para descubrir las raíces de esta crisis. Realiza preguntas, investiga, sé tierna, sé ferviente en tu amor por ella.

ALIENTA LA INDIVIDUALIDAD DE TU HIJA

Las expresiones de individualidad de nuestras hijas en las elecciones alimenticias y experimentos con conductas alimenticias no deberían relegarse a una categoría de conducta de locura adolescente, ni a una tontería nutritiva adolescente. Nuestra responsabilidad es usar las elecciones y experimentos de nuestras hijas para afirmar su individualidad creciente, comprender mejor su mundo interior y transformarnos en sus aliadas para navegar a través de lo que puede ser, a veces, un mundo peligroso.

Cuando nuestras hijas eran bebés, nos ocupábamos de todas sus necesidades... incluyendo la comida. Al comenzar a comer en la mesa, elegíamos sus comidas, les decíamos cuándo comer, les presentábamos nuevas comidas y evitábamos que comieran cosas dulces con calorías vacías. A medida que nuestras hijas llegan a la adolescencia, les resulta saludable volverse más independientes de nuestro cuidado, y eso incluye su alimentación. A medida que nuestras hijas crecen, ya no se pueden tratar como a niñas pequeñas. Lo que les gustaba cuando tenían cuatro años, pueden llegar a detestarlo cuando tienen catorce.

Cuando exigimos que nuestras hijas sean dependientes de nosotras y se conformen al molde de la manera en que pensamos que deberían comer, tal vez las preparemos para comportamientos alimenticios malsanos. En su detallado libro acerca de los trastornos alimenticios, la Dra. Kathryn Zerbe explica: «Uno puede ver un trastorno alimenticio como una manera para que hable el cuerpo de cuestiones de preocupación que surgieron mucho antes, cuando las palabras no estaban a su disposición. Una preocupación es la lucha por la autonomía»[9].

Solo para las dos

La comprensión de las raíces de la crisis puede ayudar a medida que comienzas a interactuar con tu hija sobre sus conductas alimenticias peligrosas. Sé dulce, pero diligente al hacerle preguntas.

1. ¿Los amigos de tu hija han estado estresados de alguna manera? Ayúdala a describir la conducta que le resultara hiriente.

(continúa en la siguiente página)

2. ¿La relación con un novio ha sufrido tensión? Es de esperar que no tuvieras la cabeza bajo tierra y fueras consciente de amistades crecientes con individuos del sexo opuesto. Haz preguntas: ¿Qué clase de chicos te interesan? Describe a tu novio ideal. ¿Cómo te hacen sentir los chicos de tu clase? ¿Cómo te gustaría que te trataran?

3. Mantente informada acerca de la intimidación y el acoso sexual. Estaba preparada para muchas cosas en el mundo del instituto de mi hija, pero me impactó la irreverencia cruel de la cultura. Los muchachos les dicen a las chicas cosas como «perra», «fulana» y hablan sin rodeos acerca de sus cuerpos. Las chicas pueden ser iguales de crueles. Ayuda a tu hija a expresar en forma verbal lo que quizá esté experimentando, al hacerle preguntas como las siguientes:

   • ¿Qué es lo más hiriente que has escuchado que alguien le dice a otra persona en la escuela? ¿Te han dicho algo parecido a ti?

   • ¿Qué clase de apodos y palabras te gustaría que se prohibieran en la escuela? ¿Te han dicho estas palabras a ti?

   • ¿Qué es lo más escandaloso que has escuchado en la escuela? ¿Te han dicho algo parecido a ti?

   • ¿Le dirías a tu hermano que nunca le diga algunas frases o palabras a una chica? ¿Por qué?

4. Mantente atenta alerta para estar al tanto de las actividades académicas y extracurriculares de tu hija. Pregúntale si le resulta difícil llevarse bien con un maestro o entrenador. ¿Siente presión o una sensación de fracaso?

Es difícil alimentarse en forma saludable en nuestra cultura. La comida poco saludable se encuentra en todas partes, nos bombardean con imágenes irrealistas de chicas y mujeres delgadas, y una dieta de moda pasajera aparece en la escena todos los años. Si intentamos controlar las conductas alimenticias de nuestras hijas hasta que se vayan del hogar, es fácil que se pierdan en el laberinto de elecciones alimenticias cuando estén por su cuenta.

La adolescencia es el momento de tu hija para experimentar y cometer errores. Mientras se encuentra en el refugio del hogar, se debería alentar a experimentar, desarrollarse y disfrutar de su propio estilo de alimentación. Creer que tu hija puede adquirir una identidad propia, y que no está en contra tuya ni tienes por qué estar en contra de ella, es una de las recompensas de común acuerdo.

Solo para las dos

1. Analicen las rarezas de tu hija con la comida. A Kristin le encanta escuchar de cómo probó mi creatividad y paciencia con sus preferencias alimenticias quisquillosas cuando era pequeña (¡solo comía melocotones!). Sigue siendo quisquillosa para comer, y las dos comprendemos su habilidad para saber lo que le gusta y su necesidad de ser sensible con los demás mientras respeta sus preferencias.

2. Hablen de sus preferencias únicas con la comida, o de las de otros en la familia. Cuando nuestros hijos se enteraron de que a su tío le gustaba el puré de papas con salsa de soja, accedieron de mala gana a probarlo. Ahora, no comen papas de ninguna otra manera.

3. Cuando observas a tu hija tomar sus propias decisiones con respecto a la alimentación, buenas o malas, haz comentarios acerca de su individualidad, creatividad o espíritu aventurero. Pregúntale de qué se tratan sus elecciones para ella.

4. Estén alertas a los mensajes hipócritas de los medios con respecto a las muchachas, el hambre y la alimentación. Durante un programa reciente para adolescentes en la

(continúa en la siguiente página)

televisión, Kristin y yo decidimos analizar los anuncios en forma consciente. Es irónico, pero el programa se trataba acerca de una chica con un trastorno alimenticio. Lucía fabulosa. Hablamos acerca del mensaje confuso de una muchacha con una enfermedad seria, que se veía muy bien. El primer anuncio era de *Levi's* y mostraba a un muchacho con unos cómodos pantalones de pana ajustados. Kristin corrió a su habitación y trajo el anuncio de una revista del mismo producto, con una muchacha con pantalones ajustados. Hablamos del mensaje hacia las chicas acerca de la comodidad y el estilo. El próximo anuncio era de un producto para teñir el cabello, promocionado por una modelo muy delgada y menuda. El próximo anuncio era de tortillas de maíz de la marca *Taco Bell*. ¡Qué fuente tan confusa de información acerca del hambre, la alimentación y la imagen corporal! ¡Kristin y yo decidimos que la cultura estaba loca y que no teníamos que conformarnos!

«Mamá, ¿por qué no puedo usar los batidos de dieta?»

Más madres hacen dieta; más hijas hacen dieta.
Más madres comen en forma desordenada; más hijas
comen en forma desordenada.
Más madres tienen sobrepeso; más hijas
tienen sobrepeso.
Esta secuencia no es casual.
Hacer dieta es la causa principal de todos nuestros
problemas de peso y alimentación[1].

DEBRA WATERHOUSE, *Like Mother, Like Daughter*

Los batidos de dieta, *Weight Watchers*, *Jenny Craig*, las drogas supresoras del apetito, los aceleradores del metabolismo, la dieta Atkins, los aparatos para abdominales, los videos para estar en forma, las posibilidades y promesas para la pérdida de peso y los cuerpos tonificados son interminables, para nuestras hijas y para nosotras.

¿Alguna vez tuviste una conversación como la siguiente con tu hija en crecimiento?

—Mamá, detesto cómo me quedan estos *shorts*. Mírame desde atrás. Parezco un cerdo. ¡Tengo que hacer algo!

—Te ves bien —respondió la madre de Kelly.

—No, mamá, me veo horrible. Por favor, déjame comprar un batido de dieta para poder comenzar una dieta seria hoy.

La mamá de Kelly levantó la vista del libro que leía y habló con firmeza:

—Ya tuvimos esta conversación. No, no puedes comprar un batido de dieta. No es saludable para una chica en crecimiento.

—Por favor, mamá. Muchas de las chicas de la escuela lo toman en el desayuno o comen las barras de dieta en el almuerzo. Lo compraré con mi dinero. Si no puedo probar un batido de dieta, tendré que dejar de comer de plano. No puedo enfrentar otro verano si luzco así.

Su mamá sacudió la cabeza y volvió a su libro.

Cuando estoy parada en la fila de la caja en la tienda de comestibles, a menudo recorro con la vista los títulos de las portadas de las revistas. «Baje dos kilos en cinco días», «La dieta que no falla», «Baje de peso sin hacer ejercicio», «Estómago plano para el verano». Debo admitirlo, de vez en cuando, encuentro un título que es irresistible. Compro la revista y la leo, solo para descubrir que es probable que este plan de dieta o ejercicio tampoco me resulte. Requiere comprar una lista de alimentos distintos por completo, cumplir un horario para comer que podría resultar si no tuviera nada más que hacer o en lo cual pensar, o eliminar elementos nutricionales esenciales como los bombones y la crema en mi café.

Mientras confieso, te diré que en realidad tengo un aparato para hacer abdominales que garantiza darte un estómago plano en treinta días. También tengo una escaladora, una máquina para hacer ejercicio, una máquina de remo, un juego de pesas y una bicicleta fija. No los he usado en los últimos cinco años. Aun así, los compré debido a la promesa de que solo en unos días podría obtener resultados drásticos. El problema es que todos requieren esfuerzo: un esfuerzo difícil, constante y a largo plazo (sin mencionar la coordinación), y ninguna dieta ni ejercicio cambiará las verdades básicas de mi estructura corporal.

Basta de secretos, basta de mentiras

La semana pasada mi hija buscaba una receta en nuestro montón de libros de cocina, cuando la escuché reírse a carcajadas, gritando: «No puedo creerlo. ¡Mamá! ¡No puede ser!». Tenía un librito que yo había metido entre los libros de cocina. No recuerdo por qué lo metí allí, pero su ironía nos llamó la atención a las dos. El libro se llama *Thin Thighs in Thirty Days* [promete muslos delgados en treinta días]. Hace años, mis amigas y yo compramos este libro, decididas a seguirlo en forma religiosa. Su lugar de descanso final entre un libro de cocina y otro de postres deliciosos revela su impacto significativo en mi vida y mis muslos.

Sé sincera. Todas hemos probado dietas, planes de ejercicio, afiliaciones a clubes de salud y pastillas y suplementos para bajar de peso y formar nuestros cuerpos. Nos hemos creído los falsos anuncios, las promesas grandiosas y los hábitos poco saludables. Somos expertas en esto. Somos las indicadas a fin de ayudar a nuestras hijas a que naveguen a través de este mundo de promesas y peligros.

Entonces, ¿por qué quedamos paralizadas, como la madre de la viñeta que abrió este capítulo, prohibimos de manera rotunda las dietas y los planes de pérdida de peso, y mantenemos la boca cerrada respecto a nuestras propias equivocaciones? Es probable que ninguna parte de la experiencia femenina esté más enredada en secretos y mentiras que las categorías de la imagen corporal, la alimentación y la pérdida de peso.

Como consejera, he descubierto que cuando las mujeres comienzan a hablar acerca de sus vidas en un ambiente terapéutico, están dispuestas a hablar de luchas y problemas importantes, pero la última esfera que revelan muchas mujeres es la vergüenza con la imagen corporal o las conductas alimenticias destructivas. ¿Por qué? Porque desde que somos muy jóvenes, lo que creemos acerca de nuestros cuerpos y la manera en que nos relacionamos con la comida es casi siempre una experiencia privada. Tal vez comience con una frase descuidada en el patio de recreo: «¡Tienes mucha barriga!», la cual resulta en una vergüenza por el cuerpo que se almacena en el interior durante años, aun si es inválida por completo. Esa vergüenza puede llevar a elecciones alimenticias poco saludables o a planes para bajar de peso. Tal vez nadie sepa de la herida y las elecciones posteriores, así que un secreto se suma a otro y una mentira a otra mentira.

El acto mismo de comer es muy íntimo para nosotras. Revelar nuestras elecciones y las cosas que creemos que provocan esas elecciones es estar desnudas delante de otra persona. En la historia que acabé de mencionar, la muchacha se paró delante de su madre con valentía, revelando sus creencias y temores acerca de su cuerpo. Se preguntaba si lucía ordinaria, fea y gorda, y si un batido de dieta iba a aliviar sus inquietudes. La respuesta cortante de la madre solo puede ayudar a empujar a su hija hacia dentro, hacia un laberinto de secretos y mentiras que a menudo acompañan la imagen corporal, la alimentación y la pérdida de peso.

Podemos ayudar a nuestras hijas a atravesar este laberinto complejo al exponer las mentiras y expresar con alegría la verdad en tres ámbitos: las revelaciones vulnerables de nuestras hijas acerca de su imagen corporal; nuestro conocimiento sobre las dietas y los planes de pérdida de peso; y nuestras propias experiencias con la imagen corporal, las dietas y la pérdida de peso. A medida que comienzas a practicar la revelación de las mentiras y le dices la verdad a tu hija, querrás escoger y elegir. Examinaremos muchas respuestas diferentes, hechos específicos y posibles proyectos para hacer juntas con respecto a estos asuntos, pero querrás tener cuidado de no abrumar a tu hija y seleccionar lo que mejor se adapte al momento en el que se encuentra.

LAS REVELACIONES DE TU HIJA

¿Cómo respondes cuando tu hija revela sus temores y preguntas acerca de su imagen corporal y esperanzas de perder peso? En el capítulo 6 establecimos los cimientos para una respuesta que otorgue vida. Comenzar temprano a comprender el crecimiento y el desarrollo femenino y a valorar el cuerpo es esencial. En este capítulo, profundizaremos un poco más para considerar lo que puede estar en la raíz de las preguntas y afirmaciones de tu hija. A menos que dejemos al descubierto algunos secretos y mentiras, es probable que echen raíces en su corazón y traigan como resultado hábitos alimenticios poco saludables e ideas acerca de perder peso. Nancy J. Kolodny advierte:

«Así que, tener dificultad para aceptar tu físico, tener problemas para aceptar una discrepancia entre tu imagen corporal ideal y la verdadera, y estar mal informado, o no tener la información suficiente acerca del lado físico de la vida antes de entrar en la adolescencia, son algunos de los factores que pueden ponerte en riesgo de desarrollar un trastorno alimenticio»[2].

Una madre de una muchacha de doce años estaba sentada frente a mí en mi oficina y expresó una inquietud común entre las madres acerca de las hijas que entran a la adolescencia. «Mi hija me pregunta a cada momento si está gorda, y expresa desesperación porque los muchachos nunca se fijarán en ella debido a su peso, quejándose de que se detesta a sí misma. No sé qué decirle».

Le pregunté a esta mamá cómo veía las preguntas de su hija... ¿como algo irritante, como un pedido de atención, como quejas crónicas? Me explicó que, en realidad, nunca había clasificado las preguntas, pero que tal vez cayeran en las tres posibles categorías que sugerí. Le pedí que considerara las preguntas de su hija acerca de la imagen corporal como revelaciones sagradas. Sí, revelaciones sagradas. Vivimos en una época cínica en la que las personas a menudo recurren al desprecio propio a fin de cubrir inseguridades y temores. Resistimos la compasión, con el temor de que consienta o aliente una mentalidad de víctima.

Una mañana, me paré en el pasillo del instituto de mi hija y escuché a los estudiantes que pasaban camino a clase. Algunas de las frases que escuché me impactaron. Otras me rompieron el corazón.

«¿Viste lo que se puso Britney hoy? Parece una mujerzuela».

«¡Hola Terri! ¿Crees que tus pantalones son lo bastante ajustados?».

«¿Viste a esa chica nueva en la tercera hora? ¡Qué vaca!».

Cuando nuestras hijas se atreven a revelar una pregunta o un temor acerca de sus cuerpos, esperan encontrar un refugio del mundo frío y cruel que hay allá afuera. Su pregunta sencilla: «¿Me veo gorda?», es una oportunidad para que expongamos las mentiras de esta cultura cínica y despectiva y que las bañemos con una amabilidad y dignidad que a menudo faltan en su mundo.

Hoy en día, los comentarios crueles y los hostigamientos tienen lugar en la escuela cada siete minutos. Por lo general, duran unos treinta segundos. Los efectos emocionales pueden durar mucho más[3].

Gesele Lajoie, Alyson McLellan y Cindi Seddon, *Take Action Against Bullying*

A continuación, se encuentra una lista de algunas de las mentiras comunes que creemos acerca de la imagen corporal, así como algunas maneras en que puedes interactuar con tu hija cuando haga preguntas o revele sus preocupaciones.

Las mentiras

1. No soy «normal».

Es un momento maravilloso para reafirmarle a tu hija que todas las chicas luchan con su imagen corporal, que tú lo hiciste y que tal vez todavía lo hagas. Recuérdale el desarrollo natural femenino y el caos que viene a medida que se acerca a la adolescencia y la experimenta. Saca viejas fotografías de tu propio desarrollo y toma nota de los rasgos genéticos. A veces, cuando lo hago con mi hija, se desalienta más. Tenemos los mismos muslos, lo cual lleva a la siguiente mentira.

2. Los muslos delgados (o un estómago plano o tener una talla cuatro) me hará feliz.

¿De dónde viene la felicidad? Esta es otra buena oportunidad para examinar la cultura que quiere que creamos y nos traguemos la idea de que la felicidad surge de las cosas, de la manera en que lucimos y de cuánto pesamos. Puedo decirle a Kristin que bajar dos kilos nunca cambió mi vida. ¿De dónde viene la felicidad? Viene de ser amable, lo cual le abre la puerta a hablar de la siguiente mentira que puede ser mortal.

3. No me hará daño detestar mi cuerpo.

Con mucha compasión y amabilidad, podemos usar las quejas de nuestra hija respecto a su cuerpo para explicarle que detestar su cuerpo o partes de su cuerpo es como pegarse una y otra vez. Este desprecio por uno mismo magulla la autoestima y debilita la fuerza interior. Además, nos paraliza y nos impide hacer cambios saludables en la comida y el ejercicio para apoyar a nuestros cuerpos. El ambiente en el que vivimos forma las creencias acerca de la belleza y la imagen corporal. Tenemos que ayudar a nuestras hijas a tomar la iniciativa, examinar estas creencias y tomar decisiones saludables que se ajusten a la verdad. Detestar nuestros cuerpos disminuye nuestra capacidad para la alegría y no nos permite ver quiénes somos en verdad. ¿Y quiénes somos en verdad? Esta pregunta abre la puerta para examinar otra mentira.

Solo para las dos

A continuación, tienes algunas verdades acerca de la imagen corporal y la pérdida de peso y distintas maneras de interactuar con tu hija cuando revele sus inquietudes.

1. Los problemas familiares, los problemas relacionales o los comentarios ocasionales de alguien acerca del peso y la apariencia física pueden provocar preguntas acerca de la imagen corporal y las ideas sobre la pérdida de peso. Las revelaciones de tu hija son una oportunidad maravillosa para preguntar si alguien ha dicho algo hiriente o negativo. Aliéntala a comunicar los detalles de su experiencia. Aunque esto quizá sea difícil y vergonzoso al principio, puedes ayudar a disipar la vergüenza. Expresa tus inquietudes e incluso tu enojo por los comentarios desconsiderados y crueles. Explica que estos comentarios proceden de la falta de autoestima de la otra persona y su deseo de ejercer alguna clase de poder. Las muchachas necesitan saber que los comentarios hirientes acerca de la imagen corporal no tienen

(continúa en la siguiente página)

nada que ver con su carácter, mucho menos con su aspecto. Pregúntale a tu hija cómo quiere que la apoyes y si quiere que intercedas.

2. Pregúntale a tu hija si la manera en que otras chicas se visten y hablan de sus cuerpos y la pérdida de peso añaden a sus inquietudes. Puedes contar tus propias experiencias con la presión de los pares. Hace poco, tuve la oportunidad de hablar en un grupo de estudio bíblico de mujeres en nuestra comunidad. Conocía a muchas de las mujeres, y pensar en sus figuras esbeltas y ropa elegante hizo que quisiera perder peso y comprar un nuevo conjunto. Cuando me paré para hablar, estaba tan nerviosa por mi apariencia y aceptación de este grupo, que se me secó tanto la boca que casi no podía hablar. Al final, le confesé mis temores al grupo, lo cual le quitó el poder al temor y pude seguir hablando con mucha más alegría y pasión. Le conté esta historia a mi hija y respondió con sabiduría: «Ay, mamá, estaban mucho más interesadas en ti que en tu ropa o tu peso». He guardado la respuesta amable de Kristin para usarla en el futuro con ella cuando la inevitable presión de los pares la tiente a reducirse solo a cuestiones externas.

3. Este tal vez sea un buen momento para hablar de tus recuerdos relacionados con alguien que te hizo sentir incómoda por tu cuerpo. ¿Cómo lidiaste con la situación? ¿Qué te hubiera gustado decir o hacer de otra manera?

4. La obsesión con una parte del cuerpo o con la pérdida de peso puede cambiar la personalidad de una persona. Pensar solo en unas piernas gordas, en un estómago plano o en la pérdida de peso secuestra el cerebro de tu hija y barre la alegría de su vida. ¿Qué se perdería si cambiara la personalidad de tu hija? Este es un momento crucial para recordarle quién es en verdad. Cuéntale

historias acerca de su infancia, de los rasgos peculiares y únicos de su personalidad y de las maneras alegres, creativas o apasionadas en las que ha experimentado la vida.

4. Lo que creo acerca de mi cuerpo solo afecta mi cuerpo.

Dios nos creó en forma trina (cuerpo, alma y espíritu), así como Él es una trinidad (Padre, Hijo y Espíritu Santo). Creer que detestar mi cuerpo no afecta mi mente, mis emociones y mi vida espiritual es como decir que Dios el Espíritu Santo no tiene nada que ver con Dios el Padre ni con Dios el Hijo. Tal vez puedas hablar acerca de cómo detestar una parte de tu cuerpo ha afectado tu vida emocional o tu deseo de involucrarte en relaciones.

En forma práctica, traer mentiras al descubierto podría haberle permitido a la mamá de Nelly, de la historia del principio de este capítulo, a responder a su hija en formas muy distintas desde el principio:

- «Ay, cariño, es un honor que mi opinión acerca de tu apariencia te importe. Gracias por contarme tus inquietudes. ¿De quién es el cuerpo con el que comparas el tuyo?».
- «¿Sucede algo en tu vida en este momento que te haya vuelto más consciente de lo que no te gusta en tu cuerpo? ¿Hablas con tus amigas acerca de esto? ¿Qué me dices de los chicos? ¿Dicen cosas?».
- «Comprendo tu preocupación porque, como quizá notaras, tengo el mismo tipo de cuerpo. Atravesé una época en la que también detestaba mi cuerpo e intenté de todo para cambiarlo. Aprendí que puedo tonificar mis músculos y darle una leve forma a mi cuerpo, pero no puedo cambiar mi estructura corporal básica. ¿Quieres investigar acerca de programas de ejercicio que puedan ayudar o consultar a un entrenador personal para realizar una o dos sesiones?».
- «Cuando detestaba mi cuerpo, mis piernas en especial, nunca quería usar *shorts*, hacer ejercicio, ni nadar. El odio por mí misma evitó que tuviera una vida activa, lo cual contribuyó a

una soledad y aburrimiento en la secundaria y a principios del instituto. ¿Has notado algún cambio que hayas hecho o actividades que hayas dejado de hacer debido a tu preocupación por tu cuerpo?».

- «El desprecio por mí misma también afectó mi relación con Dios. Cuando detestaba partes de mi cuerpo, era como tomar uno de los maravillosos proyectos de arte que hiciste en la escuela primaria y romperlo en pedazos. Me lastimaba a mí y a Dios, mi Creador. ¿Has pensado en orar por la manera en que te sientes contigo misma? ¿Por qué orarías y qué le pedirías a Dios?».

Solo para ti

1. Realiza el siguiente cuestionario, respondiendo verdadero o falso, para obtener un discernimiento mayor acerca de tus propias creencias sobre la alimentación y la pérdida de peso:
   - La gente gorda come más que la delgada.
   - Tener un metabolismo lento es solo una excusa para el sobrepeso.
   - Ser gordo es malo, muestra debilidad y es desagradable.
   - Cualquiera puede adelgazar y mantenerse delgado.
   - No confío en mí misma para tomar decisiones respecto a la alimentación.
   - Hacer dieta es una buena manera de controlar el peso.
   - La mejor razón para hacer ejercicio es bajar de peso.
   - La depresión no tiene nada que ver con lo que como ni con la manera en que como.
2. Recuerda tus propios planes para hacer dieta y perder peso. ¿Cuáles fueron las consecuencias a largo plazo y a corto plazo, tanto buenas como malas?
3. Cuando te sientes incómoda con tu peso:

- omites comidas
- comienzas una dieta
- comes más, pues ya pesas demasiado
- ayunas
- comienzas un programa de ejercicio
- usas laxantes o algún otro método para purgarte
4. ¿Cómo defines una dieta? Cualquier patrón de alimentación que no logras sostener toda la vida es una dieta. ¿Haces dieta en este momento?
5. Si no estás segura de la inutilidad de las dietas y sus consecuencias negativas, lee y evalúa *Outsmarting the Female Fat Cell*, de Debra Waterhouse, o *The Diet Trap*, de Pamela M. Smith. (Véase Recursos).
6. Si tu hija hace dieta, ármate de hechos, ora por el momento indicado para hablar acerca de su dieta y sé ejemplo de elecciones alimenticias saludables.

Nuestras hijas necesitan comprender que, sin importar cuánta dieta hagan, no pueden cambiar la estructura básica de su cuerpo. La verdadera belleza se desarrolla cuando nos aceptamos de la manera en que nos crearon. Algunas nos hicieron con una estructura ósea mayor. Desde luego, otras son más ligeras. Algunas llevamos el peso en las caderas por naturaleza, otras en el abdomen.

He observado a mi hija luchar con esta realidad de la manera más asombrosa. Kristin decidió creer en mi palabra: su vida no cambiaría en forma drástica si perdía unos cuantos centímetros de sus muslos. Se comprometió a dejar la gran tensión mental de obsesionarse por sus piernas. Entró al instituto decidida a ser amable con todos, a pedir la ayuda de Dios para ser extravertida y segura de sí misma y a actuar como si tuviera confianza en sí misma (aunque hay días en los que no la tiene). Ha descubierto que las personas responden en forma positiva a la amabilidad, la pasión y la confianza en uno mismo. En verdad es mi heroína. Ella te diría que le encanta su vida, ¡y que no tiene nada que ver con sus muslos!

> *Cualquier movimiento hacia una mejora personal no*
> *la debe impulsar la repugnancia y el rechazo a uno*
> *mismo, sino una aceptación realista de quiénes*
> *somos y un deseo de ser la mejor versión*
> *posible de esa realidad*[4].
>
> Marcia Germaine Hutchinson,
> *Love the Body You Have*

Tu cociente intelectual en las dietas y la pérdida de peso

Saber la verdad y las mentiras acerca de las dietas y otros planes de pérdida de peso puede ayudarte a guiar a tu hija a tomar buenas decisiones. Sí, se trata de otra esfera en la que debemos investigar y establecer de manera escrupulosa la verdad acerca de las dietas y la pérdida de peso. (Véanse las lecturas recomendadas en la sección de Recursos).

Cuando comencé a experimentar con conductas alimenticias destructivas, no pensaba que mis elecciones fueran muy importantes. Sin embargo, estaba equivocada. Nadie me dijo que las decisiones que tomaba con respecto a la comida y a mi cuerpo podían provocar cambios químicos en mi cerebro, aumentando el riesgo de depresión, y que podían dañarme el hígado, los pulmones y el corazón. Debra Waterhouse advierte: «Hacer dieta no es un juego libre de riesgos de la mujer increíble que se encoge». Enumera veintiocho consecuencias posibles de las dietas, incluyendo la pérdida de peso, los problemas en la vejiga de la bilis y las dificultades para dormir. Su conclusión es la siguiente: «Hacer dieta es peligroso para todas las mujeres, pero nuestras hijas jóvenes sufren el mayor daño importante, porque hacen dieta durante su preadolescencia y adolescencia: justo cuando las células se dividen con rapidez, comienzan sus primeros ciclos menstruales y sus cuerpos maduran para transformarse en mujeres»[5]. Detectar las mentiras y comunicarles la verdad con amabilidad a nuestras hijas lo más temprano posible puede ayudarlas a mantenerse alejadas de elecciones destructivas.

En el último capítulo, hablamos acerca de la importancia de comprender que comer no solo se trata de comer. Comer puede ser una forma de expresión que debe comprenderse y a la que hay que responder con sabiduría. Sin embargo, comer y la pérdida de peso también se trata de la salud y la nutrición. El equilibrio es complicado, y requiere que estemos armadas de información nutricional y psicológica sólida, y que comencemos temprano a exponer las mentiras y a decir la verdad, pero que alentemos la apertura y la individualidad en nuestras hijas al mismo tiempo.

A continuación, tienes algunas de las mentiras acerca de las dietas y los planes de pérdida de peso, así como algunas ideas para convencer a tu hija de la verdad.

LAS MENTIRAS
1. La dieta es una buena manera de controlar el peso.
Luego de trabajar con cientos de mujeres que han probado todas las dietas imaginables, estoy convencida de que la única manera razonable de abordar la pérdida de peso es aceptando nuestra estructura corporal básica y comiendo con prudencia. Sé que es aburrido y que no venderá nada, pero es la verdad. Cuando tu hija quiera probar un batido de dieta o algún otro plan de pérdida de peso, es una buena oportunidad para decirle la verdad: hacer dieta nos engorda. Una muchacha que hace dieta tiene una probabilidad ocho veces mayor de desarrollar un trastorno alimenticio[6]. Los nutricionistas informan que las personas que hacen dieta tienen una probabilidad del noventa y cinco por ciento de recuperar cualquier peso perdido dentro de dos años[7]. Cuando hacemos dieta y nos restringimos, a la larga sentimos hambre o privación. Los kilos que perdemos al principio son agua sobre todo, y nuestro sistema entra en desequilibrio. Respondemos comiendo más y casi siempre volvemos a aumentar lo que perdimos y más. Luego, nos sentimos más gordas y peor con nosotras mismas y comenzamos todo el proceso de nuevo. Los biólogos y nutricionistas pueden explicarlo con términos más científi-

cos, pero la verdad esencial es que hacer dieta engaña al metabolismo para que almacenemos grasa con mayor facilidad de menos calorías. (Véase la sección de Recursos para encontrar libros que explican este fenómeno).

2. La dieta no me hará daño.

Cuando no obtenemos una nutrición bien equilibrada, comenzamos a sentirnos cansadas, desorientadas, incluso tontas. La dieta atrapa al cerebro en un ciclo que también tiene un impacto en nuestras emociones. Cuando las muchachas comienzan a atravesar la pubertad, su química cerebral está en un caos tan grande como ellas. Los nutrientes adecuados son esenciales para producir químicos que combatan los cambios de ánimo y la depresión severa. Las chicas que se matan de hambre o que realizan dietas de moda sin cesar pueden, sin saberlo, sentenciarse a una lucha de por vida con los trastornos alimenticios o la depresión (véase más acerca de esto en la tercera parte). Una adolescente quizá no comprenda la seriedad de esta consecuencia. Si has luchado con la depresión o si conoces a alguien que lo haya hecho, este sería un buen momento para hablar con tu hija acerca de lo debilitante que puede ser.

Solo para las dos

Consideren juntas algunas de las verdades acerca de hacer dieta que se enumeran a continuación y pídele a tu hija que hable contigo al respecto.

1. De acuerdo con la Dra. Mary Pipher, autora de *Hunger Pains*: «Cada día, el cincuenta y seis por ciento de las mujeres de Estados Unidos hace dieta. Tenemos una industria de la dieta de treinta mil millones de dólares al año»[8]. Confeccionen juntas una lista de las causas a las que donarían los treinta mil millones de dólares si pudieran.

2. Vayan juntas al centro comercial o al parque y sigan el consejo de Geneen Roth: «Miren los cuerpos de las mujeres normales (normal no incluye modelos, actrices

y atletas selectas)»[9]. Al notar a las demás chicas y mujeres, mírense y recuerden lo siguiente: «Una mujer "normal" luce como tú».

3. Pregúntale a tu hija si alguna vez se ha sentido juzgada
    y criticada sin cesar por un maestro, entrenador o inclu-
    so un padre. ¿Cómo la hizo sentir? Cuando intentó
    mejorar, ¿fue una experiencia positiva? Relaciona esto
    con el cuerpo. ¿Qué nos han hecho nuestros cuerpos
    que nos haga querer castigarlos? El ejercicio motivado
    por la vergüenza, el enojo o el desprecio por uno mismo
    no producirá vida.

4. Pregúntale a tu hija qué ejercicio físico le gustaría prac-
    ticar. ¿Danza? ¿Bicicleta de montaña? ¿Caminatas?
    ¿Natación? Geneen Roth termina diciendo: «Al final,
    mover el cuerpo no se trata de estómagos planos ni
    muslos delgados; se trata de ser [...] una mujer [o chica]
    con la suerte de tener brazos y piernas que pueden avan-
    zar con energía, calentarse al sol y cortar el viento y el
    agua»[10]. Cuanto más temprano celebremos esta realidad
    con nuestras hijas, ¡mejor!

5. Analicen el hecho de que tomar decisiones alimenticias
    saludables hace que nos *sintamos bien*. Es una oportuni-
    dad maravillosa para reforzar verdades de las que habla-
    mos en el último capítulo: Es bueno tener hambre. La
    comida no es el enemigo. Satisfacer tu hambre con
    buena comida es la mejor manera de obtener energía
    para la vida que quieres llevar. Se puede confiar en ti
    con respecto a lo que comes. ¿Tú y tu hija caminan de
    la mano con estas creencias como cimientos?

6. Si tu hija necesita perder peso para tener una salud ópti-
    ma, puedes apoyarla con estrategias razonables para per-
    der peso. Cuando Kristin comenzó a preguntarme acer-
    ca de hacer dieta, nos sentamos e ideamos nuestros pro-
    pios planes para hacer dieta y perder peso. Intentamos

(continúa en la siguiente página)

divertirnos y ser sensatas. Algunas de nuestras ideas incluyen:

- ¡No hagas abdominales después de comer helado!
- No comas de un solo grupo de comidas.
- Ve la comida como energía.
- Realiza treinta minutos de actividad física todos los días.
- Prueba una clase de aeróbic o boxeo tailandés.
- Intenta el ejercicio aeróbico combinado con música *jazz*. «Mamá, puedes hacerlo». (La nota de Kristin para mí)
- No pienses con odio hacia ti misma.
- Nunca pruebes pastillas para adelgazar. No solo desarreglan el metabolismo, sino que recientes estudios sugieren que representan un riesgo serio de derrame cerebral o ataque al corazón en las jóvenes[11].
- No hables acerca de hacer dieta. Es aburrido.
- Ten chicle en el bolso.

3. El ejercicio es mi castigo por ser gorda.

Las muchachas necesitan ejercicio y actividad física. Sin embargo, cuando proviene de un desprecio por una misma, puede transformarse en parte de un plan destructivo para perder peso. El ejercicio que no se trata de un deseo esencial y alegre de mover el cuerpo puede ser más dañino que saludable. La terapeuta Geneen Roth explica: «En algún momento entre los siete y los trece años de edad, perdimos la conexión con nuestros cuerpos. Perdimos la sensación de que importaba lo que teníamos dentro y empezamos a tratar nuestros cuerpos como objetos que debían manipularse y esculpirse para que nos amen los demás. Comenzamos a hacer dieta. Comenzamos a hartarnos. Dejamos de sentir el poder y la fuerza de nuestros brazos y piernas y, en cambio, empezamos a concentrarnos en la celulitis»[12]. La madre del principio de este capítulo podría usar la revelación de estas mentiras para tener una conversación con su hija, Kelly:

- «Cuando tenía unos veinte años, probé una dieta de toronja para cambiar mi cuerpo. Durante un tiempo, resultó, pero a la larga volví a recuperar todo el peso y más. ¿Qué te parece entrar a Internet para ver cuántas clases de dietas podemos encontrar? ¿Cuánto cuestan? ¿Parecen razonables? ¿Cuánto duraríamos en cada dieta? ¿Quién se beneficia más al vender estas dietas?»

- «Tus amigas de la escuela creen que hacen una decisión inteligente al tomar un batido de dieta porque al principio pierden unos kilos. Sin embargo, a la larga descubrirán que su cuerpo es más inteligente que ellas. ¿Recuerdas cuando hicimos una competencia para ver quién podía aguantar la respiración bajo el agua durante más tiempo? Cuando salíamos a tomar aire, respirábamos más fuerte y con más rapidez a fin de sustituir el oxígeno del que nos privábamos. Cuando privas a tu cuerpo de la verdadera comida, anhelará y necesitará más para compensar lo que le privaste».

- «Cuando intenté hacer dieta, descubrí que siempre estaba cansada, que no podía pensar con claridad y que no tenía ganas de hacer mucho. No valió la pena. Me encanta tu pasión y tu entusiasmo por la vida. Detestaría ver que se pierde porque no te gustan tus piernas. Si pudieras tener las piernas de tus sueños, ¿valdría la pena si siempre estuvieras cansada, deprimida y no tuvieras ganas de hacer nada?».

- «No hice ejercicio hasta la universidad, y allí aprendí que el ejercicio me ayuda a sentirme bien con mi cuerpo y me da energía. ¿Hay alguna actividad física que hayas querido probar?».

¿Acaso no saben que su cuerpo es templo del Espíritu
Santo, quien está en ustedes y al que han recibido
de parte de Dios? [...] Por tanto,
honren con su cuerpo a Dios.

1 Corintios 6:19-20

Tu experiencia

Hace poco, les hablé a un grupo de secundaria y del instituto en una de las escuelas públicas de Denver. Hablamos acerca de lo que habían aprendido de sus madres acerca de la alimentación y la imagen corporal y lo que quisieran haber aprendido. Después que terminó la clase, una hermosa joven se acercó a mí. Se mordió el labio y dijo: «Creo que tienes razón con lo que dices acerca de las conversaciones entre madres e hijas. Tomo pastillas para adelgazar, pero nunca se lo diría a mi madre».

Le pregunté el porqué. «Mi mamá enloquecería», dijo la muchacha. «Me diría que me deshiciera de ellas. Y, luego, engordaría».

Mientras respondía, pensé en sus razones para revelarme a mí, casi una extraña, su hábito de tomar pastillas para adelgazar. Sabía que ella, al igual que todas nosotras, anhela que la conozcan por completo. También sabía que aunque parecía bastante adulta con sus pantalones negros ajustados y su elegante suéter, todavía necesitaba y quería una madre: alguien que la guiara, que evitara que se lastimara y que la ayudara a transformarse en la joven que quiere ser.

Le agradecí por su «revelación sagrada» y, luego, con mi corazón de madre lleno de anhelo por esta chica, le pregunté si había leído los estudios recientes acerca del riesgo de las pastillas para adelgazar. No lo había hecho. Le pedí que por favor reconsiderara hablar con su madre acerca de las pastillas para adelgazar y de su deseo de estar delgada. Le di mi tarjeta de negocios y prometí: «Si las cosas no van bien, pídele a tu madre que me llame». En verdad, no esperaba volver a tener noticias de ella.

Solo para ti

Nuestras experiencias con la alimentación y la pérdida de peso son la mejor educación para ayudar a nuestras hijas con la suya. Considera tu primera conciencia de la imagen corporal y cómo la conectaste con las elecciones alimenticias. Por supuesto, es probable que no le cuentes todos los detalles a tu hija, y deberías evaluar cuándo está preparada para escuchar ciertas partes de tu historia.

1. ¿Qué revela tu historia acerca de tus creencias con respecto a la imagen corporal y la pérdida de peso?
2. ¿Cómo te han herido o ayudado estas creencias?
3. Vuelve a considerar las mentiras y verdades que analizamos. ¿De qué manera has vivido en la verdad? ¿Y en una mentira?
4. ¿Tu madre te reveló alguna experiencia acerca de su lucha con la imagen corporal o su experimentación con distintas dietas? Si es así, ¿cómo respondiste? Si no lo hizo, ¿te hubiera gustado que lo hiciera?
5. ¿Cuál es tu temor de contarle a tu hija tu propia experiencia?

Esta mañana a las nueve sonó mi teléfono. Estaba esperando una llamada y respondí el teléfono con rapidez, pero me sorprendió escuchar una voz vacilante y temerosa. «No me conoce, pero habló con la clase de mi hija hace algunas semanas. Ella me contó que usted le dijo que me dijera que está tomando pastillas para adelgazar. Me aterra y no sé qué decirle».

Le pregunté a esta mamá qué era lo que más la atemorizaba, y su respuesta me dejó atónita. «Cuando estaba en la universidad, usaba anfetaminas para controlar mi peso. Me hice adicta y tuvieron que hospitalizarme. Perdí todo un semestre de la escuela. Mi hija no lo sabe y temo decírselo».

¡Qué alegría decirle a esta madre que su historia no es algo para esconder y temer! En su libro maravilloso, *Telling the Truth*, el teólogo Frederick Buechner afirma: «Las historias tienen un poder tremendo en nosotros [...] nos obligan a reflexionar»[13]. Le pedí a esta madre que considerara lo que su historia dice acerca de ella misma, de sus elecciones y de las lecciones que ha aprendido y que escribiera lo que podía contarle a su hija. Prometió que me llamaría y me contaría cómo fue la conversación.

Comprendo que hay algo de controversia en cuanto a revelarles a nuestros hijos nuestros errores y debilidades. Algunos expertos en crianza sugieren que debemos ser modelos a seguir y que los hijos, aun los adolescentes, no están formados y no pueden procesar nuestros errores y las lecciones que hemos aprendido de ellos. Estoy de acuerdo en que en el caso de los niños pequeños, esto puede ser cierto. Sin embargo, ¿cuán pequeños? Solo tú puedes juzgar la madurez, habilidad cognitiva y la necesidad de tu hija de escuchar tu historia.

A medida que nuestras hijas entran en la preadolescencia y adolescencia, estoy convencida de que se beneficiarán de nuestras historias con respecto a la imagen corporal, la alimentación y la pérdida de peso. Puedes estar segura de que tu hija lee y observa otras historias acerca de la imagen corporal y la pérdida de peso, que ella y sus amigas se cuentan sus propias historias y que se pregunta acerca de la tuya. Tu historia es uno de los mejores recursos para abrir la puerta y hablar acerca de la verdad y las mentiras con respecto a la imagen corporal, la alimentación y la pérdida de peso. Tu hija querrá estar conectada contigo cuando seas sincera respecto a tus propios sentimientos, opiniones y experiencias. Cuando conozcas tu propia historia, no le temas, y observa las muchas lecciones maravillosas que has aprendido gracias a ella, estarás preparada para contársela a tu hija en algún momento.

Dios es bueno y nos permite servirle. Por eso no nos
desanimamos. No sentimos vergüenza de nada, ni
hacemos nada a escondidas. No tratamos de engañar
a la gente ni cambiamos el mensaje de Dios. Al con-
trario, Dios es testigo de que decimos solo la verdad.
Por eso, todos pueden confiar en nosotros.

2 Corintios 4:1-2, TLA

Los escritores y terapeutas Hugh y Gayle Prather explican: «Los niños no son una forma de vida diferente. Responden a la justicia y la injusticia, al amor y al juicio, a la devoción y a la traición, a la amabilidad y a la crueldad, al agradecimiento y al rechazo, a la franqueza y a la rigidez, casi de la misma manera en que responden los adultos. La mayoría de nuestros problemas con nuestros hijos indica nuestra falta de identificación con sus necesidades, el hecho de que no vemos que las necesidades de nuestros hijos sean las nuestras y no las tratamos como a las propias»[14].

El teólogo Brennan Manning ofrece un modelo revelador para evaluar cuándo, cómo y qué deberíamos manifestar: «¿Cuál es el objetivo de la revelación personal? Para cualquiera que esté atrapado en la opresión de pensar que Dios solo obra por medio de los santos, ofrece una palabra de aliento. Para los que ya se equivocaron, ofrece una palabra de liberación. Para los que están atrapados por el cinismo y la indiferencia, ofrece una palabra de esperanza»[15].

Aquí tienes algunas pistas conversacionales que te dicen que tu hija quizá necesite parte de tu historia para validar la suya, formar una conexión más profunda contigo y facilitar su crecimiento personal:

- «Mamá, no comprendes. Nunca te preocupaste por ser gorda».
- «Ya lo arruiné, mamá. He tomado pastillas para adelgazar durante un año. Es demasiado tarde para cambiar».
- «Detesto mi cuerpo».
- «¿Qué determina lo que como o si como?».
- «Nunca me sentiré bien conmigo misma».

Hace poco, la madre de la chica que tomaba pastillas para adelgazar volvió a llamarme. Son las ocho y media de la noche. Según me dijo, ella y su hija hablaron durante dos horas. Se pidieron perdón. Arrojaron las pastillas para adelgazar por el inodoro. Me pidieron una sesión de terapia para obtener más aliento a fin de volver a encaminar su relación. Y, mañana, encontrarán un club de salud o una clase de ejercicio que puedan empezar a realizar juntas.

El desprecio por uno mismo, el desaliento, el cinismo, la indiferencia y la desesperación pueden transformarse en esperanza cuando nos comprometemos a caminar de la mano con nuestras hijas y a no albergar más secretos ni mentiras.

Tercera parte

Conquista los obstáculos para la relación

A pesar de que algunas personas afirman que cuando una hija es rebelde la culpable es la madre, casi nunca esto es verdad. Echarle la culpa a la madre por las dificultades tampoco hace nada para resolver la situación. Hay muchas fuerzas en juego y muchas circunstancias contribuyen al aprieto. Cuando una relación es inestable o tensa, es probable que haya algo tanto en la madre como en la hija que necesite sanidad con urgencia. Como madre y adulta, debes intentar acercarte a este fin[1].

JUDY FORD y AMANDA FORD,
Between Mother and Daughter

Capítulo 9

Anorexia

La que fuera una enfermedad poco común y exótica, la anorexia es ahora común. Se estima que la enfermedad afecta entre a una y seis de cada doscientas mujeres. La mayoría de las víctimas son mujeres y muchas tienen entre doce y veinticinco años. Es trágico, pero la anorexia es la causa principal de muerte entre las personas que buscan ayuda psiquiátrica[1].

MARY PIPHER, *Hunger Pains*

Anorexia. La palabra misma parece aterradora. Hemos visto las horribles fotografías de muchachas consumidas, con ojos hundidos y huesos sobresalientes y no podemos pensar que nuestras hijas, las hijas a las que hemos dedicado tanto de nuestra energía para alimentar y nutrir, elijan en forma intencional morirse de hambre.

Un solo capítulo no puede investigar a fondo todas las dimensiones biológicas y psicológicas de este trastorno complejo. El objetivo principal de este capítulo es identificar la anorexia, alertarte acerca de las señales de advertencia en tu hija y prepararte para intervenir de maneras que puedan prevenir esta lucha espantosa. En la sección de Recursos, se incluye una lista de recursos adicionales acerca de la anorexia.

Peggy Claude-Pierre, madre de dos hijas que lucharon con la anorexia y autora de *The Secret Language of Eating Disorders*, alega: «La clave es la intervención temprana. Los trastornos alimenticios son insidiosos y difíciles de tratar una vez que se agudizan»[2]. Nancy J. Kolodny, autora de *When Food's a Foe*, concuerda: «Los trastornos alimenticios son persistentes y se quedan con la persona durante períodos que varían entre un promedio de uno a quince años»[3].

La secuencia de la anorexia

Los trastornos alimenticios existen en secuencia. La secuencia de la anorexia indica las etapas que pueden ocurrir entre el momento en que una chica dice que se siente gorda y cuando termina en el hospital, muriendo poco a poco de inanición. Cuando llegan al sexto grado, la mayoría de las chicas se habrá preguntado acerca de su peso y les habrá expresado inquietud a sus madres sobre su talla o forma. La muchacha preadolescente está al borde del período en el que será más vulnerable a desarrollar un trastorno alimenticio.

La época más común para el comienzo de un trastorno alimenticio es cuando el cuerpo y la vida de una muchacha comienzan a cambiar de forma drástica. Los pechos y la sexualidad empiezan a florecer, las caderas y una conciencia de los problemas sociales aumentan y el peso, junto con las presiones y las responsabilidades, comienzan a subir. Podemos ayudar más a nuestras hijas al *comienzo* de la secuencia con una conciencia y una intervención activas. Al final de la secuencia, casi siempre los trastornos alimenticios deben tratarlos los médicos, psiquiatras y a veces con hospitalización.

El comienzo de la secuencia

Al principio de la secuencia de la anorexia, tu hija puede pasar por alto una comida a fin de perder algunos kilos para una próxima actividad. Mientras tu hija experimenta con comer o no comer, sus elecciones pueden tener un impacto positivo o solo un impacto negativo menor en su bienestar general.

Cuando Kristin hacía gimnasia, se preocupaba a cada momento por su peso. Durante la mitad de la temporada de competición, se enfermó con un virus persistente. Perdió una semana de gimnasia y bajó varios kilos debido a la pérdida de apetito mientras estaba enferma. Cuando regresó al gimnasio, uno de sus entrenadores le hizo un cumplido por bajar de peso. «¡Te ves fantástica!», anunció. Luego de la práctica, Kristin volvió a casa, me contó acerca de la aprobación de su entrenador y se lamentó: «Quisiera que hubiera una forma de deshacerme de mi apetito *todo* el tiempo».

Tuve ganas de darle un mamporro al entrenador de mi hija, y de inmediato sermoneé a Kristin acerca de los peligros de su forma de pensar, pero esperé hasta la mañana siguiente para hablar con ella. Le dije que sabía que bajar de peso te hace sentir increíble, en especial cuando la gente se da cuenta. Aun así, le dije que también sé que los sentimientos combinados de bajar de peso y tener control pueden volverse adictivos, resultando en un trastorno alimenticio. Puso los ojos en blanco por lo que sabía que venía, pero todavía era lo bastante pequeña como para valorar mis opiniones y escuchar mis advertencias. Juntas, consideramos el valor de tener apetito, la razón por la que nos creó Dios para comer y no solo para absorber nutrientes, el placer de la buena comida y la necesidad de una nutrición adecuada para desempeñarse bien en su deporte.

Kristin ya sabía del alto riesgo de los trastornos alimenticios entre los gimnastas y no le sorprendió escucharme reiterar con firmeza: «Cuando bajar de peso llega a ser más importante que tu amor por el deporte, es hora de abandonarlo». Sabía que lucharía con su talla mientras estuviera en la gimnasia, pero quería que supiera que yo observaba, que era consciente del riesgo de los trastornos alimenticios y que de seguro intervendría de inmediato. No puedo enfatizar demasiado en el hecho de que este es el mejor momento para intervenir.

Todo comenzó cuando llegué a séptimo grado.
Siempre se me había considerado «huesuda»,
«corpulenta»... maneras amables de decir «gorda».
Comencé haciendo dieta y ejercicio. Todos me hicie-
ron tantos comentarios cuando empecé a bajar de
peso que me obsesioné poco a poco. Toda mi vida se
centró alrededor de lo que no comía y de la cantidad
de veces que hacía ejercicio al día.

STACY, dieciséis años de edad

Tengo una amiga cuya hija de trece años comenzó a dejar de cenar de vez en cuando. Cuando su madre le preguntó por su conducta, explicó que quería bajar de peso para un baile próximo de la escuela. La madre sugirió que se anotarían con un entrenador personal de su centro local de recreación para realizar cinco visitas y tonificarse juntas antes del baile. Mi amiga le explicó a su hija que ir con el entrenador personal dependía de que comiera en forma saludable. La hija accedió y se sintió bien con los resultados del ejercicio. Su madre reforzó una lección importante: El único enfoque adecuado y eficaz ante la pérdida de peso son las elecciones alimenticias saludables y el buen ejercicio. Su historia me recuerda que la intervención temprana significa tomar bien en *serio* las inquietudes en cuanto al peso y la alimentación desde el principio y estar dispuestas a gastar tiempo y dinero para ayudarlas a canalizar sus inquietudes hacia elecciones saludables.

Durante la adolescencia, nuestras hijas crecerán con más gracia hacia la independencia si confían en nuestra fuerza y estabilidad. Esto incluye la certeza de que no les daremos la espalda cuando tomen decisiones destructivas, sino que pueden contar con nosotras para intervenir cuando su experimento se vuelva peligroso.

Solo para las dos

En esta etapa de la secuencia, tu objetivo es seguir reforzando la verdad y las mentiras acerca de las dietas y la imagen corporal, usando los ejercicios que vimos antes. Una intervención práctica adicional puede incluir lo siguiente:

1. Ten mucho cuidado con los cumplidos acerca de la pérdida de peso o de verse delgada. Estos comentarios pueden promover elecciones alimenticias destructivas. Si tu hija comienza a eliminar comidas, no pases por alto su conducta. Pregunta qué hay detrás del no comer y dile que quieres saber porque deseas apoyarla de maneras saludables. Una vez que te explique su deseo (casi siem-

pre de bajar algunos kilos), ayúdala a crear una estrategia saludable.

2. No temas advertirle acerca de los trastornos alimenticios. Ahora es el momento de hablar sobre la anorexia, leer juntas respecto a este trastorno y de ver películas de muchachas que han luchado (lee la sección de Recursos). La sabiduría y las advertencias acerca de la alimentación deberían ser una parte natural del diálogo con tu hija *antes* de que se desarrollen trastornos alimenticios.

3. Aun las adolescentes necesitan saber que sus madres son más fuertes que ellas. Nuestro conocimiento y fortaleza en este momento de la secuencia pueden prevenir una mayor progresión hacia un trastorno alimenticio. Deja que tu hija sepa que tiene control sobre su elección de la comida, pero que cuando observes que no elige ninguna comida o que come muy poco, intervendrás.

4. Deshazte de todas las balanzas y productos dietéticos.

No puedo comprender la fortaleza de mi madre.
Asume todos los desafíos que se nos presentan y los
pone bajo control.

SARA, quince años de edad

La intervención puede ser la pérdida de un deporte (como la gimnasia) o la decisión de que las dos irán juntas a un nutricionista o terapeuta que sepa acerca de trastornos alimenticios, o que participen juntas en un seminario sobre trastornos alimenticios. Por supuesto, tu hija tal vez vea tus advertencias como extremas e innecesarias. Después de todo, solo pasa por alto una comida. No obstante, tus advertencias e intervenciones tempranas también pueden ser la red de seguridad que evite que siga cayendo en conductas alimenticias destructivas.

EL CENTRO DE LA SECUENCIA

Más adelante en la secuencia de la anorexia se encuentra una experimentación mayor con la dieta y el ejercicio. Una muchacha puede comer solo ciertas comidas, comer solo una pequeña porción de cada comida o beber solo agua y bebidas dietéticas en lugar de comer. Puede desarrollar rituales en su forma de comer como cortar la comida en pequeños pedacitos y solo comer una porción. Notarás que se vuelve cada vez más ansiosa a la hora de comer. Tal vez, haga ejercicio con más frecuencia e intensidad. Justificará su conducta diciendo cosas como «Todo el mundo hace dieta», «Estar delgado es saludable», «Mucho ejercicio es bueno para ti» o «Si las pastillas o bebidas para adelgazar fueran peligrosas, no estarían en la tienda de comestibles». Tu hija puede comenzar a preocuparse en forma excesiva por las calorías y los contenidos calóricos de las comidas. Tal vez se critique a cada momento a sí misma y a su apariencia. Lo que empezó como una experimentación, poco a poco se trasforma en una obsesión.

La gente empezó a decirme que estaba adelgazando
demasiado, pero eso era un cumplido para mí.
Sus comentarios me fortalecieron para seguir
bajando de peso.

ELAINE, diecisiete años de edad

Si tu hija se está deslizando hacia el centro de la secuencia, quizá esté al borde de un trastorno alimenticio. El diez por ciento de las mujeres de entre dieciséis y veinticinco años tiene anorexia subclínica, lo cual significa que muestran algo de conducta anoréxica[4]. Ahora es el momento para intensificar la intervención.

Mientras ayudas a tu hija a mantenerse alejada de un trastorno alimenticio, deberás aprender a hablar con ella acerca del dolor y los sentimientos negativos. Los trastornos alimenticios son formas de vivir en que las muchachas sobrellevan cosas de sí mismas y de sus vidas que les resultan estresantes o dolorosas. Un antídoto para el desarrollo de la anorexia es que tu hija aprenda a hablar con franqueza acerca de sus sentimientos. Cuando se deslice hacia el centro de la secuencia de la anorexia, será necesario que hablen juntas sobre su vida a fin de prevenir un mayor avance hacia la secuencia.

Las dos secciones siguientes «Solo para las dos» ofrecen algunas ideas y preguntas que pueden abrir la comunicación durante esta época y ayudar a tu hija en forma directa a conectar su vida emocional con sus elecciones alimenticias. Puedes ayudar a tu hija a responder estas preguntas al ser ejemplo para ella de tu propia conexión con tu mundo interior y responder también a las preguntas.

Solo para las dos

1. Siempre comienza cualquier conversación con un deseo de comprender lo que sucede en el mundo de tu hija. Explícale que sabes que sus elecciones alimenticias (o su decisión de no comer) y ejercicio excesivo tienen sus raíces en la razón. Ayúdala a expresar lo que espera, sus temores, o las experiencias que justifiquen su alimentación y ejercicio. Ayúdala a considerar distintas respuestas a sus inquietudes.

2. Cuando tu hija se menosprecia, desafía su manera de pensar negativa. Aliéntala, hazle cumplidos y recuérdale lo que es verdad. Mi hija atraviesa días en los que detesta la manera en que se ve. Nunca está de acuerdo conmigo cuando le digo que luce fantástica. Sin embargo, mi tarea es servirle de ejemplo acerca de cómo luchar contra la manera de pensar negativa con una persistencia amorosa y obstinada. Una madre me dijo:

(continúa en la siguiente página)

«Cuando mi hija se menosprecia, solo procura llamar la atención». Mi respuesta: «Entonces, dale atención».

3. La depresión va de la mano con los trastornos alimenticios. Los expertos debaten si la depresión provoca el trastorno o si el desequilibrio nutritivo provoca la depresión. Habla con tu hija acerca del riesgo de la depresión e infórmense de las consecuencias debilitantes para las que se prepara al privarse de nutrientes necesarios.

4. Da pasos activos a fin de prevenir la depresión. Cuando un día tras otro tu hija se despierta irritable y cansada, tiene antojos de carbohidratos o no come nada en absoluto, puede ser una buena idea consultar con tu doctor o proveedor de salud acerca de la posibilidad de la depresión. A menudo, estos síntomas surgen a partir del desequilibrio de un químico cerebral poderoso, la serotonina, que el cuerpo necesita para funcionar en forma normal.

5. Comprende y explícale a tu hija que cuando faltan nutrientes en la dieta con regularidad, los cambios químicos en el cerebro alteran las percepciones. No comer literalmente te vuelve loca. Muéstrale a tu hija fotografías e información acerca de muchachas que estén muy delgadas y que se vean gordas cuando se miran en el espejo (busca en la sección de Recursos).

El final de la secuencia

Cuando una chica llega al final de la secuencia de la anorexia, puede negarse a comer en forma categórica o comer con rituales y en maneras robóticas. Su falta de consumo nutritivo comienza a mostrarse con una palidez inconfundible y enfermiza, círculos negros debajo de los ojos, uñas quebradizas, piel seca e insomnio, y tendrá dificultad para concentrarse. Si la conducta alimenticia de tu hija está al final de la secuencia, su personalidad ha cambiado en forma gradual,

Es probable que haya perdido su sentido del humor, que se haya vuelto intolerante de sí misma y de los demás, rígida en sus valores y que se haya aislado de sus amigos y demás intereses. Al final de esta secuencia, una chica que lucha con la anorexia debe considerarse y tratarse como un paciente con una enfermedad crítica.

Al final de la secuencia, debes asumir la responsabilidad de la recuperación de tu hija. Dile que la amas y que sabes que está exhausta y que tiene miedo. Reafirma que crees en ella y que no la culpas por lo que ha hecho. Debes saber que uno de los primeros temores de tu hija será que la hagas engordar. Asegúrale que la amas y que no dejarás que se vuelva gorda. Explícale que juntas atravesarán este momento. Dile que encontrarás a un médico y que conseguirás un terapeuta para las dos (o para toda la familia).

Recuerdo el día en que mi mamá me dijo que teníamos que buscar ayuda. En ese momento, la odié. Le dije que no se metiera en mi vida y que me dejara en paz. Le dije que no me importaba si moría, mientras muriera delgada. Sin embargo, se quedó a mi lado, fue a terapia conmigo y me cuidó con amor.

RACHEL, diecisiete años de edad

CÓMO SE OBTIENE EL TRATAMIENTO

Al caminar de la mano con tu hija a través del terreno difícil y a veces peligroso de la imagen corporal y los trastornos alimenticios, tú y tu hija tal vez necesiten hablar con un terapeuta. La mejor de las terapias no sustituirá la relación con tu hija, pero la mejorará al proporcionar discernimiento y dirección para fortalecer su alianza. A continuación, hay una lista de algunos consejos para encontrar al mejor consejero y algunas sugerencias en caso de que el seguro o los ingresos no puedan cubrir los gastos de la consejería.

Solo para las dos

1. ¿Quién o qué en mi vida provoca los peores sentimientos o los más dolorosos?
2. ¿Quién o qué en mi vida activa los mejores sentimientos o los más agradables?
3. ¿Qué dicen los demás acerca de mí que me hace sentir bien o mal?
4. ¿Ciertas personas o situaciones me hacen querer bajar de peso?
5. ¿Hay algún momento en particular del mes en el que me sienta peor conmigo misma?
6. ¿Cómo me hace sentir no comer?
7. ¿Cuándo estoy más feliz? ¿Y más infeliz?
8. ¿Cuándo siento que tengo el control? ¿Cuándo siento que estoy fuera de control?
9. ¿Qué es lo que más me asusta de perder el control?

1. Las mejores referencias casi siempre vienen de esos que atravesaron una lucha similar. Si no conoces a nadie cuya hija luchara con un trastorno alimenticio, contacta a líderes de jóvenes o consejeros estudiantiles, y pregúntales si pueden ayudarte a localizar a otro padre que haya buscado ayuda profesional para su hija.

2. Contacta a tu compañía de seguros y pide una lista de proveedores e información acerca de la cantidad de sesiones que cubrirán y la cantidad que pagarán.

3. Elige a un terapeuta cuyo trabajo se concentre en adolescentes y los trastornos alimenticios. Si vives en Estados Unidos, ponte en contacto con la *National Eating Disorder Organization* (918-481-4044) para obtener una lista de terapeutas y centros de tratamiento en tu área.

4. Entrevista al menos tres terapeutas (con tu hija) antes de elegir uno. Es importante que tu hija sienta que es parte del proceso de elegir la persona que la ayudará.

5. Cuando te entrevistes con un consejero, explícale que quieres ser parte de la recuperación de tu hija y pregúntale cómo te incorporará en el proceso.

6. Si no posees seguro médico y tienes poco dinero, pregunta por una escala móvil. Muchos terapeutas están dispuestos a ajustar sus honorarios para adaptarse a tu ingreso.

7. Pregunta en tu iglesia acerca de un fondo de apoyo para terapia. A menudo, la iglesia paga la mitad de los honorarios del terapeuta, mientras tú pagas la otra mitad.

8. Si la consejería es imposible por completo debido a tu situación financiera, busca un grupo de apoyo en tu comunidad. Investiga y entrevista a líderes de los grupos, con el mismo cuidado en que lo harías con un terapeuta.

• Contacta al *National Mental Health Association Information Center* (800-969-NMHA) a fin de obtener referencias de grupos de apoyo locales o recursos de la comunidad.

• Si la lucha de tu hija es con la sobrealimentación compulsiva, contacta a *Overeaters Anonymous* (505-891-2664) para encontrar una reunión grupal cerca.

• Pregunta en tu hospital local acerca de reuniones educacionales y grupos de apoyo para trastornos alimenticios.

• Investiga recursos en Internet:
—http://edreferral.com incluye información acerca de trastornos alimenticios, así como más sugerencias para encontrar a un terapeuta.
—http://www.somethingfishy.org enumera terapeutas, centros de tratamiento, nutricionistas y grupos de apoyo, así como también proporciona apoyo en línea.

Si tu hija está cerca del final de la secuencia de la anorexia, tal vez necesite hospitalización a fin de recuperar algo de peso. Para una persona famélica, es casi imposible luchar contra la depresión, desarrollar autoestima y aprender maneras saludables de lidiar con el dolor y la tensión. Tu hija no estará más ávida de amor incondicional en ninguna otra etapa de su vida. Aun en medio de estas circunstancias devastadoras, trátala con respeto y amabilidad.

Las causas de la anorexia

Madre e hija se sentaron frente a mí en mi oficina de consejería. Su lenguaje corporal indicaba que estaban alegres de estar allí juntas, que les gustaba estar con la otra y que eran aliadas.

Cuando Lauren y su madre, Susan, vinieron a verme por primera vez un año atrás, su ánimo fue distinto por completo. Susan se encontraba vencida, con los hombros desplomados y miraba con nerviosismo de un lado al otro entre su hija y yo. Lauren ni siquiera quería sentarse en el sofá junto a su mamá. Se sentó en el suelo, con las piernas cruzadas, los brazos doblados y la mirada fija en la ventana. Lauren tenía quince años y un peso mucho más bajo que lo normal. Escondía su cuerpo famélico debajo de un mono suelto y un jersey muy grande. Ni Lauren ni su mamá sabían que estaban a punto de comenzar un viaje agonizante y maravilloso de sanidad *juntas*.

Solo para ti

1. Evalúa las maneras en que le muestras amor a tu hija. ¿Expresas amor cuando se porta «bien»? ¿Cuando come? ¿Reaccionas en forma negativa cuando no come? En este momento, la salud emocional de tu hija es tan frágil como su salud física. Presta cuidadosa atención a no enviarle señales que sugieran que tu amor es condicional, reforzando su creencia de que no merece amor ni comida.

2. Puedes caminar de la mano con tu hija durante esta época si juntas se transforman en aliadas contra este problema, el cual es la anorexia, no tu hija. Tu hija no es tu enemiga. Rodéala con tus brazos, consuélala, lucha contra su forma de pensar negativa. Tu hija necesita saber que eres más fuerte que su trastorno alimenticio. Tal vez no te sientas de esta manera, entonces deberás descansar con confianza y correr sin cesar a la verdad de

que Dios es más fuerte. Juntas exploraremos esto con detenimiento en el último capítulo.

3. No hagas comentarios acerca del tamaño corporal ni la apariencia.

4. Encuentren otra cosa en la cual concentrarse además del trastorno alimenticio. Tomen juntas una clase de pintura, poesía, escritura creativa o cocina. La expresión personal creativa será sanadora tanto para ti como para tu hija.

Hoy fue su última cita de consejería conmigo. Lauren todavía tenía puesto un mono suelto y un jersey muy grande, pero ya no parecía una niña famélica y enferma. Se veía como una muchacha adolescente saludable. Susan terminó nuestra sesión con palabras que revelan, en gran parte, la razón de la transformación saludable de su hija: «Estamos muy agradecidas por la anorexia de Lauren. Nos sorprendió y nos asustó, pero también nos hizo mirar la verdad acerca de nuestra familia. Fue una llamada de advertencia. La lucha de Lauren con la anorexia nos salvó a todos».

La comprensión de la anorexia no es fácil. No necesitamos una investigación científica para confirmar que las mujeres son complejas y que nuestras conductas son iguales de complejas. Sin embargo, hay algunas características que poseen las muchachas que luchan con la anorexia, las cuales ayudan a establecer con exactitud algunas de las raíces de este trastorno mortal en potencia.

Las chicas que tienen más éxito al luchar contra la anorexia lo hacen con la ayuda de sus familias, y esto significa que el tratamiento debe incluir el examen de la dinámica familiar. ¡Por favor, no leas esta sección y llegues a la conclusión de que la lucha de tu hija es tu culpa! No *causaste* su condición, pero tienes la responsabilidad de ayudarla. Parte de esa responsabilidad es mirar los componentes de la personalidad de nuestras hijas, en el contexto del estilo de personalidad y la dinámica relacional de tu familia. ¿Hay algo en la dinámica de la familia que debería cambiar para ayudar a tu hija a luchar contra su trastorno alimenticio? La transformación de tu hogar en un lugar de comunicación franca y forma de pensar independiente, así como un lugar seguro para cometer errores y probar ideas, es tu responsabilidad como madre.

Soy renuente en proporcionar una oportunidad para que las madres carguen con más culpa. No es tu culpa. En oración, traza una línea entre la culpa y la responsabilidad, mientras lees el resto de esta sección.

LAS MUCHACHAS QUE LUCHAN CON LA ANOREXIA

Hay innumerables razones por las que las chicas quedan atrapadas en la anorexia. Además, ciertos rasgos de la personalidad o las experiencias de vida preparan a las chicas para este trastorno.

- Las muchachas que maduran temprano y se sienten gordas en comparación a sus pares pueden comenzar a hacer dieta desde temprano. En especial cuando las hostigan y las ponen en ridículo por su peso, las chicas pueden sentir la presión de encontrar su propia solución y de mostrarles a todos que no están gordas. Se enfrentan al dilema de las dietas temprano y descubren que deben comer cada vez menos para seguir bajando de peso. Como hablamos en capítulos anteriores, las dietas hacen que el metabolismo sea más lento y requieren una mayor privación para lograr la pérdida de peso. Los hallazgos del centro *Renfrew*, una clínica de trastornos alimenticios en Filadelfia, tienen sentido. Este afamado centro de tratamiento descubrió que el ochenta y ocho por ciento de sus pacientes, tanto anoréxicas como bulímicas, tuvieron una historia de dietas prolongadas anterior al comienzo de su trastorno alimenticio[5].
- Las chicas víctimas de maltrato físico a menudo creen que no merecen comer ni recibir nutrición.
- Las muchachas víctimas de abuso sexual pueden temer que su cuerpo cada vez mayor solo invite a más abuso. Por lo tanto, deciden permanecer pequeñas.
- Las chicas cuyos padres atraviesan un divorcio o que viven con padres deprimidos o que abusan de las drogas o el alco-

hol son principales candidatas para un trastorno alimenticio. En lugar de concentrarse en sus necesidades psicológicas reales (las cuales temen que no serán satisfechas), se concentran en la comida (y en no comer) porque es algo que pueden controlar. Las chicas anoréxicas usan una preocupación por no comer o por subir de peso para matar de hambre otros sentimientos que son demasiado dolorosos. La conducta anoréxica sustituye el lidiar con la tensión, la ansiedad, el conflicto o las dificultades que sienten las chicas y que no pueden expresar ni resolver.

• Las muchachas que tienden a ser perfeccionistas a menudo luchan con la anorexia. La anorexia puede ser el resultado de esforzarse para llegar a nuestros ideales culturales o puede ser una expresión de encontrar control en un mundo imperfecto. Muchas chicas que luchan con la anorexia cuentan calorías, crean tablas de peso, hacen listas de las comidas buenas y malas y le asignan una puntuación a su conducta alimenticia todos los días. Estas muchachas, a menudo tienen una manera de pensar simplista y se perciben como buenas o malas. Pueden ser sensibles en extremo a cualquier crítica y compensar al tomar todo el control de lo que comen. Tal vez se pesen todos los días y encuentren una gran satisfacción al bajar de peso, porque se sienten fuertes y consideran que tienen el control.

• Las chicas con un sentido equivocado de responsabilidad son vulnerables a la anorexia. Pueden sentirse responsables por el mal matrimonio de sus padres o el problema de drogas de su hermano. Sus antenas están alertas a todos los que las rodean y se creen responsables por el sufrimiento ajeno. Comienzan a creer que no merecen nada placentero, lo cual incluye la comida. Su mente negativa les dice que las dificultades familiares son su culpa o que es su responsabilidad resolverlas y que no merecen comer hasta que arreglen los problemas que las rodean.

- Las muchachas que participan en deportes o actividades que dependen de la delgadez, como las gimnastas, las bailarinas, las modelos y las actrices, son candidatas para la anorexia.

LAS FAMILIAS DE LAS MUCHACHAS ANORÉXICAS

Si tomas a una chica de una de las categorías antes mencionadas y la colocas en una de las familias que se describirán a continuación, es muy probable que haya un trastorno alimenticio.

- Por lo general, las muchachas anoréxicas proceden de familias en que los padres les imponen una identidad a las hijas. Cuando los padres tienen ideas rígidas acerca de quién debería ser su hija y no toleran su forma de ser única, es posible que ella tome control en el campo de la comida.

- Hilde Bruch, pionera en el tratamiento de muchachas anoréxicas, explica que las chicas que viven con familias rígidas que no alientan y fomentan la independencia, nunca desarrollan una sensación de identidad. Cuando se acercan a la adolescencia, les aterra crecer y les temen a los obstáculos del desarrollo. Pasar hambre es una manera de permanecer pequeñas, asexuales y dependientes[6].

- En el otro extremo, se encuentran las chicas de familias con padres que son distantes o neutrales. A menudo, estas muchachas se sienten invisibles y creen que las dejaron solas para encontrar su camino en el mundo. Pasar hambre se transforma en una manera de tener el control y permanecer invisibles... literalmente. La terapeuta y doctora Kathryn Zerbe explica que cuando no se satisfacen los imperativos legítimos de amor: «Un resultado de este dilema es una estrategia defensiva en la cual la persona se da por vencida y ya no pretende satisfacer sus necesidades. Es más, les dice a todos en su vida: "No necesito a nadie. Ni siquiera necesito la comida"»[7].

- Salvatore Minuchin, un respetado teórico del sistema familiar, cree que las muchachas anoréxicas proceden de familias que son entremetidas, muy protectoras e incapaces de lidiar con el conflicto. Las muchachas aprenden a subordinar sus necesidades a las de la familia. Tienen cuidado de nunca expresar sentimientos negativos y asumen una gran responsabilidad para no avergonzar a la familia. Una vez más, la única manera de sentir control es al no comer[8].

• Peggy Claude-Pierre, autora de *The Secret Language of Eating Disorders*, cree que la anorexia está arraigada en una forma de pensar negativa que puede fomentarse en una familia crítica y exigente. Cuando el amor es condicional y solo se recompensan los grandes logros, una muchacha puede empezar a creer que no merece comer a menos que se desempeñe bien, y su mente negativa la convence de que nunca se desempeñará lo bastante bien.

Solo para ti

A continuación, tienes algunas preguntas para ayudarte a examinar la personalidad de tu familia, así como ejercicios para realizar cambios, de ser necesario. Si tu hija tiene una personalidad vulnerable a la anorexia y la personalidad de tu familia puede fomentar este trastorno, tienes la responsabilidad de tratar la dinámica familiar. Como declararan Lauren y Susan (el equipo de madre e hija que mencioné antes), es un proceso en el que ganan todos.

Completa cada afirmación numerada con una de las letras correspondientes a las respuestas al final (todas las respuestas no son adecuadas para algunas afirmaciones):

1. Cuando mi hija elige ponerse algo que no me gusta,
2. Cuando mi hija expresa un desagrado por cierto pasatiempo o actividad extracurricular y dice que quiere abandonarlo,
3. Cuando mi hija pasa toda la tarde hablando por teléfono y tiene que quedarse hasta tarde para terminar la tarea escolar,
4. Cuando mi hija hace un nuevo amigo, cuya forma de hablar me resulta desagradable,

(continúa en la siguiente página)

5. Cuando mi hija saca una «B» en su examen de historia y tiene la posibilidad de volver a realizar el examen para mejorar su calificación,

6. Cuando mi hija quiere comer solo cereal o yogur para el desayuno y ya no quiere el desayuno habitual de huevos y tortitas que preparo,

7. Cuando mi hija llega después de su horario permitido,

8. Cuando mi hija quiere cortarse el cabello de una manera que creo que no la favorecerá,

9. Cuando mi hija quiere perforarse una parte del cuerpo,

10. Cuando mi hija ya no quiere participar de los devocionales familiares u otras actividades religiosas,

11. Cuando mi hija va a fiestas y me dice que hubo alcohol o drogas allí,

12. Cuando la habitación de mi hija es un desastre,

13. Cuando mi hija quiere tomar pastillas para adelgazar,

14. Cuando mi hija pide ir a ver una película que me resulta algo inaceptable,

15. Cuando mi hija quiere quedarse en casa en lugar de ir a la escuela,

16. Cuando mi hija pasa por alto la cena,

17. Cuando mi hija está irritable y deprimida,

18. Cuando mi hija dice que se detesta y que no hace nada bien,

19. Cuando mi hija quiere probar algo en lo que no creo que sea buena,

---

A. Lo dejo pasar.

B. Tomo la decisión en su lugar.

C. Lo discuto con ella, pero le doy la opción final.

D. La aliento.

E. Le informo lo desilusionada que estoy.

F. Le digo que es absurda.

G. La disciplino (pérdida de privilegios, tareas extra, etc.).

Puedes vislumbrar tu dinámica familiar de acuerdo a tus respuestas al siguiente ejercicio. Si tus respuestas son en su mayoría *C* o *D*, es probable que tu hogar sea un ambiente en el que se fomente la independencia y tu hija esté desarrollando un sentido propio de identidad. No obstante, si la mayoría de tus respuestas son *A*, tal vez quieras mirar el mensaje que envía tu falta de participación en la vida de tu hija. Si tus respuestas son *B* en su mayoría, tu hogar quizá tenga un clima de rigidez e intrusión que puede ser dañino para una muchacha vulnerable a un trastorno alimenticio. De la misma manera, si la mayoría de tus respuestas son *E*, *F* y *G*, tu hija tal vez sienta que tu hogar está impregnado de crítica y desaprobación, en especial si tiene una personalidad sensible.

Si respondes *A*, *B*, *E*, *F* o *G* a cualquiera de las afirmaciones, te aliento a hablar de esa situación con tu hija, a preguntarle lo que le gustaría que respondieras y a preguntarle cómo la hace sentir tu respuesta. Si la mayoría de tus respuestas fueron *C* y *D*, también te aliento a hablar acerca de cada una de estas afirmaciones con tu hija, a preguntarle cómo piensa que en general respondes en una situación similar y cuál le gustaría que fuera tu respuesta.

Me sorprendió cuando realicé este último ejercicio con mi hija y descubrí que había experimentado respuestas de mi parte que no concordaban con lo que le había respondido. Sus percepciones me informaron acerca de algunos mensajes negativos que le enviaba, sin saberlo en absoluto. Por ejemplo, cuando está irritable y deprimida, mi respuesta era que lo dejaría pasar. Dijo que en mi falta de respuesta percibía que estaba desilusionada de ella. Me dijo que le gustaría mucho si le dijera algo como: «Sé que ahora estás de mal humor, y está bien. Dime si hay algo que pueda hacer».

Casi todos los meses entra a mi oficina una nueva muchacha, la cual ha perdido de vista todo lo demás en su vida, excepto el control de su peso. Una jugadora increíble de voleibol está obsesionada con sus muslos y ya no puede jugar porque ha perdido demasiado peso. Una escritora talentosa y creativa detesta tanto sus caderas que negarse la comida parece ser la única solución posible. La falta de nutrientes que tiene como resultado hace que concentrarse en escribir resulte imposible. Una música de talento solo puede pensar en sus pan-

torrillas gordas y en que no es lo bastante buena de ninguna manera. La depresión que surge del trastorno alimenticio que aparece
como resultado, la ha hecho apática respecto a la música.

Tratar estas urgencias ha hecho que la prevención se transforme
en mi pasión. Las madres conscientes, atentas, diligentes, decididas
y que toman la iniciativa pueden unir sus manos con las de sus hijas
con el propósito de prevenir y superar este trastorno mortal. Juntas,
podemos ganar una victoria que salve y otorgue vida. Hazle caso a
Lauren, de dieciséis años, que dice de su madre, Susan: «Nuestra
relación me salvó de la anorexia. Nos hemos demostrado un compromiso puro la una a la otra. Nuestra relación se sostiene por la sinceridad y la confianza plena. Nunca voy a encontrar a alguien que
me ame tanto como mi madre».

Capítulo 10

Bulimia

La bulimia es la epidemia de nuestra época. Entre el
ocho y el veinte por ciento de todas las muchachas en
el instituto son bulímicas. Los psicólogos estiman que
la tasa de incidencia de la bulimia entre las mujeres
de edad universitaria es tan alta como una entre
cada cuatro o cinco[1].

MARY PIPHER, *Hunger Pains*

Si la palabra *anorexia* provoca temor en nosotras, la palabra *bulimia* provoca una repugnancia incierta. Nos preguntamos, ¿cómo podrían nuestras niñitas hermosas, inocentes y de dulce aroma considerar siquiera meterse un dedo en la garganta y provocarse el vómito, o ingerir laxantes para producir una diarrea crónica?

La palabra *bulimia* significa literalmente «hambre de buey» e identifica a las muchachas que quedan atrapadas en una obsesión atroz. Están obsesionadas con no subir de peso, pero al mismo tiempo les obsesiona la comida. Una vez que la conducta se afianza, una chica que lucha con la bulimia puede comer más de cuatrocientas a quinientas calorías sin sentirse culpable, pero se dará un atracón de comida de hasta doce mil calorías solo para purgarse mediante el vómito, el uso de laxantes o el ejercicio excesivo.

Al igual que en el capítulo anterior, no podremos realizar un examen exhaustivo de la bulimia en este libro, pero veremos la secuencia de la bulimia con sugerencias para la intervención y prevención. Además, consideraremos las causas de este trastorno. La conducta bulímica es un hábito difícil de romper. El tratamiento para la bulimia a menudo es a largo plazo y complicado, a menudo lleva entre seis meses a dos años antes de que una chica comience a hallar libertad de esta forma de alimentación desordenada. Repito, la *intervención temprana* es la mejor manera de prevenir la bulimia y de ayudar a nuestras hijas a salir de las arenas movedizas consumidoras de este trastorno antes de que las arrastre hacia abajo por completo.

La secuencia de la bulimia

En general, la bulimia es más difícil de detectar que la anorexia. Una muchacha que lucha con la bulimia, a menudo mantiene un peso saludable. No parece enferma ni frágil como una chica que lucha con la anorexia. El progreso de este trastorno puede ser lento. Una muchacha puede experimentar con alguna forma de purgación y dejar pasar meses hasta volver a probar esa conducta. Sin embargo, hay señales de advertencia temprana que las mamás pueden ver como invitaciones a tomar la iniciativa e involucrarse en las vidas de sus hijas. A decir verdad, el a menudo lento progreso de este trastorno, en especial en muchachas más jóvenes, debería darnos mucha esperanza de que podemos intervenir para evitar que la bulimia tome el control.

Hay dos factores importantes que son fundamentales para responderles a nuestras hijas, dondequiera que estén en la secuencia de la bulimia. En primer lugar, debemos darles el mensaje de que vemos lo que sucede, y en segundo lugar, que nuestro amor y respeto por ellas no ha disminuido. La naturaleza indecorosa de este trastorno es una situación perfecta para la negación. Hace falta valentía para abrir nuestros ojos a la posibilidad de que nuestras hijas quizá estén probando o practicando las conductas de hartarse de comida y purgarse. Las chicas que luchan con la bulimia cargan con una cantidad tremenda de vergüenza y culpa por sus comportamientos. Es abrumadora su necesidad de mantener en secreto su manera de comer y sus rituales de purgación.

Para entonces, había descubierto que el azúcar
podía darme sueño, aplacar cualquier sentimiento,
quitar cualquier dolor... al menos, durante algún
tiempo. Me conducía a la máquina de dulces,
colocaba la mano en la palanca, tiraba de ella una y
otra vez. Los dulces caían como pequeñas bombas en
mis manos, haciendo su propio daño secreto. Lloraba
sola, en compañía de barras de maní y galletas con
chispas de chocolate. En público, seguía sonriendo,
seguía estudiando, seguía llegando a la
lista de honor[2].

MARGARET BULLITT-JONES, *Holy Hunger*

La especialista en trastornos alimenticios, Nancy J. Kolodny, subraya la importancia de buscar en forma activa y temprana conductas bulímicas, cuando informa: «Aunque la bulimia es más común entre las adolescentes mayores que entre las más jóvenes, cada vez más se transforma en una conducta que las preadolescentes y las muchachas en edad de secundaria "se prueban", en especial las que tienen hermanos, parientes, amigos o conocidos en edades del instituto o la universidad con los cuales interactúan»[3].

Una mujer que luchó con la bulimia durante años explica en forma elocuente el poder de no solo ver, sino ofrecer amor y respeto en respuesta a las conductas bulímicas: «Lo único que me permitía era la comida, cuando en realidad tenía hambre de amor expresado. Lo que necesitaba no eran las rosquillas, ni los pastelillos de chocolate y nueces, ni el queso. Era el compañerismo y la *atención compasiva* lo que podía ayudarme a explorar mis sentimientos, darle voz a mi enojo, liberar mis lágrimas» (énfasis añadido)[4].

EL COMIENZO DE LA SECUENCIA

Las semillas de la bulimia a menudo se plantan en la decisión de hacer dieta. Como ya analizamos, cuando una muchacha decide pasar por alto una comida, ayunar durante un día o usar pastillas para adelgazar, sin querer, hace que su metabolismo sea más lento. Cuando abandona la dieta, bien sea porque ya no puede soportar la privación o porque ha bajado el peso deseado, vuelve a recuperar el peso más rápido debido a su metabolismo más lento. Esto puede ser el comienzo de las dietas yoyó que, por desgracia, conoce la mayoría de las mujeres estadounidenses.

Cualquier dieta puede ser un primer paso en dirección a un trastorno alimenticio[5].

Mary Pipher, *Hunger Pains*

El comienzo de la bulimia es a menudo un momento de desesperación. Luego de una dieta fracasada y de ceder a la comida prohibida, una muchacha puede producirse arcadas para deshacer el daño. Al principio, la purgación le resulta difícil y desagradable, y jura no volver a hacerlo. Como su madre, tal vez nunca sepas de su experimentación temprana con la purgación. No obstante, si prestas mucha atención a su conducta de dieta, tienes la invitación a intervenir para ayudar a evitar que crezcan las semillas de este trastorno. Es un buen momento para evaluar una vez más tu propia relación con la comida y la imagen corporal. Un reciente estudio de más de tres mil niñas de entre quinto y octavo grado, realizado por investigadores de la Universidad de Medicina de Carolina del Sur, en Charleston, reveló que uno de los factores más influyentes para las chicas que luchan con trastornos alimenticios es la relación de sus madres con la comida y la imagen corporal[6].

A las madres, a menudo les preocupa que hablar acerca de trastornos alimenticios pueda darles a sus hijas la idea de incursionar en esta conducta. Es verdad que los trastornos alimenticios pueden ser contagiosos y que a menudo los pares plantan ideas acerca de distintas conductas en la mente de las muchachas. La fácil sugestión de las adolescentes requiere que se hable de los trastornos alimenticios con mayor franqueza y a fondo *entre madre e hija*, donde se presenten todos los hechos y las madres puedan explicarles a sus hijas la certeza de su intervención si observan cualquiera de estas conductas. Así como con la anorexia, temprano en la secuencia es el momento para tender la red de seguridad de la posible intervención.

Solo para ti

1. ¿Cuán cómoda te hace sentir el ser vulnerable con los demás, incluyendo a tu hija?
2. ¿Cuáles han sido tus experiencias pasadas con las revelaciones personales?
3. ¿Cuán franca era tu propia madre contigo?
4. Cuando consideras hablar con sinceridad acerca de tus propias elecciones alimenticias y dietas, ¿cuál es tu mayor temor?
5. Si tus elecciones alimenticias y de dietas se mostraran en una pantalla de vídeo para que todos las vieran, ¿qué sentirías?
6. A menudo, las madres comienzan a ver sus vidas con sinceridad y realizan cambios importantes por el bien de sus hijos. ¿Esto es verdad en tu caso? Si es así, ¿qué evitó que sintieras que estos cambios se justificaban por tu propio bienestar?

La mamá de Jessica proporciona un buen ejemplo de intervención temprana. Cuando Jessica entró al instituto, se volvió consciente de su talla apenas mayor que la de algunas de las chicas de su grupo. Para mediados de año, su madre, Pam, observó que Jessica había intentado hacer dieta, había omitido comidas y había hecho comentarios despectivos acerca de su cuerpo y su talla. Pam me llamó y dijo: «Tengo la sensación de que Jessica tal vez fuera al baño e intentara vomitar luego de la cena anoche. Tengo mucho miedo de que su inquietud por su peso se transforme en un trastorno alimenticio. Solo quiero buscarla de la escuela y llevarla lejos de todas las presiones que siente en este momento».

Alenté a Pam a confiar en su intuición. Nuestra intuición es un regalo de Dios que nos permite tomar la mano de nuestra hija y llevarla, o incluso arrastrarla, fuera de peligro. Pam y yo estábamos de acuerdo en que no es posible apartar a nuestras hijas de este mundo y sus presiones únicas sobre las adolescentes, pero sugerí que quizá su inclinación podría guiarla a una acción que fuera eficaz, pero un poco menos extrema.

Solo para las dos

1. Al notar los intentos de tu hija de hacer dieta, admite con vulnerabilidad que tal vez hayas sido ejemplo de este patrón para ella. Debra Waterhouse, dietista titulada, enumera cuatro conductas que pueden enviar a tu hija a una relación malsana con su cuerpo y con la comida: (1) pesarse a diario con la compañía de gemidos y gruñidos; (2) quejarse mientras ves tu reflejo en el espejo; (3) la depresión del traje de baño; y (4) criticar el cuerpo. Waterhouse concluye: «Los hábitos alimenticios de una madre y sus inquietudes con el peso sirven de ejemplos que una hija interioriza como suyos»[7].

2. Cuando ves a tu hija en el frustrante proceso de hacer y dejar las dietas, es el momento de advertirle sobre los trastornos alimenticios. Explica que las dietas no solo son ineficaces, sino que pueden abrirle la puerta a patrones alimenticios destructivos. Durante la adolescencia, es probable que alguien, casi siempre un compañero o una muchacha mayor, le sugiera a tu hija: «Vomita lo que comes, y no tendrás que preocuparte por tu peso». A partir de los doce años, o quizá antes dependiendo de la madurez de tu hija y de su exposición a distintas conductas alimenticias, deberían hablar

con franqueza acerca de la verdad de los trastornos alimenticios.

3. Al hablar, querrás ayudar a tu hija a comprender los activadores de su conducta y apoyarla para aprender nuevas conductas. A continuación, hay algunas preguntas que pueden ayudarte a comenzar la conversación. Sé ejemplo de franqueza para tu hija al responder estas preguntas tú misma. Cuando eres vulnerable por tus sentimientos, alientas a tu hija a que se sincere contigo.

- ¿Ser delgada es lo más importante para ti?
- ¿Crees que ser delgada hace que tu vida sea mejor? ¿De qué manera?
- ¿Cuál ha sido tu experiencia con las dietas?
- ¿Purgarte es una manera de controlar el peso para ti?
- ¿Qué sientes cuando termina el atracón o la purgación?
- ¿Te resulta difícil comer frente a los demás?
- ¿Alguna vez te pone ansiosa que no vayas a tener lo suficiente para comer?
- ¿Te sientes distinta a los demás? ¿De qué manera?
- ¿Cuál es tu mayor temor en este momento? ¿Por qué estás más enojada ahora?

Pam me llamó luego de ese fin de semana para decirme lo que hizo. El viernes, buscó a Jessica después de la escuela con sus bolsos hechos y le anunció su plan de una escapada sorpresa. Pam llevó a su hija a una cabaña en la montaña que un amigo les dejó usar durante el fin de semana. La primera noche, salieron a comer y a ver una película en un pueblo cercano. El sábado por la mañana, luego del desayuno, Pam comenzó una conversación. «Sé que te has esforzado mucho para tener un sitio este año y que te ha preocupado tu peso. He observado cómo intentas bajar algunos kilos. No pude evitar pensar en todas las veces en que he hecho dieta y me he frustrado. No sé si alguna vez te has sentido tan desesperada como para probar algo como vomitar tu comida o usar pastillas para adelgazar o laxantes. Muchas chicas piensan que es la mejor manera de bajar de peso. Sin embargo, una vez que comienzas a hacerlo, la obsesión con la comida y la purgación puede tomar el control de tu vida».

Jessica estuvo muy callada durante ese momento, pero su mamá estaba bien preparada. Había llevado una película (véase la sección de Recursos para encontrar sugerencias) y le pidió a Jessica que la viera con ella. Una vez, durante la película, Pam se volvió hacia Jessica y le dijo con firmeza: «Si solo pensara que estás hartándote de comida y purgándote, nos conseguiría un consejero que pudiera ayudarnos».

Después de la película, Jessica seguía callada. Su mamá sugirió: «Vámonos de compras al pueblo». Caminaron por las tiendas, cenaron y se divirtieron mucho.

El domingo por la mañana, luego del desayuno, Jessica le dijo a su mamá: «De verdad he querido bajar de peso. ¿Me ayudarías?». Una vez más, Pam estaba bien preparada. Se pusieron de acuerdo en apoyarse la una a la otra en elecciones saludables de comida y en anotarse para una clase de ejercicio aeróbico con *jazz*. Se fueron de su retiro de montaña con las manos unidas en contra de un trastorno alimenticio invasor.

Sin duda, Jessica seguirá luchando con la imagen corporal y queriendo bajar de peso. Aun así, la posibilidad de la bulimia está ahora al descubierto y sabe que su madre buscará señales de problemas. Además, Jessica se siente amada y apoyada debido a la manera en que su mamá le declaró la guerra a este trastorno alimenticio.

EL CENTRO DE LA SECUENCIA

Cuando una chica comienza a experimentar con los atracones de comida, tal vez note que al principio baja algunos kilos. No sabrá que la pérdida de peso en general es solo peso de agua que disminuye en forma temporal luego de purgarse. Es lamentable que, para algunas chicas, la molestia de los vómitos o el uso de laxantes se vea compensada por el beneficio de bajar de peso. Una muchacha en la etapa media de la secuencia de la bulimia puede purgarse una vez a la semana, cada dos días o solo al almuerzo (cuando es menos probable que lo detecte su mamá). A veces, las chicas en las etapas medias solo usan laxantes.

Durante esta etapa, tu hija seguirá luciendo normal. Con todo, tal vez comiences a notar que come desganada y que casi nunca se sienta a la mesa a hablar con la familia luego de la comida, porque los atracones ocurren en privado. Cuando tu hija come con la familia, debes prestar mucha atención. Fíjate si va al baño apenas termina de comer. A menudo, una muchacha abrirá la ducha o hará correr agua en el lavabo para cubrir los sonidos de su purgación. Tal vez notes que tu hija una vez exuberante y alegre se está volviendo más retraída y seria. En cuanto la bulimia atrapa a una chica, la obsesión con la alimentación y el control del peso consumen poco a poco la alegría y el placer de la vida.

Si tu hija está atrapada en el medio de la secuencia de la bulimia, es muy probable que sufra de depresión. De acuerdo con investigaciones recientes, los expertos creen que la bulimia surge cuando los niveles bajos de serotonina (el químico cerebral que produce una sensación de bienestar) disparan episodios de atracones de comida, en especial de carbohidratos. Los atracones llevan a una oleada de producción de serotonina en el cerebro, la cual reduce, al menos en forma temporal, los sentimientos de estrés y tensión. Sin embargo, el alivio es pasajero, y casi siempre le siguen sentimientos de culpa o de baja autoestima, los cuales disparan un deseo de purgarse. Estos estudios llegan a la conclusión de que: «Tal parece que los niveles bajos de serotonina tienen la responsabilidad de algunos de los rasgos comunes de personalidad entre las personas con bulimia: la depresión, la impulsividad, la irritabilidad y la volatilidad emocional»[8].

Cuando lleves a tu hija a realizarse un examen médico en esta etapa, habla con tu proveedor de salud acerca del tratamiento de la depresión. La depresión puede tratarse en los adolescentes con antidepresivos. También hay noticias alentadoras de que los proveedores alternativos de salud están teniendo éxito al tratar la depresión y los trastornos alimenticios. Es lamentable que muchos médicos convencionales a veces ignoran la conexión entre los trastornos alimenticios y la depresión. Lleva tu propia investigación o encuentra a un médico que sepa acerca de los trastornos alimenticios.

Solo para las dos

1. Ahora es el momento de actuar en la intervención que bosquejaste en las etapas tempranas de esta secuencia. La intervención debería incluir una consulta médica, una evaluación de las conductas alimenticias y del clima de toda la familia y terapia tanto para ti como para tu hija con alguien que comprenda los trastornos alimenticios.

2. Habla con franqueza acerca de la ansiedad de tu hija. Al afrontar sus conductas, le aterrará volverse gorda en exceso. Reafirma que quieres apoyarla para que le guste su cuerpo. Acuérdale con evidencia (véase la sección de Recursos), que purgarse no resulta en una pérdida permanente de peso.

3. Los atracones y la purgación se vuelven centrales en la vida de una chica que lucha con la bulimia. El acto de comer y purgarse se transforma en una manera de lidiar con la tensión. Explícale a tu hija que sabes que tiene mucho estrés en su vida y que quieres ayudarla a encontrar maneras saludables de aliviar esa tensión. Practiquen juntas ejercicios. Entérense acerca de los beneficios de una práctica regular de respiración profunda para reducir el estrés.

4. Acuerden juntas comer tres comidas al día y tres bocadillos pequeños. Dale a tu hija una sensación de control al permitirle crear un plan alimenticio diario.

5. Deshazte de las balanzas de baño.

6. Apóyense la una a la otra en no comer mientras ven televisión. El momento más vulnerable para los atracones, de acuerdo con la Academia de Pediatría, es mientras se ve la televisión[9].

7. Acuerda con tu hija que cada una lleve un diario acerca de su alimentación. Tu propia vulnerabilidad le ayudará a confiar en ti. Elijan juntas diarios divertidos. Registren lo que comen, lo que sucede mientras comen y qué sienten durante estos momentos. Busquen patrones en su forma de comer, y practiquen realizar una distinción entre comer cuando tienen hambre y comer en respuesta a otros sentimientos. Confeccionen juntas una lista de respuestas alternativas ante la tensión emocional.

8. Ahora es el momento de alentar a tu hija a tomar una clase de algo que le interese, de comenzar un deporte o pasatiempo. Las bulímicas pierden la capacidad de disfrutar cualquier cosa, excepto los atracones. Es un momento crucial en el que preparas a tu hija para divertirse. Pregúntale: «Si pudieras aprender cualquier cosa, hacer cualquier cosa, participar de alguna actividad, ¿qué sería?». Y luego, haz todo lo posible para apoyarla en este nuevo intento. Tal vez sea necesario que al principio la acompañes o la alientes a llevar a una amiga de la escuela.

EL FINAL DE LA SECUENCIA

Cuando tu hija llegue al final de la secuencia de la bulimia, comenzará a verse enferma. Parecerá consumida por los atracones de comida y las purgaciones. Verás una disminución notable en su energía. Tal vez experimente señales de deshidratación, como una boca seca, globos oculares hundidos, piel seca y pálida que ha perdido su elasticidad, fatiga extrema, mareos o náuseas, o poco o nada de orina durante ocho a doce horas. Muchas chicas en esta etapa se dan atracones de tanta cantidad de comida que es imposible no notar el progreso voraz de este trastorno. Notarás que desaparecen grandes cantidades de comida y que puede faltar el dinero, el cual tu hija ha usado para comprar más comida. Tal vez notes cicatrices en la parte de atrás del dedo de tu hija, por rasparlo contra sus dientes mientras se induce el vómito. Tendrá ojos rojos y su rostro puede lucir hinchado. Su dentista puede comentar acerca del esmalte que se corroe o de un deterioro dental. En forma gradual, tu hija excluirá a los amigos y a la familia y parecerá estar agitada sin cesar.

A todas las adolescentes con las que he trabajado en esta etapa las han atrapado en su conducta bulímica amigos o familiares. El baño apesta a vómito y el inodoro contiene señales reveladoras de su conducta. Tal vez descubras que acumula comida debajo de la cama o en su armario. Sus amigos de la escuela pueden informar de su conducta a sus madres o a un consejero escolar, el cual te llamará después.

En esta etapa del trastorno, la conducta está tan fuera de control que es casi imposible no dejar evidencia. Sin embargo, también creo que, en forma inconsciente, las muchachas en esta etapa *quieren* que las atrapen. Los atracones de comida ya no producen placer. El ciclo de atracón-purgación se ha transformado en la fuerza dominante en la vida de tu hija. Se siente culpable, deprimida y fuera de control. Además, se siente enojada, nerviosa, asqueada de sí misma, temerosa y sola.

Aunque es devastador observar a tu hija en esta etapa del trastorno, tu perspicacia, amor y respeto serán lo que ayude a traerla a la seguridad.

Solo para las dos

1. En esta etapa, la intervención médica es esencial. Tu hija quizá necesite hospitalización o tratamiento para pacientes hospitalizados. Las muchachas en esta etapa de la bulimia a menudo tienen electrolitos que están tan desequilibrados que necesitan tratamiento intravenoso. A tu hija también le hará falta tratamiento de un consejero con mucha experiencia en este trastorno. Asegúrale a tu hija que estarás a su lado en cada paso que dé.

2. Cierra todas las despensas y el refrigerador. Explícale a tu hija que no es un castigo, sino una oportunidad para que afronte su lucha y responda de otro modo. (Hablaremos en detalles acerca de esto al ver las causas de la bulimia). Durante esta época, no debería trabajar en un lugar que sirva o venda comida.

3. Coman juntas tan a menudo como sea posible. Alienta a tu hija mientras come una porción saludable o come una mala comida. Permítele hablar sobre su ansiedad. Apóyala durante sus esfuerzos valientes de combatir este tremendo enemigo.

4. Nunca respondas a las conductas o sentimientos de tu hija con sobresalto ni indignación.

LAS CAUSAS DE LA BULIMIA

Al igual que con la anorexia, las causas de la bulimia son complejas. Sin embargo, hay algunos rasgos en común entre las chicas que luchan con la bulimia y entre las familias de estas chicas.

Como he experimentado este trastorno alimenticio en lo personal, puedo decir con certeza que si tu hija es bulímica, cree que es gorda, desagradable y distinta a los demás. Cree que nadie podría saber de su conducta y aun así amarla y respetarla.

Una de mis historias preferidas de la Biblia está en Juan 4 y es la de Jesús y la mujer del pozo. Jesús conoció a una mujer que estaba en el pozo de la ciudad durante la hora del mediodía. Estaba sola. La costumbre era que las mujeres del pueblo sacaran juntas agua del pozo por la tarde, cuando estaba fresco. La llegada de esta mujer al pozo en la hora calurosa del día, sola, sugiere que era una marginada de su grupo de pares.

La humildad de Jesús es evidente al pedirle a esta mujer que le diera de beber. Ella respondió sorprendida: «¿Cómo es que tú, siendo judío, me pides de beber a mí, que soy samaritana? (Porque los judíos no tienen tratos con los samaritanos.)» (Juan 4:9, LBLA). De inmediato, Jesús identificó su soledad, su vergüenza y su sed de mucho más que un trago de agua. «Todo el que beba de esta agua volverá a tener sed, pero el que beba del agua que yo le daré, no tendrá sed jamás, sino que el agua que yo le daré se convertirá en él en una fuente de agua que brota para vida eterna» (Juan 4:13-14, LBLA).

Jesús y la mujer siguieron hablando, mientras ella expresaba duda de que esta «agua viva» que viene de una relación con el Mesías pudiera ser para ella, debido a su conducta vergonzosa en el pasado. Confesó que había estado casada y que la habían rechazado cinco esposos, y que ahora vivía con un sexto hombre (un acto escandaloso para esa época). Esperaba que el Mesías también la rechazara.

Con una bondad y fuerza que esta sedienta mujer debe haber absorbido con desesperación, Jesús declaró que su conducta de ninguna manera invalidaba su ofrecimiento. Ella dejó caer su cántaro vacío y corrió al pueblo, gritando, sin vergüenza: «Vengan a ver a un hombre que me ha dicho todo lo que he hecho. ¿No será este el Cristo?» (Juan 4:29).

Esta maravillosa historia de redención subraya una verdad fundamental para caminar de la mano con nuestras hijas, en el sendero de la recuperación de una conducta inquietante y vergonzosa. ¿Acaso Jesús le dijo a la samaritana *todo* lo que había hecho? Sin duda, no está registrado en el texto. Sin embargo, al localizar su sed, le dijo la *razón* de todo lo que había hecho. Él sabía que la mujer había ido de hombre a hombre para aliviar el dolor del rechazo y satisfacer su sed de una relación duradera.

De la misma manera, al examinar las raíces de la bulimia, podemos darles un regalo maravilloso de redención a nuestras hijas al ayudarles a comprender las razones de lo que han hecho: razones que están arraigadas en sus personalidades y experiencias únicas, así como en la dinámica de la familia. Al ayudarlas a descubrir las razones de su trastorno alimenticio, les entregamos respeto por sí mismas y les damos esperanza de una recuperación y redención.

LAS MUCHACHAS QUE LUCHAN CON LA BULIMIA

A menudo, estas chicas son personas complacientes. No quieren desilusionar a los demás y se esfuerzan para satisfacer las expectativas de las personas que quieren y respetan. Aunque tal vez condenen sin rodeos a una cultura que atribuye valor en función de la delgadez y la apariencia, en su interior quieren vivir de acuerdo a estos ideales. Como estas chicas son muy conscientes de las opiniones de los demás, los comentarios despreocupados de una persona acerca de su peso o apariencia pueden disparar un trastorno alimenticio. La exigencia de un entrenador, los ideales culturales de delgadez o la preocupación de un padre con el peso, el tamaño corporal y la alimentación tendrán un impacto en ellas.

Del mismo modo que las muchachas vulnerables a la anorexia, las chicas que maduran temprano y se sienten más altas que las otras chicas de su edad, pueden ser vulnerables a la bulimia. Las muchachas con riesgo también tienden a ser demasiado conscientes de los demás y esto evita que se concentren en su propio mundo interior. A menudo, perciben cuando otros están lastimados o confundidos y sienten la responsabilidad de ayudar. Sin saber qué hacer con la desilusión, la tristeza o el temor, aprenden a adormecer estos sentimientos con la comida. Una mujer explica: «Mientras crecía, no tenía idea de cómo expresar mi enojo ni de cómo escuchar sin pánico el enojo de otra persona»[10].

---

*Cuánto quisiera que esta comida llenara el vacío de
mi corazón*[11].

MARGARET BULLITT-JONES, *Holy Hunger*

Una adolescente no está preparada en forma automática para resolver todas las tensiones que siente y aliviarse de maneras sensatas. La comida es un consolador disponible, legal y previsible. No obstante, como esta chica quiere agradar, y eso significa llegar a los ideales culturales, no puede permitirse subir de peso. Es vulnerable a la trampa de la bulimia. La Dra. Kathryn J. Zerbe escribe de manera convincente que la bulimia es previsible cuando a una muchacha con esta clase de personalidad la dejan sola para lidiar con las tensiones de la vida. «La futura joven bulímica busca (a menudo en vano) una respuesta protectora, disponible y dispuesta de su madre. Busca maneras de aliviar su estado interior de inquietud, soledad y angustia. Cuando su mamá no llena ese vacío, la chica se volverá a la comida. La comida simboliza a la madre que alimenta a su hija, y tiene el poder para aliviar»[12].

Las familias de las muchachas bulímicas

La cita anterior es una buena transición a la dinámica familiar que fomenta un ambiente que puede hacer que una muchacha sea más vulnerable a la bulimia. Como hablamos en el capítulo anterior, comprender la dinámica familiar no se trata de asignar culpas; se trata de aceptar la responsabilidad de lo que puedes cambiar para ayudar a tu hija a superar o prevenir la bulimia.

Un estudio exhaustivo de 1991 resume mejor las diferencias de la dinámica familiar en hogares donde las muchachas luchan con la anorexia en comparación de hogares en los que las muchachas luchan con la bulimia. El estudio concluye: «En un sentido, la diferencia fundamental entre el modo restrictivo [anoréxico] y el bulímico podría describirse como la búsqueda [de las pacientes bulímicas] de algo para ingerir, en comparación con el intento [de las pacientes anoréxicas] de mantener algo fuera»[13].

En el caso de las muchachas vulnerables, la bulimia se disparará en las familias donde haya tensión a la hora de comer, dietas en la familia, discordia entre los padres, padres deprimidos o que tienen problemas con el abuso de sustancias o padres obesos. Es más probable que una chica en riesgo interiorice todos los sentimientos de su familia, con el resultado de una ansiedad persistente. No podrá decir: «Estoy ansiosa porque mi mamá está deprimida». Eso va en contra de su necesidad de agradar a los demás. Los estudios sugieren que las chicas que luchan con la bulimia a menudo experimentan a sus madres como desconectadas en el ámbito psicológico, tanto como en el físico. La madre tal vez se encuentre deprimida o preocupada por su propia vida. Muchas de las chicas que veo en tratamiento por la bulimia hablan acerca de su soledad y anhelo de algo distinto a lo que les ofrecen sus madres.

Quisiera conocer a una chica o mujer como yo.
Bueno, tal vez no igual que yo, pero alguien que
comprenda lo que es preocuparse por las cosas que
me preocupan.

AMY, catorce años de edad

A continuación, hay cinco preguntas que te ayudarán a definir la vulnerabilidad de tu hija a la bulimia, junto con sugerencias acerca de cómo puedes ayudarla a comprender la razón de su vulnerabilidad. Cada pregunta también te da la oportunidad de examinar tu participación en la vida de tu hija y de pensar cómo puedes estar más presente y apoyarla más. Al pensar en la personalidad única de tu hija, es probable que se te ocurran tus propias preguntas adicionales.

1. ¿El estado de ánimo de otras personas afecta a tu hija?
Cuéntale a tu hija una historia de su temprana infancia acerca de su sensibilidad hacia los demás. Mientras explicas que su empatía es un don maravilloso, también puedes decirle que es probable que haya hecho que se sienta responsable por la felicidad de otras personas y que el sentimiento de responsabilidad produce una tensión espantosa para la cual, como es natural, ha querido encontrar algo de alivio.

Hace poco, mi propia hija se angustió debido a que su decisión de ir al centro comercial con una amiga resultó en que otra amiga expresara celos y heridas. Kristin concluyó: «De seguro que no iré. No soporto que todos se enojen conmigo». Le aseguré que aceptar la invitación de su amiga para ir al centro comercial no estaba mal y que no había hecho nada malo. Hablamos de la inseguridad y los celos entre las muchachas de su edad y le dije que no podía hacer que desaparecieran. Admitió que no *todos* estaban enojados con ella y que más tarde podía invitar a su amiga herida a hacer algo. Si eso no satisfacía a su amiga, sugerí que esta muchacha decidía ser insignificante. Le afirmé a Kristin que no tiene la responsabilidad del mal comportamiento de los demás y que no puede cargar con el peso de intentar hacer que todos estén felices.

Si no has tenido la oportunidad de aliviar la carga que lleva tu hija sensible, al sentirse responsable por el dolor de todos, dile que no la has ayudado como deberías y que quieres hablar acerca de estas cosas con ella de ahora en adelante.

2. ¿El cambio le resulta difícil a tu hija?

Una vez más, puedes pensar en su temprana infancia. ¿Cómo le iba con una nueva niñera o cuando le presentaban una nueva comida? Mientras le cuentas estas historias a tu hija, puedes validar que la adolescencia es una época de cambios increíbles y que debe sentir mucha presión interior para manejar bien todos los cambios. Si su vida se ha complicado con otros cambios, como un divorcio en tu familia, una enfermedad entre los familiares o un hermano que haya partido para la universidad, solo se intensifica su confusión. Explica que quizá la comida y sus rituales de atracones y purgaciones le proporcionen una sensación de seguridad y previsibilidad en medio de su mundo caótico. Pregunta si hay algún cambio que esté sucediendo con el que no se sienta cómoda, que la haga sentir enojada o dolida.

Si no has estado disponible durante esta etapa y has dado por sentado que se las estaba arreglando bien, pide perdón por tu descuido y hablen de las maneras en que puedes hacer que las cosas en su vida sean más estables.

3. ¿Tu hija se esfuerza por evitar cometer errores u olvidar cosas?

Toma nota del esfuerzo de tu hija para obtener buenas calificaciones, practicar su instrumento musical o deporte y mantener una vida social. Pregúntale si siente presión de hacer todo bien para que nadie se enoje con ella. Pregunta cómo se siente cuando comete un error. ¿Cómo responden sus amigos o familiares? Pregunta si su conducta de purgación ha sido un intento por sentirse inaceptable para los demás. Explica que vivir con la presión de ser perfecta la hará sentirse como loca y actuar de esa manera. Tal vez puedas hablar desde tu propia experiencia.

Analicen los ideales culturales y por qué tiene sentido que tu hija llegue a extremos drásticos para evitar engordar. Al reflexionar en tu respuesta ante esta faceta de la personalidad de tu hija, considera cuán diligente has sido al elogiar a tu hija de maneras incondicionales. Me sentí muy culpable cuando mi hija me dijo que pensaba que estaba desilusionada con ella porque no sacaba todas las notas con excelentes. Cuando le pregunté cómo llegó a semejante conclusión, me explicó que parecía que daba por sentado que hacía su tarea por su cuenta y se mantenía al día en la escuela. Además, se quejó de que le parecía que como su trabajo no era perfecto, no era digno de que yo lo comentara.

4. ¿Son los amigos (tanto chicas como chicos) importantes para tu hija? Los expertos advierten que la aparición de un trastorno alimenticio puede dispararse por el rechazo de un buen amigo durante la adolescencia. Las amistades de los adolescentes son complicadas y casi siempre en estado de cambio. ¿Cuánto sabes acerca de quién es importante para tu hija y de la manera en que la tratan? ¿Cuánto tiempo pasa soñando despierta acerca de su novio? ¿Tienes la tendencia de desestimarlo como insensatez adolescente?

Cuando estaba en el instituto, un chico que me gustaba mucho me dijo que nunca le había gustado y que nunca le gustaría y que debía superarlo. Cuando sollocé por mi corazón roto frente a mi mamá, me respondió con indiferencia: «Ay, Sharon, tendrás muchos novios y hay mucho más donde elegir». Por supuesto, tenía razón, pero su respuesta no hizo nada para calmar mi dolor muy real. Cuando a una chica la rechaza un amigo (chico o chica), necesita ayuda para encontrarle sentido y hallar consuelo. Si no lo encuentra, supondrá que algo en ella provocó el rechazo. Y en la mayoría de los casos, las chicas suponen que su apariencia es la culpable. Cuando se desestima o ridiculiza su dolor, buscará consuelo en otra parte.

Puedes explicarle a tu hija que el rechazo es terriblemente confuso y que puede obligarla a buscar consuelo en la comida, haciendo que se obsesione con las fallas que percibe en su apariencia física. Pídele perdón si has creído con reservas sus luchas sociales y no le has ofrecido comprensión y consuelo. Pregunta si está experimentando alguna relación problemática en la actualidad.

5. ¿A tu hija le cuesta pedir ayuda?

Toda madre de una hija adolescente ha experimentado una época en la que le ha ofrecido consejo a su hija solo para obtener una respuesta despectiva: «Mamá, lo sé. Puedo ocuparme de esto yo sola». Sin embargo, algunas muchachas se resisten a cada momento a recibir cualquier clase de ayuda y apoyo de otras personas. Piensa en la vida de tu hija... cuando aprendió a montar en bicicleta, a terminar sus tareas escolares o a atravesar las complejidades de su primera semana del instituto. ¿Hizo estas cosas sola, sin ninguna clase de ayuda o apoyo? Las muchachas que luchan con la bulimia creen que solo pueden confiar en sí mismas. La bulimia es una manera de decir: «Puedo comer todo lo que quiero y controlar el resultado». Es una combinación de conductas que refuerzan una independencia absoluta. Una muchacha que lucha con la bulimia cree que nadie puede ayudarla y aun así quererla. De modo que se las apaña sola.

Puedes ayudar a tu hija a comprender que en su autosuficiencia se ha vuelto muy competente, pero se ha separado de lo que más quiere: la atención compasiva de los demás. ¿Cómo has contribuido a su autosuficiencia? ¿No has estado disponible o la has alejado cuando expresó un deseo de ayuda? Tal vez sea necesario que le hagas esta pregunta a tu hija. Cuando una chica es sensible al rechazo, una experiencia de rechazo cuando pide ayuda puede fomentar la decisión de nunca volver a pedir.

Explícale a tu hija que se enfrenta a algo contra lo que no puede luchar sola y que tú quieres estar a su lado en la lucha. Tal vez debas probárselo si no ha sido la naturaleza de su relación. Aun si te aleja, vuelve una y otra vez.

La lucha de tu hija con la bulimia puede ser la oportunidad para que desarrolles una relación maravillosa con ella, una en la que haya lazos de afirmación mutua que crezcan en forma continua. Mientras comprendes a tu hija y su trastorno alimenticio, y eres transparente en cuanto a tu propia vida, pueden tener una relación basada en el respeto mutuo y una comprensión profunda de las luchas personales de la otra. Puedes darle a tu hija permiso para cometer errores al reconocer tus propias imperfecciones y ofrecerle amor y respeto incondicionales. La presencia ferviente de tu corazón de madre para tu hija tiene el poder de aliviar y domar el hambre salvaje de su corazón.

Capítulo 11

La sobrealimentación compulsiva

Nunca sentí que encajaba en ninguna parte. Así que
llenaba mi soledad con comida, dulces, para ser espe-
cífica. Cuando llegué a la pubertad, comencé a subir
de peso por semana. Pasé de usar un sostén deportivo
a usar una talla 32-D en un verano, y las galletas
rellenaron el resto de mí [...] Me sentía como un
gigante y sin forma globo andrógino[1].

TAMMY LYNN MICHAELS, estrella del programa de
televisión *Popular*

Hace poco, me recordaron acerca de los ritos de transición a
veces crueles e inusuales de la adolescencia. El gimnasio del
instituto de mi hija estaba lleno de sesenta y cinco muchachas que
realizarían la prueba para ser animadoras, Kristin y dos de sus amigas más cercanas entre ellas. Mientras los amigos y la familia miraban, la entrenadora de las animadoras anunció que había cartas para
cada una de las muchachas en una mesa en medio del gimnasio y que
las chicas podían ir y tomar su carta para enterarse de los resultados.
Cuando las chicas abrieron sus cartas, algunas saltaron y gritaron de
alegría, mientras que otras lloraron desilusionadas o salieron en
silencio del gimnasio.

Sesenta y cinco muchachas. Cada una de ellas únicas en su talla,
personalidad y capacidad. Kristin no entró al equipo, ni sus dos amigas. Sin embargo, todas enfrentaron la desilusión con gracia y buen
espíritu deportivo.

Algunas de las chicas que realizaron la prueba para ser animadoras tienen sobrepeso. Mientras esperaba que Kristin juntara sus cosas para poder marcharnos, me paré junto a un grupo de estudiantes que hablaban de los resultados de las pruebas. Mientras las chicas miraban en dirección a una de las «perdedoras» con sobrepeso, una chica comentó: «Me alegra que la gorda no lo lograra. ¡Su gran trasero habría sido una vergüenza para toda la escuela!».

Los comentarios crueles de esta adolescente reflejan una cultura que no tiene mucha tolerancia por las diferencias de talla. Las chicas del instituto me han dicho que si una chica usa una talla mayor a diez, la consideran gorda. La mujer promedio en Estados Unidos usa una talla doce. Eso significa que si la mayoría de nosotras se atreviera a caminar por los pasillos de un instituto hoy en día, seríamos el objeto de desdén en el mejor de los casos, y burlas con sonidos como «oinc, oinc» en el peor de los casos. Si una chica tiene mucho sobrepeso, la crueldad y el rechazo son a menudo debilitantes. El Centro Médico de Niños de Dallas informa que los chicos con sobrepeso no solo son propensos al rechazo de sus pares, sino a baja autoestima, depresión y consecuencias de salud[2].

Le tememos a la gordura, por nosotras y por nuestras hijas, y por una buena razón. Los estadísticos informan que las mujeres con sobrepeso tienen un cuarenta por ciento menos de probabilidades de ir a la universidad, un veinte por ciento menos de probabilidades de casarse, tienen la tendencia a ganar menos dinero al año, ¡y tienen más probabilidades de que un jurado las encuentre culpables![3] Aun con toda la crueldad y el prejuicio que sufren las personas con sobrepeso, es sorprendente que las estadísticas sugieran que uno entre cuatro niños en Estados Unidos tiene sobrepeso y los estudios confirmen que los adolescentes obesos tienen un alto riesgo de ser adultos obesos[4].

Al igual que con los trastornos alimenticios de la anorexia y la bulimia, la sobrealimentación compulsiva, y la obesidad que a menudo viene como resultado, tienen consecuencias serias que no solo tendrán un impacto en la salud de tu hija, sino también en su calidad de vida. La crianza de común acuerdo aborda las cuestiones difíciles y delicadas de la sobrealimentación y la obesidad desde la perspectiva de que es un problema de *madre-hija*.

Aun si nunca luchaste con tu peso, la lucha de tu hija debe abordarse con una actitud de «estamos juntas en esto». Puedes caminar de la mano con tu hija al asumir la responsabilidad en alentar, permitir o pasar por alto su alimentación poco saludable y sus hábitos de ejercicio. El hecho de que no tengas el mismo problema no tiene que impedirte que seas parte del mismo proceso. Dile a tu hija que te unes a ella en las elecciones alimenticias saludables y en una actividad mayor porque tienes una responsabilidad con ella, la amas y estás comprometida a estar a su lado en cada paso del camino. Mientras explicas que anhelas que tu hija tenga una buena salud y autoestima, expresa con más pasión aun tu anhelo por los cambios que quizá hagan falta para consolidar su relación y acercarlas más.

Este capítulo ayudará a comprender la sobrealimentación y la obesidad y te alentará a trabajar *con* tu hija para cambiar los patrones alimenticios, participar en actividad física y aceptar las realidades biológicas. Si separas a tu hija y la señalas para un tratamiento debido a su problema de peso, solo refuerzas la marginación cruel de la cultura. No obstante, si te transformas en la aliada de tu hija en patrones saludables para vivir y aceptarse a uno mismo, fortalecerás la relación con tu hija y forjarás un fundamento sólido para su futuro.

COMPRENDE LA SOBREALIMENTACIÓN Y LA OBESIDAD

Hace poco, luego de hablarle a un grupo de muchachas de la secundaria y a sus madres acerca de la imagen corporal y los trastornos alimenticios, una madre pidió hablar conmigo.

«Quisiera que a mi hija le preocupara más la imagen corporal», me confió. «No parece importarle cómo se ve. No le presta atención a lo que come y creo que come mucho más de lo que debería, aunque no estoy muy segura de lo que come».

Le pregunté a esta madre preocupada cómo sabía que a su hija no le importaba la imagen corporal y cómo había establecido que comía de más. Su respuesta revela la confusión y la parálisis que a menudo sienten las madres cuando sus hijas luchan con un problema de peso.

«Sé que no le importa su cuerpo y come demasiado porque tiene sobrepeso. Es probable que pese entre catorce y veinte kilos más que otras chicas de su clase. Sin embargo, no quiere hablar al respecto conmigo. He sugerido dietas y clases de ejercicio, ¡pero no le importa!».

[Las chicas con sobrepeso] han experimentado chistes de gordos, miradas fijas y burlas. Han aprendido a sentirse ansiosas y a la defensiva respecto a sus cuerpos[5].

MARY PIPHER, *Hunger Pains*

La suposición de esta madre en cuanto a la apatía de su hija, sus temores por el peso de su hija, su incertidumbre en cuanto a los hábitos alimenticios de su hija y su frustración con la respuesta o falta de respuesta de su hija ante sus sugerencias, son demasiado comunes entre madres e hijas que luchan con la sobrealimentación y el aumento de peso. Empecemos con algunos hechos acerca de la sobrealimentación y la obesidad que pueden comenzar a arrojar algo de luz en cuanto a este problema complejo.

• La Dirección General de Salud Pública de Estados Unidos informa que las causas de la obesidad en niños son factores genéticos, falta de ejercicio físico y patrones poco saludables de alimentación[6].

• De acuerdo con el Dr. Reginald Washington, de la Academia Estadounidense de Pediatras, una niña es obesa cuando supera su peso ideal en un veinte por ciento[7].

- El Dr. Washington sugiere que una niña necesita intervención médica si supera su peso ideal en un cuarenta por ciento[8].

- No confíes solo en la tabla de altura y peso para establecer el peso ideal de tu hija. Será necesario que un médico evalúe a tu hija para establecer un peso saludable al consultar la historia del crecimiento de tu hija, así como al medir su grasa corporal (un médico usará un calibrador para pellizcar con suavidad la carne del tronco y la parte trasera del antebrazo). Por ejemplo, si el peso de una chica para su altura supera el percentil 95, pero su medida de grasa es normal, se considerará que tiene una estructura grande, pero no demasiada grasa.

- La sobrealimentación desordenada no es la indulgencia ocasional de una comida llena de calorías ni una comida abundante. La sobrealimentación compulsiva es comer con la sensación de que no puedes dejar de comer. Una muchacha que lucha con la sobrealimentación compulsiva pierde la capacidad de regularse con inquietudes acerca de su apariencia o las inquietudes de su madre o sus pares. Come sin pensar. A menudo, no es consciente de la cantidad que come, ni siquiera de lo que come.

- Si tu hija tiene sobrepeso, puedes estar segura de que sabe mejor que nadie que tiene un problema de peso, pero teme que el reconocimiento de su problema signifique que la obligarán a dejar de comer de la manera en que quiere hacerlo.

La definición de la sobrealimentación compulsiva y la obesidad solo subraya la seriedad de este trastorno alimenticio. De la misma manera que lo hicimos con la anorexia y la bulimia, examinaremos las elecciones, los patrones preventivos de vida y las estrategias de intervención. Como los expertos están de acuerdo en que las tres causas predominantes de la obesidad infantil y adolescente son los hábitos alimenticios poco saludables, la falta de actividad física y las vulnerabilidades genéticas, exploraremos cómo puedes caminar de la mano con tu hija en cada una de estas esferas.

Cómo se cambian los hábitos alimenticios

En lugar de examinar la proporción y las clases de comida que tú y tu hija comen, será más útil descubrir cómo eres con la comida. Hay dos clases de personas en cuanto a la forma de comer: los que comen según controles externos y los que comen en respuesta a impulsos internos. Cuanto más temprano y con la mayor coherencia posible podamos aprender a comer cuando nos provocan impulsos internos instintivos, más saludables serán nuestras elecciones alimenticias.

Las muchachas y las mujeres que dependen de impulsos internos comen cuando tienen hambre y se detienen cuando están satisfechas. Las que confían en controles externos dependen de impulsos provocados por los anuncios, los pares, los gurúes de las dietas y la tensión emocional, o incluso por los aromas del patio de comidas del centro comercial. Por supuesto, hasta cierto punto, en todos influyen los aromas de la comida o las fotografías de los anuncios. Sin embargo, cuando nuestras elecciones alimenticias las controlan por completo los estímulos externos, somos propensos a los problemas de alimentación.

Solo para las dos

1. Cuando tú o tu hija busquen un refrigerio, pregunten:
    *   ¿Algo en la televisión me hizo pensar en la comida?
    *   ¿Estoy aburrida?
    *   ¿No tengo sed en lugar de hambre?
    *   ¿Estoy evitando hacer tarea o lavar la ropa?
    *   ¿Estoy estresada por algo?

    Al mirar atrás a mi crianza temprana, me percato que es más fácil darles un bocadillo a nuestros hijos que nuestro tiempo y atención. Sin embargo, es un gran regalo ayudar a tu hija a prestarle atención a su hambre y sus elecciones alimenticias posteriores. Cuanto con más franqueza hables acerca de tu propia hambre y las cosas que imitan al hambre en tu caso, más receptiva será tu hija para revaluar su propia alimentación.

2. Confeccionen juntas una lista de todos los sentimientos posibles que puedes sentir. Siempre que tú o tu hija vayan a buscar un refrigerio cuando en realidad no tengan hambre, miren la lista de sentimientos e identifiquen lo que sienten. Hablen acerca de una respuesta alternativa ante el sentimiento además de la comida (como llamar a un amigo, dar un paseo o permitirse un buen llanto).

3. Cuando coman juntas, practiquen comer despacio, disfrutando cada bocado. Pregúntense: «¿Todavía tienes hambre?». Aprendan a detectar el momento en el que están llenas y a respetar ese impulso interior.

4. Abastece tus alacenas con diversas comidas saludables. Asegúrate de preguntarle a tu hija qué le gustaría tener en casa y respeta sus pedidos.

5. No prohíbas ciertas comidas del todo. Debra Waterhouse explica con una claridad asombrosa: «En cada etapa del desarrollo, una alimentación restrictiva no "salva" a la hija de un destino de sobrepeso, lo asegura»[9].

6. Haz que la buena nutrición sea parte de tu enfoque a la comida de las siguientes maneras:
   • compra y prepara carnes magras;
   • provee diversos refrigerios bajos en grasa;
   • vuélvete muy conocedora de las comidas rápidas. Por ejemplo, un pedido normal de papas fritas tiene diez gramos de grasa, ¡mientras que el tamaño grande tiene veintiséis! Todos los restaurantes de comida rápida proporcionan información nutritiva acerca de su comida si lo pides. Transfórmate en una experta para poder ayudar a dirigir a tu hija hacia las mejores elecciones.

(continúa en la siguiente página)

7. Mira televisión con tu hija y fíjense en los anuncios de comidas altas en grasa y azúcar. ¿Cuán a menudo ves anuncios de vegetales? Cuando tu hija busque un refrigerio mientras ve televisión, pregúntale si la motivan los anuncios. Hablen acerca de refrigerios alternativos y saludables.

8. El aburrimiento es un estímulo externo común que envía a los niños al refrigerador. Confeccionen juntas una lista de distintas respuestas ante el aburrimiento en lugar de la comida.

Otros factores influyen en los que comen controlados por estímulos externos además de los anuncios y la disponibilidad de comida. Comer produce una sedación natural. La digestión activa el sistema nervioso parasimpático. Es la rama del sistema nervioso que vuelve el cuerpo a la normalidad luego de un incidente estresante. Cuando descubrimos que la comida tiene una cualidad sedativa, el estrés puede transformarse en un estímulo externo que nos impulsa a comer. Comer puede usarse para medicar el fracaso, la soledad, la ansiedad o el aburrimiento. Usar la comida para evitar o adormecer los sentimientos negativos puede atraparnos en un círculo vicioso. Una muchacha con sobrepeso tiene más probabilidades de estar aislada y sentirse rechazada. Necesita consuelo y puede encontrarlo con facilidad en la comida. Cada vez está más aislada y puede tener un sobrepeso aun mayor.

Como madres, reforzamos la comida guiada por estímulos externos cuando intentamos restringir, regular y controlar la alimentación de nuestras hijas. Por supuesto, aquí hay un conflicto. Cuando nuestras hijas son pequeñas, es necesario que les proveamos y que las guiemos hacia una buena nutrición. Sin embargo, a medida que se acercan a la adolescencia, es necesario que nos apartemos y las alentemos a medida que aprenden a guiarse solas. Es casi seguro el fracaso que resulta de hacer cumplir reglas alimenticias más estrictas, prohibir el azúcar, restringir la ingesta de grasas e intentar controlar los hábitos alimenticios de nuestras hijas mientras entra a la adolescencia, trayendo como consecuencia una alimentación desordenada o la obesidad.

Solo para ti

1. Es probable que fracasen los consejos no solicitados. Antes de comenzar un diálogo con tu hija acerca de la alimentación, considera cómo abordarás el tema. Si has practicado o permitido conductas alimenticias poco saludables, pídele perdón a tu hija y hablen de los cambios que quieren implementar para la salud de su familia. Sé específica. Por ejemplo, puedes decir: «Hace poco, me enteré que uno de los principales culpables del aumento de peso son los refrescos. No sabía que podían ser tan dañinos para nosotros. Dejaré de comprar refrescos con regularidad para no tenerlos siempre en casa. Creo que tendría más sentido que de vez en cuando nos diéramos el gusto de tomar un refresco en lugar de consumir esas calorías vacías en forma regular». Pregunta si tiene alguna inquietud u objeciones al cambio. Si se opone al cambio, negocia un acuerdo mutuo (como un refresco al día o cada dos días), y que tu objetivo sea evitar la lucha por el poder mientras te acercas a elecciones más saludables.

2. Nunca sugieras que tu hija coma solo para ser educada ni para ser miembro del club de los platos limpios. Tu objetivo es ser ejemplo de elecciones alimenticias saludables para tu hija y alentarla a prestarle atención a su propia hambre y preferencias de modo que logre desestimar la manipulación de los demás.

3. Si tienes un sobrepeso importante, es más fácil negar el problema de tu hija. Por su bien y por el tuyo, es hora de traer a la luz la verdad con delicadeza y firmeza. Puedes decirle a tu hija que te has enterado de que tener

(continúa en la siguiente página)

sobrepeso puede causar problemas médicos serios, como una tensión arterial alta, diabetes y enfermedad cardíaca. Con valentía, revela tus propias luchas con la autoestima y otras limitaciones que has experimentado al tener sobrepeso. Explica que cambiarás tus patrones alimenticios. Tu ejemplo de un compromiso con patrones alimenticios saludables será el mejor aliento para tu hija.

4. Los cambios en la dieta son más fáciles de realizar y mantener si se hacen en forma gradual. Prueba uno o dos cambios a la semana:

- En forma gradual, elimina toda la comida con calorías vacías (como los dulces, los refrescos, etc.) de tus alacenas.
- En forma gradual, cambia a comidas bajas en grasas.
- Comienza a limitar las comidas rápidas.
- Disfruta las comidas en la cocina o el comedor, con el televisor apagado.
- Compra barras de frutas congeladas, y pudín y gelatina sin azúcar.
- Ten a mano galletas saladas y palomitas de maíz para comer como refrigerios.

5. Busca un médico especializado en niños o adolescentes con sobrepeso. Desearás un médico que comprenda las tablas de altura y peso para los niños y adolescentes y que incluya los impulsos de crecimiento. Entrevista al médico para evaluar su compasión y comprensión hacia los niños con sobrepeso. Antes de realizar una cita para tu hija, explícale al médico tus inquietudes con respecto a tu hija y consigue su ayuda para alentar a tu hija a comprender la seriedad de su problema de peso y a realizar cambios en sus conductas alimenticias.

6. Si vives en una ciudad que tiene un centro médico con sede en una universidad, busca sus programas de con-

trol de peso. Los mejores programas proporcionan un dietista titulado, un consultor de ejercicio, un pediatra y un psiquiatra. Los programas completos brindan evaluación médica, involucran a toda la familia y se concentran en grupos de edad específicos.

Debra Waterhouse, dietista titulada, cita un sinnúmero de estudios que llegan a la conclusión de que el control es contraproducente. «Un estilo de crianza controlador dificulta la capacidad del niño en desarrollar el autocontrol interno»[10]. Además, sugiere que si tú tienes una alimentación desordenada, es más probable que intentes controlar la alimentación de tu hija y es más probable que tu hija comience a comer en forma desordenada. Alentar a tu hija a comer por instinto (impulsada por estímulos internos) tendrá recompensas que durarán toda la vida y puede evitar que tu hija quede atrapada en la sobrealimentación compulsiva.

El aliento temprano en la alimentación, de acuerdo con los estímulos internos, es la clave para prevenir la alimentación compulsiva y la obesidad que a menudo viene como consecuencia. Si sospechas que tu hija es vulnerable a la sobrealimentación (quizá porque seas consciente de tu propia vulnerabilidad) o que está comenzando a depender de la comida como compañera y consuelo, ahora es el momento de intervenir.

Una madre y una hija vinieron a verme por consejería porque la mamá había descubierto que su hija se llevaba a escondidas comida a su habitación. La horrorizó descubrir manzanas a medio comer y cajas vacías de cereal debajo de la cama. A medida que hablábamos, nos enteramos de que a la hija (de once años) le gustaba la independencia de alimentarse cuando tenía hambre. Su madre bienintencionada tenía el hábito de preparar todos los bocadillos de su hija. La hija también dijo que sentía más libertad de dejar de comer cuando no tenía hambre, si su madre no controlaba su alimentación.

Tanto madre como hija se sintieron aliviadas al enterarse de que esta conducta preocupante en realidad reflejaba algunas actitudes saludables con respecto a la comida. Sin embargo, todas estuvimos de acuerdo en que debía terminar el contrabando de comida. A la mamá se le ocurrió una solución fantástica al sugerir que compraran un refrigerador pequeño para que su hija tuviera en su habitación. De esa manera, podía tener sus propios bocadillos saludables a mano. No pude evitar pensar: *¡Qué mamá tan genial!* Y: *¡Tal vez debería colocar un refrigerador en mi dormitorio!* Sé que la hija se fue de la sesión de terapia pensando que su mamá creía en ella, lo cual reforzó, a cambio, la confianza en sí misma.

Si tu hija está más avanzada en la secuencia de la sobrealimentación que una indulgencia ocasional, el mejor objetivo sigue siendo guiarla a llegar a comer por instinto. No obstante, como observamos, la alimentación compulsiva va acompañada de una falta de conciencia de los estímulos internos. Tu hija puede resistir tus sugerencias de cambio o negarse a hablar del problema de plano. Este capítulo contiene sugerencias e ideas para fomentar una conciencia personal y ayudarte a formar una alianza con tu hija a fin de cambiar los patrones poco saludables de alimentación.

Ten en mente que si tu hija no está preparada para cambiar, obligarla a realizar un programa de manejo del peso será una pérdida de tiempo y tal vez le haga más daño que bien. Su fracaso en el programa seguirá erosionando su autoestima y aumentará su resistencia a la ayuda en el futuro.

Una mamá sabia que conozco respondió a su hija reacia diciéndole que no la obligaría a entrar al programa, pero que ella entraría al programa de todas maneras. Además, le dijo a su hija que ya no le permitiría obviar el problema de peso y que comenzarían a hablar juntas y por separado con un consejero para intentar comprender su sobrealimentación y su renuencia a buscar ayuda. Le prometió a su hija que ella podría tener la última palabra para elegir al consejero. Se entrevistaron con cuatro consejeros antes de que la hija encontrara a alguien que le gustara y con quien estuviera dispuesta a hablar.

La mamá continuó su programa de pérdida de peso y, de vez en cuando, le contaba a su hija lo que aprendía y los cambios que implementaba. Su hija no pudo evitar respetar la persistencia de su madre, y se volvió cada vez más curiosa en cuanto al programa y sus posibles resultados. A través de la consejería, paso a paso empezó a hablar acerca del dolor de tener sobrepeso y de cómo adormecía ese dolor a través de una sobrealimentación continua. Poco a poco, estuvo dispuesta a realizar cambios y, a la larga, entró al programa de pérdida de peso.

Por sugerencia de una amiga, fui a terapia. Cuantos más secretos obligaba a salir a la luz, menos sentía la necesidad de llevarme comida a la boca[11].

TAMMY LYNN MICHAELS, estrella del programa de televisión *Popular*

AUMENTA LA ACTIVIDAD FÍSICA

Una imagen corporal saludable no se trata de cambiar tu cuerpo. Tampoco se trata de cambiar el cuerpo de tu hija. *La imagen corporal mejora a medida que aceptamos y cuidamos el cuerpo que ya tenemos.* Para ayudar a nuestras hijas a estimular su metabolismo (el cual de seguro puede volverse lento gracias a la sobrealimentación habitual) y promover una pérdida de peso saludable, tenemos que ser ejemplo y alentar la actividad física como parte de un cuidado personal saludable.

Cuanto más temprano comiences a ser ejemplo de la actividad física como parte de tu vida, más probable será que siga siendo una parte de la vida de tu hija a medida que crece. Un estudio de la Universidad de Boston informa que el nivel de actividad física de una madre influye en el enfoque de sus hijos ante la actividad física. Si una madre hace ejercicio, ¡sus hijos tienen una probabilidad *dos veces* mayor de hacer ejercicio![12]

Si has permitido o participado de un estilo de vida sedentario, necesitarás disculparte con tu hija y explicarle tu deseo de un cambio saludable. ¡Nunca es demasiado tarde para ser ejemplo de un estilo de vida saludable! Puedes alentar a tu hija de las siguientes maneras:

- Sé ejemplo de la actividad física. Si no has sido activa en el campo físico, infórmale a tu hija tu compromiso para realizar este cambio.
- Recuérdale que no hace falta que haga ejercicio todos los días. En forma gradual, comienza a elegir una actividad una vez a la semana. Aumenta la actividad hasta hacer alguna clase de ejercicio tres a cuatro veces a la semana.
- Permite que tu hija elija su propia actividad. Una madre y una hija que conozco comenzaron a aumentar su actividad al realizar caminatas nocturnas. La hija se sentía demasiado torpe y avergonzada para hacer cualquier otra clase de ejercicio. Compraron linternas y descubrieron su vecindario en la oscuridad.
- Si tu hija se niega a aumentar su actividad física, insiste en comenzar a hablar con un consejero para obtener discernimiento en cuanto a su renuencia a realizar este cambio saludable.

Solo para las dos

1. Regula el tiempo para ver televisión. De acuerdo con el doctor William H. Dietz: «Los niños gastan más energía haciendo casi cualquier cosa aparte de ver televisión»[13]. Los investigadores han descubierto que ver televisión reduce la tasa metabólica en las muchachas adolescentes entre un doce a un dieciséis por ciento[14]. Pónganse de acuerdo en una regla que establezca que para ganar una hora de televisión, debes hacer alguna clase de actividad física: dar un paseo, cortar el césped, ir a montar bicicleta, lavar el auto.
2. Incorpora la actividad física a tu vida cotidiana. Cuando tú y tu hija estén fuera de la casa, estacionen en el extremo del estacionamiento para darles una oportunidad de una caminata extra. Usen las escaleras en lugar del ascensor.

3. De acuerdo con la Dirección General de Salud Pública
    de Estados Unidos, las chicas de entre seis y dieciocho
    años experimentan una disminución de la actividad en
    un treinta y treinta y seis por ciento[15]. Sé consciente de
    los intereses cambiantes de tu hija y toma la iniciativa
    de hablar con ella acerca de nuevas actividades que
    puede disfrutar. Considera las clases de tenis, acrobacias
    en una cama elástica, equitación o patinaje en línea.
    Pregúntale qué le parece divertido.
4. Pónganse de acuerdo en que las recompensas vendrán
    en forma de actividades, no de comida. Realicen juntas
    una lista de recompensas posibles: jugar a los bolos,
    nadar, ir de excursión, patinar sobre el hielo, etc.

ACEPTA LAS REALIDADES BIOLÓGICAS

En nuestra mente, todas sabemos que los seres humanos vienen en
muchas formas y tamaños y que los genes determinan, en parte, la
talla y la forma de cada persona. Sin embargo, aceptar esta verdad en
el corazón no es fácil. La vulnerabilidad genética al aumento de peso
es una realidad para muchos. De acuerdo con Mary Pipher: «Un
estudio reciente de A.J. Stunkard, en el que participaron más de qui-
nientos hijos adoptados y sus padres biológicos y adoptivos, mostró
de manera concluyente que el factor genético es muy importante»[16].

Si tú y tu hija se han esforzado de manera religiosa en incorporar hábitos alimenticios saludables y ejercicio a sus vidas y aun así
siguen luchando con el peso, ¿cómo puedes alentar a tu hija? En primer lugar, debes lidiar con tu propia historia de sentir que no perte-
neces a una sociedad súper delgada. Cuando te aferras a la creencia
de que puedes o deberías cambiar tu estructura corporal básica, le
transmites estas creencias a tu hija, ya sea que las expreses o no. Y
estas creencias pueden llevar a trastornos alimenticios. Cuando nosotras, como mujeres, no aceptamos nuestros cuerpos, creamos un
clima para que florezcan trastornos alimenticios en nuestras hijas.

La comprensión y la aceptación biológica son esenciales para desarrollar una imagen corporal saludable. Sin embargo, no es fácil. Admítelo: Anhelas una pastilla o un programa mágico que borre la lucha con el peso... para ti y en especial para tu hija. Eso sería alentador. No obstante, comprender nuestra biología única puede alentarnos a invitar nuestras hijas a una relación rica con nosotras mientras formamos una alianza para realizar elecciones alimenticias saludables, participamos de actividad física que disfrutemos y cultivamos una aceptación personal saludable... *juntas*.

Solo para ti

1. Antes de saltar a la conclusión de que tu hija se sobrealimenta, examina si la raíz de esta creencia es solo un *temor* de que tu hija esté gorda. ¿De dónde proviene este temor?

2. ¿Luchas con tu peso? ¿Lo hacías cuando eras pequeña? Al volver a mirar tu propio crecimiento y desarrollo o trazar el crecimiento de las mujeres de tu familia, ¿qué características encuentras acerca de la estructura ósea, el tamaño del cuerpo y la forma de las mujeres de tu familia?

3. ¿Otras personas han sugerido que tu hija está gorda? ¿Cómo llegaron a esta conclusión? ¿Qué saben acerca de tu hija y de la historia familiar?

4. Si tú y tu hija son parte de una familia que no cae en forma natural en las medidas aceptables de nuestra cultura, antes de considerar la sobrealimentación, te alentará mirar algunas realidades biológicas básicas.

   • Las chicas y mujeres más altas o más bajas son distintas entre sí desde el punto de vista metabólico y genético, y no importa cuánto te prives de comida ni te llenes de comida, eso no cambiará[17]. Los anunciantes de las industrias de las dietas y el ejercicio están comprometidos a hacernos creer otra cosa.

- Realizar una dieta de moda empeorará las cosas. Las dietas yoyó tienen una gran responsabilidad por el aumento de la obesidad en nuestra cultura. Debra Waterhouse advierte: «Si tienes sobrepeso o tienes una larga historia de hacer dieta y tu hija tiene sobrepeso, si la alientas a hacer dieta, alentarás la misma condición que procuras evitar».[18]

- Si la biología de tu familia las predispone a ti y a tu hija a un tamaño mayor, eso no significa que tu hija esté destinada a luchar con la sobrealimentación. Casi todos los estudios muestran que las actitudes de una madre con el peso y la comida guardan correlación con la manera en que la hija forma su imagen corporal y estructura sus propias conductas alimenticias[19].

RESPETA A TU HIJA SIN IMPORTAR SU TALLA

Si tu hija se sobrealimenta, no realizará cambios en sus hábitos alimenticios por vergüenza ni desaprobación en cuanto a su cuerpo. El cambio positivo comienza con una aceptación personal y una actitud de cuidado genuino.

Es un buen momento para preguntarte lo que en verdad quieres para tu hija. ¿Quieres fomentar la salud y el bienestar o la pérdida de peso y una cierta apariencia que la cultura aplaude? Es crucial que seas la defensora y la aliada de tu hija al respetar su individualidad... y su cuerpo.

Una manera en que puedes respetar a tu hija mientras se esfuerza para cambiar los patrones de alimentación y aumenta la actividad física es luchar contra la «discriminación por la gordura». Busca la parcialidad de los medios y toma la iniciativa de desafiar comentarios crueles acerca de la talla. Esto significa que deberás hablar sobre las realidades de ser más robusto en nuestra cultura. La negación y el silencio no ayudarán a tu hija. Hablen de las luchas en nuestra cultura parcializada a medida que las encuentren con tu hija. La franqueza relacionada con las realidades difíciles de tener sobrepeso ayudará a tu hija a relajarse y a ser más franca contigo, lo cual puede ayudarla a estar más dispuesta a los cambios que sugieras con respecto a la alimentación o la actividad física. Tus esfuerzos para analizar los medios y hablar sobre sus efectos en la autoestima deberán ser aun más atentos si tu hija lucha con el peso.

Tengo una amiga que llevó a sus hijos a Disneylandia hace algunos años. En el popular juego de los Piratas del Caribe, se dio cuenta de que uno de los momentos en el que todos se reían a carcajadas era cuando los piratas perseguían a las mujeres, excepto por una mujer con sobrepeso que perseguía a los piratas. Mi amiga sintió vergüenza por esta representación cruel de esta mujer bruta que, debido solo a su talla, daba «más miedo» que los piratas. Le mencionó su inquietud a su familia y les dijo que planeaba escribir una carta subrayando la ridiculización y expresando que si se hubiera realizado acerca de cualquier otro grupo, se habría considerado como prejuicio.

Meses después del viaje, la hija de mi amiga escribió un trabajo en su clase de inglés de séptimo grado acerca de la persona que más admiraba: su madre. Escribió de la compasión de su madre y de su defensa de los demás. Aunque la hija no tiene sobrepeso, es más robusta que la mayoría de las niñas (y niños) de su clase. Le dijo a su madre en privado: «La carta que escribiste a Disneylandia me demostró que puedo contar contigo y que estarás a mi lado cuando te necesite».

Por importante que sea tu lucha contra la «discriminación por la gordura», las palabras que le dices a tu hija, que dices acerca de ella y en su beneficio son mucho más cruciales. Una vez que las palabras de una madre están dichas, no se olvidan con facilidad. En yuxtaposición con respecto a tus esfuerzos de incorporar hábitos alimenticios saludables y ejercicio debe estar tu defensa por tu hija. Nunca dejes de notar y de disfrutar sus puntos fuertes, sus talentos, sus logros y sus atributos físicos.

Solo para las dos

1. Cuando tu hija se desalienta y se trata con dureza por su tamaño corporal, aliéntala a hacerse estas preguntas:
   * ¿Alguna vez juzgaría a un amigo como me juzgo a mí?
   * ¿Hago todo lo que puedo? Si no es así, ¿qué puedo cambiar?

2. Escríbele notas de amor a tu hija a menudo, hablando acerca de tu amor por ella. Completa frases como por ejemplo: «Te amo porque...». «Admiro muchas cosas de ti, como por ejemplo...». «Estar contigo es maravilloso porque...».

3. Si tu hija habla con franqueza acerca de ser gorda y de la manera en que afecta su vida, aliéntala a hacer algunos ejercicios de «Si fuera delgada», de modo que exponga el mito de que bajar de peso es la clave del cambio de nuestras vidas para bien. Por ejemplo: «Si fuera delgada, tendría mejores ropas». Pregúntale a tu hija qué puede hacer con su deseo ahora, con la talla que tiene. ¡Quizá haya que ir de compras! Compra ropa atractiva. El tamaño nunca debería determinar el estilo ni la comodidad de la ropa de tu hija. Sentirte bien contigo misma mientras te diriges hacia la pérdida de peso es una motivación poderosa.

4. Deshazte de las balanzas. El número de esos equipos poco confiables no debería definir a nadie. Si tu hija lucha contra la obesidad, deja que los profesionales médicos la pesen y tracen su peso.

5. Mientras ven televisión, de vez en cuando haz preguntas como las siguientes: «¿Por qué las chicas más robustas no son las estrellas?». «¿Quién decide el tamaño que deberían tener las personas en la televisión?» «¿Qué otras cualidades tienen las chicas o las mujeres además de un tamaño perfecto de cuerpo?»

(continúa en la siguiente página)

6. Encuentra a un buen terapeuta de masajes para tu hija (¡y para ti!). Las muchachas con sobrepeso a menudo se sienten intocables. El masaje no solo combate la depresión, sino que nos vuelve a poner en contacto con nuestros cuerpos y lucha contra la idea de que somos demasiado desagradables y gordas como para tocar.

7. Hablen acerca de sus luchas, su desaliento y sus éxitos a medida que participan juntas en cambiar los hábitos alimenticios y probar nuevas actividades físicas. Establezcan objetivos y decidan cómo se recompensarán cuando alcancen la meta.

La investigadora de vanguardia en trastornos alimenticios, la Dra. Kathryn Zerbe, les dice a los padres de niños que luchan con la alimentación y la imagen corporal que «nada es más crucial para los individuos que encontrar un lugar en el que se sientan valorados por sí mismos tal cual son, sin importar cuánto pesen»[20]. Tu tarea, como madre de tu hija, es mantener en tensión la necesidad de realizar cambios en la dieta y el ejercicio, mientras la respetas con compasión y apoyo, sin importar su talla.

LAS RECOMPENSAS DE CAMINAR DE LA MANO

A un dúo de madre e hija que conozco se le ocurrió un «sueño extremo». Juntas establecieron un objetivo (con la ayuda de su médico y dietista) de bajar cada una quince kilos. Decidieron que cuando alcanzaran este objetivo (lo cual parecía bastante extremo al principio), ¡harían un viaje soñado a París! Viajar al extranjero quizá no esté en todos nuestros presupuestos, ¡pero este equipo de madre e hija le dio a su gran esfuerzo una enorme recompensa! No tenemos que empequeñecer la dura tarea que tenemos por delante, en especial cuando justifica una recompensa tentadora.

Creo que una de las cosas más importantes acerca de reconocer nuestra biología única, y enfrentar de manera directa cualquier propensión a una alimentación desordenada, es que habrá recompensas tanto relacionales como espirituales. No solo llevaremos a nuestras hijas a una relación más profunda con nosotras, sino que también es inevitable que forjemos un contexto para que nuestras hijas busquen a su Creador.

Tengo una amiga querida que sabía que era más robusta que las demás niñas de su clase en el jardín de infancia. Nadie le dijo que mintiera en cuanto a su peso, pero cuando un experimento de ciencias en segundo grado requirió su peso, ella le quitó nueve kilos al suyo. Osciló entre apretar su cuerpo para meterlo en ropas muy incómodas, para probar que podía usar lo que usaban los demás e intentar esconderse en ropas extra grandes. Cuando cumplió quince años, ¡su madre sugirió que intentara fumar para refrenar su apetito y bajar algunos kilos! La vergüenza, la soledad y el enojo que ha llevado consigo debido a su talla mayor son mucho más pesados que su peso real.

La aceptación de su talla mayor y su predisposición biológica a subir de peso con facilidad no borró en forma automática todas sus preguntas. No obstante, sí la llevó a la pregunta central para cualquiera que lucha con ser más grueso en una sociedad de talla única: *¿Por qué Dios me hizo así?* Uno de los regalos de nuestra lucha inevitable en una cultura que ataca la imagen corporal por todos lados es que podemos ir a nuestro Creador con preguntas, heridas y desilusiones. ¿Por qué Dios permitió tanta diversidad en los atributos físicos, las tallas y las formas? Sin duda, vio con antelación el prejuicio y las heridas resultantes que surgirían en contra de los que no están en el grupo favorecido.

La pregunta «¿Por qué, Dios?» es una a la que me enfrento sin cesar en mi práctica de consejería. ¿Por qué algunos de nosotros luchan con la obesidad, la infertilidad y problemas de salud y otros no? No soy lo bastante sabia como para responder por cada persona, pero creo que Dios conoce el ambiente en el que es más probable que cada uno de nosotros busque una relación más profunda con Él. Y Dios permite o diseña los contornos únicos de ese ambiente, con la esperanza de que lo busquemos de la misma manera en que nos busca Él.

Dios fue el que hizo el mundo y cuanto en él existe [...] En todo esto el propósito de Dios era que las naciones lo buscaran y, quizás palpando, descubrieran el camino donde se le pudiera hallar. Pero Él no está lejos de ninguno de nosotros.

HECHOS 17:24, 27, LBD

Si tu hija es más alta que el ideal cultural, su talla puede transformarse en parte del contexto en el que se busca una relación con Dios. Como es lógico, también puede ser el contexto en el que se enoje con Dios y hasta lo rechace durante un tiempo. Su lucha con Dios se transforma entonces en parte del paisaje único de tu vida, en el que puedes acudir a tu propia relación con Dios mientras le confías a tu hija.

El punto fundamental es la confianza. ¿Crees con pasión (aunque titubees) que se puede confiar en Dios, en el caso de tu hija y el tuyo? El apóstol Pablo hizo y respondió esta pregunta: «¿Quién eres tú para pedirle cuentas a Dios? "¿Acaso le dirá la olla de barro al que la modeló: '¿Por qué me hiciste así?' " [...] ¿Qué si lo hizo para dar a conocer sus gloriosas riquezas a los que eran objeto de su misericordia, y a quienes de antemano preparó para esa gloria?» (Romanos 9:20-23).

Hambre santa

Y nosotros hemos llegado a saber y creer que
Dios nos ama.

1 Juan 4:16

Es viernes por la noche y nuestra hija, Kristin, tiene grandes planes. Ella y un grupo de amigos quieren reunirse para cenar y luego ir al cine. Mientras con entusiasmo me cuenta acerca de todos los que irán, calculo en mi mente que sus planes me colocarán en el auto por unos cuarenta y cinco minutos.

Es viernes por la noche y estoy cansada. Aun cuando el lavadero desborda de ropa sucia, lo único que quiero hacer es acurrucarme con un buen libro y una pinta de helado, y acostarme temprano. Mi esposo y yo echamos a cara o cruz por las responsabilidades de conducir el auto. Yo «gano» el viaje de regreso. Y que quería acostarme temprano... Tal vez necesite algunas galletas dulces con ese helado.

Alicaída, Kristin se despide de mí. Ni siquiera pregunto si había problema. *Las madres también merecen una noche libre*, me digo.

«Me veo horrible», dice Kristin en forma voluntaria.

«Te ves hermosa», intento responder con confianza. Le doy un beso en la mejilla y corro a mi habitación. No estoy de humor para la difícil tarea de alentar a una adolescente.

Cuando voy a buscar a Kristin al cine, no ha mejorado su estado de ánimo. Le pregunto por la película y me esfuerzo lo mejor que puedo para que la conversación sea ligera. Pasé toda la semana hablando con personas acerca de las profundidades de sus sentimientos, y en este momento solo quiero hablar del nuevo peinado de Julia Roberts.

«Mamá, me siento gordísima». Kristin pasa por alto mi interés en Julia. «¿Cuánto durará esto? ¿Alguna vez me sentiré bien con mi apariencia? ¡Me siento tan fea!».

Para este momento, estábamos en el camino de acceso a la casa. Cuando entramos a la casa, abrazo a Kristin y le digo: «Estoy segura de que te sentirás mejor por la mañana. Buenas noches».

Eso fue todo el consejo, la sabiduría, la recomendación y la comprensión que pude acopiar en ese momento. Además, ¡yo me sentía gorda después de una noche con el helado!

MAMÁS REALES, VIDAS REALES

Hemos pasado once capítulos juntas viendo enfoques, ideas y ejercicios para tomar la iniciativa en la vida de nuestras hijas con respecto a la alimentación y la imagen corporal. Por escrito, se ve muy bien. Sin embargo, en la realidad, entre la crianza, el matrimonio y el trabajo, los gritos que dicen: «Mamá, ¡me siento gorda!» a veces se ven ahogados por otras exigencias. Y hay momentos en los que solo no podemos reunir las palabras para alentar a nuestras hijas porque no nos sentimos bien acerca de nuestro propio cuerpo. Nos encontramos mirando portadas de revista en el puesto de la caja registradora en la tienda de comestibles, preguntándonos si tal vez sea hora de hacer dieta.

Tengo en mi oficina una fotografía de una figura parecida a un payaso intentando hacer malabarismos con muchos objetos de distintos tamaños y colores. El artista inscribió de manera acertada debajo de este cuadro: «No soy muy bueno para tomar mi propio consejo, pero eso no significa que no sepa lo que está bien». Como sugiere mi propia historia de viernes por la noche con helado y crianza mínima, no escribo este libro porque haya hecho todo a la perfección. Me canso, me frustro y me veo abrumada por todas las exigencias de la tarea de ser madre. La crianza de común acuerdo es una tarea que revela mis debilidades, mis flaquezas y mis fracasos. Aun así, también estoy aprendiendo que en medio de la crianza descubro mucho acerca de mis puntos fuertes y del maravilloso amor de Dios por mí.

Cuando me doy cuenta de que me escondo de mi hija o de mi hijo, pasando por alto sus luchas y creyendo que no tengo nada que ofrecerles, sé que debo regresar a mi punto de referencia en todo este proceso de crianza: la manera en que Dios cría a sus hijos. Su crianza es un modelo para que imite, pero también es un aliento de que no estoy sola.

En oración, he intentado imaginar quién leerá este libro. Imagino que hay madres con hijas pequeñas y que esperan con ilusión la diversión que tendrán juntas mientras caminan de la mano a través de los próximos años. Imagino que hay mamás cuyas hijas son adolescentes y ansían leer cualquier cosa que les ayude a mantener una buena relación. Tal vez hayas luchado con un trastorno alimenticio tú misma, y quieres comprender tu lucha así como ayudar a tu hija a evitar una parecida. E imagino que hay mamás cuyas hijas prueban un trastorno alimenticio o ya están atrapadas, y se desesperan por ayuda y esperanza.

Dondequiera que estés en tu crianza, sé que tú y tu hija tendrán experiencias y respuestas únicas al interactuar con el material de este libro. Sé que no te sorprende cuando digo que este libro no tiene todas las respuestas. Y me alegra. Porque los encuentros que tú y tu hija tengan con la imagen corporal y las luchas con la alimentación son oportunidades maravillosas para conectarse con Dios, el único que sí tiene todas las respuestas y que es tu fuente viva para criar. Cuando una hija grita: «Mamá, ¡me siento gorda!», se abre una puerta para que encuentres a Dios, un Dios que toma tu mano mientras caminas de la mano con tu hija.

De regreso a casa

Una de mis historias de crianza preferidas se encuentra en la Biblia en el libro de Lucas. La historia del hijo pródigo y de su regreso final a su hogar y a su padre ha sido el objeto de muchos sermones e incluso de libros enteros. Es una imagen maravillosa del amor de Dios por sus hijos, aun cuando se alejen del hogar.

¿Alguna vez notaste lo que alejó al hijo de su hogar y lo que lo trajo de regreso? En ambos casos, fue su *apetito*. El hambre del hijo de aventura e independencia lo llevó a buscar satisfacción lejos de su familia. Sin embargo, su aventura se vio interrumpida cuando la hambruna llegó al campo en el que vivía y, una vez más, sintió hambre. El hijo caprichoso terminó trabajando para un granjero que tenía cerdos. «Tanta hambre tenía que hubiera querido llenarse el estómago con la comida que daban a los cerdos, pero aun así nadie le daba nada» (Lucas 15:16). Su hambre lo llevó al chiquero y luego lo hizo reaccionar. «Por fin recapacitó y se dijo: "¡Cuántos jornaleros de mi padre tienen comida de sobra, y yo aquí me muero de hambre! Tengo que volver a mi padre"» (Lucas 15:17-18).

Después de leer este libro acerca de la alimentación, la sobrealimentación, el hambre, los atracones y la privación de comida, tal vez, al igual que a mí, te conmueva la relevancia de esta parábola que contó Jesús. Parece que en parte narra esta historia porque quiere que sepamos que Dios comprende el hambre. Sabe los lugares a los que puede llevarnos nuestra hambre: a veces a lugares de indulgencia, vergüenza o privación. Y al igual que el padre de la historia espera el regreso de su hijo mientras observa y lo espera a diario, Dios espera que nuestra hambre nos lleve, a la larga, a casa.

Cada vez que leo esta historia en Lucas, me asombra su final. El padre recoge sus túnicas y corre con desenfreno hacia su hijo, abrazándolo con gozo. El hijo espera que al menos lo desestimen, lo castiguen o lo sermoneen. Sin embargo, su padre lo toma de la mano, lo lleva delante de los siervos y les dice que le pongan el anillo de la familia en el dedo. Y después culmina su bienvenida con un banquete extravagante para el hijo pródigo.

El hambre, el hambre de comida física, de encajar y ser aceptado, de lucir bien, de criar a hijas que se gusten y vivan con confianza, de caminar con nuestras hijas a través de las montañas y barrancos de los trastornos alimenticios y las luchas con la imagen corporal, el hambre puede guiarnos a casa. Y cuando llegamos y estamos ante nuestro Padre, ¿qué experimentamos de su crianza con nosotras? Tu respuesta sincera a esa pregunta determinará el curso de tu propia crianza.

Experimenta a Dios

El apóstol Juan escribió: «Y nosotros hemos llegado a saber y creer que Dios nos ama» (1 Juan 4:16). Leemos la palabra *saber* y a menudo la atribuimos a nuestra comprensión intelectual del amor de Dios. En la Biblia, sin embargo, el conocimiento al que se hace referencia se *siente*; viene de una *experiencia* de Dios[1]. En su convincente libro *Ruthless Trust*, Brennan Manning cita al teólogo holandés Edward Schillebeecks: «El cristianismo no es un mensaje que se debe creer, sino una experiencia de fe que se transforma en un mensaje»[2].

Tu propia experiencia de Dios y su amor es crucial porque solo podrás trasladar una *experiencia* de vida real a tu hija en tu crianza, invitándola de este modo hacia Dios. Este es el maravilloso círculo de dar y recibir amor extravagante: el hambre de nuestra hija la acerca a nosotras; nuestra hambre de alimentar a nuestra hija con cosas buenas nos acerca a Dios; su hambre de amarnos y alimentarnos nos permite regresar llenas a nuestras hijas; y mientras la alimentamos, ella experimenta a Dios, lo cual le da más hambre de Él.

En medio de la crianza de una hija, a través de sus luchas con la alimentación y la imagen corporal, hay muchísimas oportunidades para experimentar a Dios. Solo para que comiences a buscarlo y a experimentarlo en los momentos cotidianos de tu vida, examinemos tres cosas que Él anhela que experimentemos mientras caminamos a su lado. Tu reconocimiento y experiencia de su gracia acogedora, su misericordia deliberada y su amor desmesurado te permitirán ofrecerle las tres cosas a tu hija en los días que vienen.

Una gracia acogedora

Imagino al hijo de Lucas 15 haciendo el largo viaje a casa, ensayando una y otra vez el discurso que le dirá a su padre. Sus primeras palabras para el padre parecen un poco preparadas: «Papá, he pecado contra el cielo y contra ti. Ya no merezco que se me llame tu hijo» (versículo 21).

La siguiente frase de la historia es fundamental: «[El padre] lo interrumpió» (versículo 22, *LBD*).

En la fracción de segundo de silencio, el hijo quizá pensara que era demasiado tarde, que todo estaba perdido, que era imposible que volviera a casa. ¡Se moriría de hambre! Y luego, el padre sorprende a su hijo desesperado y a todos los demás con sus instrucciones de honrar a su hijo y proceder con una fastuosa celebración.

¿Cuándo has recibido semejante bienvenida? Cuando te equivocas y te sientes avergonzada y hambrienta de afirmación, ¿crees en verdad que Dios espera, lleno de esperanza, que te acerques a Él? ¿Experimentas su abrazo acogedor y le escuchas decir: «[Vamos] a hacer fiesta» (Lucas 15:24)? Cuando conozcas su gracia acogedora, podrás recibir a tu hija con gracia.

La madre de una de mis clientas me enseñó mucho acerca de la crianza, así como de la gracia acogedora. Mary me llamó a las ocho y media un jueves por la noche. Su hija, Katie, había ingerido una botella entera de analgésicos y estaba en el hospital. Mary se preguntaba si podría encontrarme con ella en la sala de espera de urgencia. Lo hice.

Katie tenía dieciséis años y me había estado viendo a fin de encontrar ayuda para su lucha con la bulimia. Había tomado los analgésicos luego de una pelea con su novio. Oré con Mary y esperamos escuchar las noticias acerca de Katie. Luego de una hora, el médico nos dijo que estaría bien. Le hicieron un lavado de estómago y estaba fuera de peligro de la sobredosis. Sin embargo, descubrieron que sus niveles de potasio estaban peligrosamente bajos (un resultado de la bulimia) y necesitaba que se le administrara potasio por vía intravenosa.

Fuimos a ver a Katie durante unos minutos. Se deshizo en disculpas. «Sé que esta vez lo arruiné todo. Lo lamento muchísimo. No lo pensé. No lo volveré a hacer nunca». Su mamá la besó con dulzura y le dijo: «Solo recupera tu fuerza».

Katie estaba tan afligida que dejó su bolso y su abrigo en el baño de la escuela después de tomar las pastillas. Me ofrecí a ir a buscar sus cosas para que Mary pudiera quedarse con su hija. A la mañana siguiente, fui a la escuela y busqué el bolso y el abrigo por todos lados, sin suerte. Llamé a Mary para contarle la noticia y me enteré de que a Katie le darían el alta del hospital esa tarde a las cinco.

Me encontré con Mary en el vestíbulo del hospital a las cinco. Acababa de abandonar la habitación de Katie y dijo que una enfermera la traería en una silla de ruedas para darle el alta. Cuando Katie nos vio, miró hacia abajo de inmediato, con vergüenza. Ni ella ni yo vimos que su mamá sacaba una bolsa de atrás de uno de los sofás del vestíbulo. Cuando Katie se paró para caminar, su mamá sacó un hermoso abrigo nuevo de la bolsa y envolvió a Katie con él. Luego, sacó un bolso nuevo y dijo: «Intenté llenarlo con todas las cosas que sé que te gustan y que pensé que necesitarías».

Hoy, Katie está en el tercer año de la universidad y le va bien. Se ha esforzado para superar la bulimia y su compañera, la depresión, pero sé que te diría que todo fue posible gracias a ese momento en el hospital, cuando recibió una bienvenida de regreso a la vida de parte de su madre con tanta gracia.

Una misericordia deliberada

Hace poco, pasé un fin de semana con un grupo de familiares y amigos. Me sobresaltó la apariencia de la hija adolescente de una de mis amigas. Había bajado mucho de peso. Al observarla durante el fin de semana, me preocupé más acerca de sus conductas alimenticias. Me acerqué a su madre con algo de temor (vacilo antes de hacer comentarios acerca de los hijos de otras personas, ya que tengo las manos llenas con los míos), pero no podía pasar por alto mi inquietud. Le pregunté a mi amiga si había estado observando la pérdida de peso de su hija y sus elecciones alimenticias y respondió: «Sé que algo sucede, pero no puedo lidiar con eso en este momento. Ni siquiera quiero saber si está haciendo algo».

Sabía que mi amiga se encontraba en medio de un momento difícil de su vida y se sentía abrumada con sus propias luchas. Prometí que oraría por ella y me ofrecí a ayudarla a encontrar información que la hiciera sentir más segura para tratar con su hija. Comprendía su temor y recordé lo que hace desaparecer nuestro temor. Cuando experimentamos la profundidad de la misericordia de Dios en medio de nuestras propias vidas complicadas, podemos trasladarla a nuestras relaciones humanas.

En su magistral libro acerca del relato del hijo pródigo en Lucas 15, Henri Nouwen describe la representación de Rembrandt de la condición del hijo cuando regresó a casa:

> Rembrandt no deja duda acerca de su condición. Tiene la cabeza afeitada. Ya no tiene el cabello largo y encrespado que pintó Rembrandt en el hijo pródigo orgulloso y desafiante en el burdel [...] La ropa que le da Rembrandt es la interior, que apenas cubre su cuerpo consumido [...] La prenda interior amarillenta y rota apenas cubre su cuerpo exhausto y agotado, del cual se fue toda su fuerza. Las plantas de sus pies cuentan la historia de un largo y humillante viaje. Su pie izquierdo, que se sale de la sandalia gastada, está lastimado. El pie derecho, cubierto solo en parte por una sandalia rota, también habla del sufrimiento y la miseria[3].

La condición del hijo solo reafirmó su creencia de que el único lugar para las personas como él en el hogar de su padre sería el de sirviente. Ser visto en su miseria y vergüenza y al mismo tiempo recibido como un hijo celebrado es el final sorprendente de la historia que nadie espera, en especial el hijo pródigo.

De manera similar, a menudo no creemos que Dios pueda saber y manejar todo lo que sucede en nuestros corazones. ¿Es capaz de comprender nuestra hambre, nuestros anhelos, nuestra confusión e incluso nuestras dudas? ¿Puede mirar nuestros errores, pecados e insensatez de frente y no darnos la espalda con consternación o indignación? Cuando llegamos a la conclusión de que no puede hacerlo, escondemos la parte de nosotras que más necesita su toque misericordioso. A fin de criar con misericordia, debemos creer que Dios puede conocernos *y* amarnos tal cual somos.

Mientras leías este libro, tal vez te enfrentaras a algunas de las realidades de tu propio corazón. Tal vez vieras tu propia obsesión con verte bien. Quizá recordaras los días de tus luchas con un trastorno alimenticio y escalofríos cuando pensabas que alguien podía verte encorvada sobre el inodoro obligándote a vomitar. O quizá vieras con claridad que tu hija está al borde de un trastorno alimenticio. ¿Has experimentado la misericordia deliberada de Dios al mirar estas cosas *con Él*?

Una de mis clientas me llamó esta semana para contarme una historia que ilustra el poder de la misericordia deliberada. Había atravesado un divorcio complicado y un año de intentar reponerse y sobrevivir a la transición. Había observado a su hija de trece años aumentar casi doce kilos, mientras que intentaba alejar la idea de que su hija estuviera comiendo en forma compulsiva para adormecer el dolor y el enojo por el divorcio. Mi clienta me dijo: «Lo sabía, pero no quería saberlo, así que actuaba como si no lo supiera».

Su corazón de madre la superó una mañana mientras observaba a su hija mirarse al espejo. Su hija hizo una mueca mientras tiraba de su ajustada blusa. Esta mamá valiente se acercó a su hija, la rodeó con sus brazos y susurró: «Lo sé». Luego de unos momentos, continuó: «Sé que has estado comiendo para intentar aliviar tu dolor y enojo con tu papá y conmigo por nuestro matrimonio y divorcio desastrosos. Sé que debe alarmarte la cantidad de peso que has aumentado. Sé que no te sientes bien contigo misma. Sé que necesitas que te ayude. Y sé que en este momento no hay nada más importante que encontrar todas las maneras en que podamos ayudarte con el dolor y el enojo, de modo que puedas volver a sentirte bien contigo misma».

Su hija solo murmuró: «Bueno». Sin embargo, a su madre no la desanimó su respuesta fría. Tomó una rápida decisión al escuchar su corazón y descubrir que el amor por su hija sobrepasaba en gran manera su propio temor, dolor y enojo por su matrimonio fracasado. Le dijo a su hija que ese día no irían a trabajar ni a la escuela, sino que irían en una misión para reformar sus hábitos alimenticios y de ejercicio. En su misión, descubrieron un club de salud solo para mujeres, llamado Curvas, y se anotaron para comenzar a realizar juntas un programa de ejercicio. Fueron a una librería grande y eligieron algunos libros acerca de una alimentación saludable, incluyendo un libro de cocina. Terminaron su día en el centro comercial para realizarse un cambio de apariencia gratis en el mostrador de maquillaje de una tienda por departamentos.

Antes de irse a la cama esa noche, esta mamá le dijo a la vez a su hija: «Sé que tienes muchas preguntas y sentimientos en tu interior, de los cuales vale la pena hablar. Hagamos una cita para todos los sábados a fin de ir a caminar o a comer tacos a la medianoche mientras hablamos». Una vez más, su hija respondió: «Bueno». Cuando hemos enterrado nuestros sentimientos, tal vez nos lleve tiempo excavar y traerlos a la luz. Esta mamá valiente besó a su hija y dijo: «Sé que no he estado cuando me necesitaste y lo lamento, pero desde ahora, lo estaré». Su hija respondió: «Lo sé».

Un amor desmesurado

El escritor y teólogo Benard Lonergan escribe: «Cada experiencia espiritual auténtica es una experiencia de estar enamorado de manera ilimitada e incondicional»[4]. Por cierto, el hermano mayor del hijo caprichoso, y quizá la comunidad en general, pensó que el padre se había vuelto pródigo en su amor generoso por su hijo rebelde. ¿Cuándo has experimentado un amor tan desmesurado?

Busca una foto de tu hija ahora mismo. Mira bien lo que Dios te ha confiado. El regalo de tu hija no dependió de tus habilidades para la crianza, ni de tu trasfondo, ni de tu éxito en la vida. Con amor ilimitado e incondicional, Dios te dio a tu hija y te transformó en madre. Si duda, tú, al igual que yo, puedes enumerar todos tus defectos y fracasos en la crianza. Sin embargo, estoy llegando a creer que el verdadero pecado es perderme el amor de Dios por mí. Sin experimentar ese amor, pierdo el contacto conmigo misma y busco con desesperación en todos los lugares equivocados lo que solo se puede encontrar en casa con mi Padre. La historia del hijo pródigo revela un amor desmesurado que siempre recibe con gracia y celebra con misericordia. Y sin experimentar ese amor, no puedo amar a mi hija en forma desmesurada. ¡Y cuánto anhelo amarla de esa manera!

Cuando hace poco me reuní con un grupo de madres y sus hijas adolescentes, les pedí a las chicas que hablaran de cómo habían experimentado el amor desmesurado de sus madres. Las muchachas hablaron acerca de galletas horneadas a la medianoche para una venta en la escuela al día siguiente, de consuelo para un corazón roto cuando un romance en el instituto se echó a perder y del perdón ofrecido luego de una elección insensata o de un gran error. No obstante, la historia que más me gustó fue la de las coles de Bruselas.

Jenna contó acerca de la visita a la casa de su tía Delia para la cena de Pascuas, cuando tenía nueve años. La comida era el acontecimiento principal para la tía Delia, y lo tomaba en forma muy personal cuando los demás disfrutaban (o no disfrutaban) su comida. Cuando Jenna vio coles de Bruselas en la mesa para la comida de Pascuas, miró a su madre con pánico. Su mamá la miró con empatía y rapidez, acomodó los asientos para que Jenna pudiera sentarse a su lado.

Jenna explicó que ya había probado las coles de Bruselas antes, pero que no podía comerlas sin sentir náuseas. Con solo verlas, casi se descomponía. Cuando la comida comenzó a circular por la mesa, Jenna se sirvió con diligencia una col de Bruselas en el plato. La tía Delia la reprendió: «Toma más que eso, cariño. Son muy buenas para ti». Jenna dijo que casi llora al colocar una cucharada de esas cosas espantosas en su plato.

Tanto Jenna como su mamá se rieron mientras contaron el resto de la historia. A lo largo de la comida, cada vez que la tía Delia le prestaba atención a otra cosa, la mamá de Jenna pasaba a escondidas una col de Bruselas del plato de Jenna y lo dejaba caer en su propia boca. Las risitas se transformaron en carcajadas al contar cómo terminó la velada. Al irse, la tía Delia dijo: «Tienen que volver pronto. Voy a hacer coles de Bruselas otra vez, ¡ya que a Jenna le gustaron tanto!».

Las coles de Bruselas, una mamá comprensiva y una hija encantadoramente agradecida... ¡no se me ocurre una combinación más exacta para ilustrar el amor desmesurado! Las luchas que tal vez nuestras hijas enfrenten con respecto a la imagen corporal y la alimentación son invitaciones increíbles para que experimentemos la gracia, la misericordia y el amor de Dios para disfrutar experiencias con nuestras hijas que fortalezcan nuestra relación para toda la vida.

De común acuerdo

La crianza de común acuerdo comienza con una comprensión de que todos nacemos con hambre. Es lamentable, pero vivimos en una cultura que «nos insta a comer, comprar, adquirir; ya que es seguro que en los bienes materiales que nos rodean, en la posesión y las pertenencias, en los premios y las calificaciones, en los logros y los amantes, en las rosquillas y el helado, [en la delgadez y el lucir bien], encontremos lo que buscamos, el deseo de nuestro corazón»[5]. La crianza de común acuerdo trasciende la cultura al crear una relación con nuestras hijas que se alimenta gracias a nuestra hambre santa de una relación con Dios. El maravilloso proceso de dar y recibir en estas relaciones vitales nos nutre con perdón, apoyo, gracia, dirección, misericordia y un compromiso inquebrantable que satisface el deseo más profundo de nuestro corazón: el del amor perfecto. «A Dios nadie le ha visto jamás. Si nos amamos unos a otros, Dios permanece en nosotros y su amor se perfecciona en nosotros» (1 Juan 4:12, *LBLA*).

Anoche, mi hija escuchó parte de una conversación telefónica con una amiga. Me escuchó gemir: «Tengo que hablar en un retiro de señoras en tres semanas, y en verdad quería bajar algunos kilos».

Cuando colgué el teléfono, Kristin me estaba esperando. Dijo: «Mamá, durante todo el año me has alentado a sentirme bien conmigo misma y a dejar de obsesionarme por sentirme gorda. Quería devolverte algo, así que te escribí un poema para el Día de las Madres, pero parece que lo necesitas ahora. Lamento que no esté enmarcado ni envuelto».

Me entregó un poema, escrito a mano y titulado «Mamá». Todas las *i* tienen corazones en lugar de puntos, y el poema está firmado con un *Kristin Hersh*, lleno de adornos. Sus palabras me recuerdan el regalo insólito que Dios me ha dado con mi preciosa hija, y de las increíbles recompensas de la maternidad... no porque haga todo a la perfección, sino porque al amar, ¡descubro el amor!

Mamá

Eres mi heroína, mi amor, mi amiga.
Me levantas cuando estoy deprimida,
y me ayudas a pararme cuando caigo.
Me muestras un amor incondicional,

y me enseñas una amabilidad constante.
Me muestras la confianza,
mientras me sigues protegiendo.
Me alientas, me inspiras,
y me motivas.
Me muestras cómo es ser auténtica.
¡Te amo!
¡Amo todo de ti!
¡Para siempre!

UN MENSAJE PARA LAS HIJAS

Cuando era pequeña, quería que me quedara bien la ropa de mi mamá. Entraba a hurtadillas a su habitación, me ponía uno de sus vestidos más hermosos e imaginaba que en realidad me quedaría bien algún día. Cuando llegó el día en que casi me servía uno, me asusté un poco.

En general, nos resulta difícil darnos cuenta o admitir lo importante que es la opinión de nuestra mamá. Tal vez intentemos negarlo, pero en lo profundo de nuestro ser anhelamos ser «igual a ellas» y agradarles. En especial, en lo que tiene que ver con la apariencia externa.

Solía ser flaca como un palo. Comía casi todo lo que quería, cada vez que quería. Esta era la razón de mi apodo de «mondadientes» en la escuela. Al crecer, mi cuerpo empezó a cambiar, pero mis hábitos alimenticios no. Tenía un amor eterno por el azúcar y eso era lo que más consumía. Entonces de repente, comer un pastelito relleno y un *frappuccino* [granizado de café con leche] en el desayuno me afectó de una manera en que nunca lo había hecho. Así que al principio de mi adolescencia fui un poco rellenita. Y mi mamá era la única persona de mi vida que decía: «Quizá deberías comer menos azúcar» o «¿Y si hicieras un poco más de ejercicio?». Nunca dijo que me viera mal, que necesitara hacer dieta, ni que estuviera gorda; solo me alentaba a ser más saludable. Se nos ocurrían cosas divertidas para hacer juntas, a fin de que nos sirviera para mantenernos en forma. Realizábamos largos paseos a pie, comprábamos mucha fruta y nos reíamos juntas cuando nos dábamos el gusto y comíamos helado. Poco a poco, comencé a darme cuenta de que necesitaba cambiar mis hábitos alimenticios, pero no sentía que algo anduviera mal conmigo.

Ya sea que tu mamá te inspeccione o elogie todos tus pasos, tu opinión acerca de ti misma se basa en gran medida en lo que supones que piensa de ti. Vivimos en una época en que las muchachas demasiado delgadas aparecen en las portadas de las revistas de todas partes. Alguien tiene que salir al ruedo para ser un ejemplo piadoso, para no temerle a proclamar la sabiduría y la rectitud. Las mamás pueden ayudar a poner en perspectiva lo que es importante en realidad y ampliar la pureza y la belleza interna como algo que se debe atesorar.

El aporte de tu mamá a tu vida puede ser algo en lo que confíes como un cimiento firme. También puede ser parte de un llamado a ser una mujer de Dios y conocer una seguridad que nunca has sentido antes, al verte a través de los ojos de Cristo. Porque «engañoso es el encanto y pasajera la belleza; la mujer que teme al Señor es digna de alabanza» (Proverbios 31:30). En esto debemos concentrarnos, pues es lo que importa al final. ¿Y quién mejor para dar el ejemplo que la persona que más admiramos? Todas necesitamos un poco de aliento de alguien que nos ame y que camine a nuestro lado siempre.

Las relaciones son difíciles, pero estarás agradecida por destacarte a través de los momentos difíciles con tu mamá. Dios ha diseñado una conexión divina entre madre e hija, una que no tiene un carácter externo, sino de corazón. Esa relación puede ayudarlas a las dos a comprender mejor lo que significa ser hermosa de verdad.

Natalie LaRue, cantante y música

RECURSOS

Los siguientes recursos quizá no reflejen todas tus creencias y valores. Los enumeré como recursos de información a fin de ayudarte a caminar de la mano con tu hija, pero deberías revisarlos y evaluarlos antes de decidir proporcionárselos a tu hija.

DESARROLLO FEMENINO

Bokram, Karen, Alexis Sinex y Debbie Palen. *The Girls' Life Guide to Growing Up*, Beyond Words Publishing, Hillsboro, OR, 2000.

Revista *Brio*. Disponible en Enfoque a la Familia, 1-800-A-FAMILY.

Harris, Robie H. *It's Perfectly Normal: A Book About Changing Bodies, Growing Up, Sex and Sexual Health*. Candlewick, Cambridge, MA, 1994.

Weston, Carol. *Girltalk: All the Stuff Your Sister Never Told You*. HarperPerennial, Nueva York, 1997.

CRIANZA

Boyd, Charles F. *Hijos diferentes, necesidades diferentes: Entienda la personalidad única de su hijo o hija*. Editorial Unilit, Miami, FL, 2003.

Cohen-Sandler, Roni y Michelle Silver. *«I'm Not Mad, I just Hate You!» A New Understanding of Mother-Daughter Conflict*. Viking, Nueva York, 1999.

Madison, Lynda. *Keep Talking: A Mother-Daughter Guide to the Preteen Years*. Andrews and McMeel, Kansas City, 1997.

Pipher, Mary. *Reviving Ophelia: Saving the Selves of Adolescent Girls*. Ballantine Books, Nueva York, 1994.

IMAGEN CORPORAL

Body Talk. Un vídeo de veintiocho minutos acerca de la aceptación del cuerpo. Ordene de *Body Positive*: 2417 Prospect St., #A, Berkeley, CA 94704; 510-841-9389.

Couchman, Judith. *The Woman Behind the Mirror: Finding Inward Satisfaction with Your Outward Appearance*. Broadman & Holman, Nashville, 1997.

Davis, Brangien. *What's Real, What's Ideal: Overcoming a Negative Body Image*. Rosen Publishing, Nueva York, 1999.

Griffin, Marius. *Building Blocks for Children's Body Image*. De la *Body Image Task Force*, P.O. Box 360196, Melbourne, FL 32936.

Hutchinson, Marcia Germaine. *Transforming Body Image: Learning to Love the Body You Have*. The Crossing Press, Nueva York, 1985.

Lee-Thorp, Karen y Cynthia Hicks. *Why Beauty Matters*. NavPress, Colorado Springs, CO, 1997.

Luce, Katie. *The Pursuit of Beauty*. New Leaf Press, Green Forest, AK, 1998.

Radcliffe, Rebecca Ruggles. *Body Prayers: Finding Body Peace*. Publicaciones EASE, Nueva York, 1999.

Walker, Pamela. *Everything You Need to Know About Body Dysmorphic Disorder: Dealing with a Distorted Body Image*. Rosen Publishing, Nueva York, 1999.

DIETAS Y ALIMENTACIÓN SALUDABLE

Allen, Francine. *Eating Well in a Busy World Cookbook*. Ten Speed Press, Berkeley, CA, 1986.

Dietz, William H., editor, y Loraine Stern. *American Academy of Pediatrics Guide to Your Child's Nutrition: Feeding Children of All Ages*. Villard, Nueva York, 1999.

Hirschmann, Jane R, y Lela Zaphiropoulous. *Preventing Childhood Eating Problems: A Practical Positive Approach to Raising Children Free of Food and Weight Conflict*. Gürze Books, Santa Bárbara, CA, 1993.

Kano, Susan. *Making Peace with Food: Freeing Yourself from the Diet/Weight Obsession*. Harper & Row, Nueva York, 1989.

Smith, Pamela M. *The Diet Trap: Your Seven-Week Plan to Lose Weight Without Losing Yourself*. LifeLine Press, Washington, D.C., 2000.

Smith, Pamela M. *Food for Life: Breaking Free from the Food Trap.* Creation House, Lake Mary, FL, 1994.

Tribole, Evelyn. *Eating on the Run Cookbook.* Human Kinetics Pub., Indianápolis, 1991.

Warshaw, Hope S. *The American Diabetes Association Guide to Healthy Restaurant Eating*, American Diabetes Assoc., Alexandria, VA, 1998.

Waterhouse, Debra. *Like Mother, Like Daughter: How Women Are Influenced by Their Mothers' Relationship with Food—and How to Break the Pattern.* Hyperion, Nueva York, 1997.

Waterhouse, Debra. *Outsmarting the Female Fat Cell: The First Weight-Control Program Designed Specifically for Women.* Hyperion, Nueva York, 1993.

DEPRESIÓN

Clarke, Julie M., y Anne Kirby-Payne. *Understanding Weight and Depression: A Teen Eating Disorder Prevention Book.* Rosen Publishing, Nueva York, 2000.

Dowling, Colette. *You Mean I Don't Have to Feel This Way? New Help for Depression, Anxiety, and Addiction.* Bantam Books, Nueva York, 1993.

Smith, Linda Wasmer. *Depression: What It Is, How to Beat It.* Enslow Publishers, Inc., Berkely Heights, NJ, 2000.

TRASTORNOS ALIMENTICIOS

Eating Disorders Awareness and Prevention, 603 Stewart Street, Suite 803, Seattle, WA 98101. 206-382-3587. http://www.edap.org

Kolodny, Nancy J. *When Food's a Foe: How you can Confront and Conquer Your Eating Disorders.* Little, Brown, Boston, 1987.

Mirror-mirror. Información acerca de trastornos alimenticios, http://www.mirror-mirror.org

Remuda Ranch, Centro para el tratamiento de anorexia y bulimia, P. O. Box 2481, Wickenburg, AZ 85358. 1-800-445-1900.

ANOREXIA

Bruch, Hilde. *The Golden Cage: The Enigma of Anorexia Nervosa.*
Vintage Books, Nueva York, 1979.

Gottlieb, Lori. *Stick Figure: A Diary of My Former Self.* Berkley
Books, Nueva York, 2001.

*National Association of Anorexia Nervosa and Associated Disorders,
Highland, Hospital,* Highland Park, IL 60035. 708-432-8000.

Ryan, Joan. *Little Girls in Pretty Boxes: The Making and Breaking of
Elite Gymnasts and Figure Skaters.* Warner Books, Nueva York,
1996. (Puede encontrarse información acerca de cómo obtener
la película para la televisión basada en el libro en
http://www.lifetimetv.com).

BULIMIA

Hall, Lindsey y Leigh Cohn. *Bulimia: A Guide to Recovery:
Understanding and Overcoming the Binge-Purge Syndrome.* Gürze
Books, Santa Bárbara, CA, 1986.

American Anorexia/Bulimia Association, 293 Central Park West,
Suite 1R, Nueva York, NY 10024.

Hornbacher, Marya. *Wasted: A Memoir of Anorexia and Bulimia.*
HarperCollins, Nueva York, 1998.

Las siguientes películas se siguen pasando por televisión con
regularidad. En www.eonline.com/facts/movies, puedes
averiguar cuándo aparecerán.

Dying to Be Perfect: The Ellen Hart Pena Story, ABC televisión,
1996.

For the Love of Nancy, Lifetime televisión, 1994. Información en
http://www.lifetimetv.com.

Kate's Secret, Lifetime televisión, 1986. Información en
http://www.lifetimetv.com.

SOBREALIMENTACIÓN COMPULSIVA

Amplestuff. Catálogo con tallas mayores. P.O. Box 116, Bearsville,
NY 12409; 914-679-3316; www.amplestuff.com.

National Center for Overcoming Overeating P.O. Box 1257, Old Chelsea Station, Nueva York, NY 10113-0920. 212-875-0442.

Pitman, Teresa y Dra. Miriam Kaufman, *The Overweight Child: Promoting Fitness and Self-Esteem*. Firefly Books, Toronto, Canadá, 2000.

Roth, Geneen. *Why Weight: A Guide to Ending Compulsive Eating*. New American Library, Nueva York, 1989.

CULTURA JUVENIL

Davis, Francis. *Living in the Image Culture: An Introductory Primer for Media Literacy Education*. Center for Media Literacy. 1-800-226-9494. http://www.medialit.org.

Boletín informativo del *Center for Parent Youth Understanding*, P.O. Box 414, Elizabethtown, PA 17022. 717-361-0031. www.cpyu.org

Mueller, Walt. *Understanding Today's Youth Culture*. Tyndale, Wheaton, IL, 1994.

Notas

Introducción: «Gorda» no es un sentimiento
1. Judy Ford y Amanda Ford, *Between Mother and Daughter*, Conari Press, Berkeley, CA, 1999, p. 4.
2. Lori Gottlieb, «I Had an Eating Disorder and Didn't Even Know It!», revista *CosmoGirl*, abril de 2001, p. 149.
3. Jean Seligmann, «The Littlest Dieters», *Newsweek*, 27 de julio de 1987, p. 48.

Primera parte: Comprende sus mundos
1. Gina Bria, *The Art of Family*, Dell, Nueva York, 1998, p. 10.

Capítulo 1: Ser mamá
1. Sandra Susan Friedman, *When Girls Feel Fat*, Firefly Books, Toronto, Canadá, 2000, p. 51.
2. Citado por Hugh Prather y Gayle Prather, *Spiritual Parenting*, Three Rivers Press, Nueva York, 1996, pp. 25-6.
3. Margo Maine, *Father Hunger: Fathers, Daughters and Food*, Gürze Books, Carlsbad, CA, 1991, p. 3.
4. Janet Fitch, *White Oleander*, Little, Brown, Boston, 1999, p. 403.
5. Janet L. Surrey, «The Self-in-Relation: A Theory of Women's Development», en la obra de Judith Jordon y otros, *Women's Growth in Connection: Writing from the Stone Center*, Guilford Press, Nueva York, 1991, pp. 51-64.
6. Adrienne Rich, *Of Woman Born: Motherhood As Experience and Institution*, Norton, Nueva York, 1976, p. 28.

Capítulo 2: Tu estilo de crianza
1. Rachel Billington, *The Great Umbilical: Mothers, Daughters, Mothers, the Unbreakable Bond*, Hutchinson, Londres, 1994, p. 6.

2. Dr. Foster Cline y Jim Fay, *Parenting Teens with Love and Logic*, Piñon Press, Colorado Springs, CO, 1992, pp. 34-5.

3. Citado por Sarah Ban Breathnach en *Something More*, Warner Books, Nueva York, 1998, p. 99.

4. Sara Shandler, *Ophelia Speaks: Adolescent Girls Write About Their Search for Self*, HarperCollins, Nueva York, 1999, p. 68.

5. Gina Bria, *The Art of Family*, Dell, Nueva York, 1998, pp. 15-6.

6. Bria, *The Art of Family*, p. 10.

7. Linda Weber, *Mom You're Incredible!*, Enfoque a la Familia, Colorado Springs, CO, 1994, p. 33.

CAPÍTULO 3: SER MUCHACHA

1. Citado por Rebecca Sinclair, «Surviving the Teenage Years», *Progressive Woman*, junio de 1992, p. 5.

2. Lisa Belkin, «Puberty Puzzle», *The Rocky Mountain News*, 4 de febrero de 2000, p. 14F.

3. Michael D. Lemonick, «Teens Before Their Time», *Time*, 30 de octubre de 2000, p. 66.

4. Lemonick, «Teens Before Their Time», p. 68.

5. Lemonick, «Teens Before Their Time», p. 68.

6. Annie G. Rogers, «Voice, Play, and a Practice of Ordinary Courage in Girls' and Women's Lives», *New Moon Parenting*, junio-julio de 1993, pp. 11-2.

7. Catherine Steiner Adair, directora de educación, prevención y promoción del Centro de Trastornos Alimenticios de Harvard, informado por Margery D. Rosen, «Is Your Child Headed for an Eating Disorder?», *Child*, agosto de 2000, p. 63.

8. Citado por Eugenia Allen, «What to Tell Your Daughter», *Time*, 30 de octubre de 2000, p. 70.

9. Citado por Walt Mueller, «Feeling Like the Elephant Man», youthculture@2000, el boletín del *Center for Parent-Youth Understanding*, verano de 2000, p. 13.

10. Mueller, «Feeling Like the Elephant Man».

11. Geneen Roth, *When You Eat at the Refrigerator, Pull Up a Chair*, Hyperion, Nueva York, 1998, p. 4.

12. Deborah Blum, *Sex on the Brain: The Biological Differences Between Men and Women*, Viking, Nueva York, 1997, pp. 53, 68.

13. Catherine Pines, según la cita de Janice Rosenberg, «True Friendships Rare Between Moms, Daughters», *Denver Post*, 2 de octubre de 2000, p. F3.

14. Citado por Rosen, «Is Your Child Headed for an Eating Disorder?», p. 65.

15. Annie Dillard, *An American Childhood*, Harper & Row, Nueva York, 1987, p. 11.

16. Emily Hancock, *The Girl Within*, Fawcett Columbine, Nueva York, 1989, p. 6.

17. Rosen, «Is Your Child Headed for an Eating Disorder?», p. 65.

18. Stacey Colino, «Fear of Fat», *YM*, octubre de 2000, p. 49.

19. Citado por Gail E. Hudson en «I Want Mommy!», *Child*, agosto de 2000, p. 66.

Capítulo 4: La cultura de tu hija

1. Quentin J. Schultze, *Dancing in the Dark*, Eerdmans, Grand Rapids, 1991, p. 87.

2. «A Body to Die For», *People*, 30 de octubre de 2000, p. 109.

3. Mary Pipher, Reviving Ophelia, Ballantine Books, Nueva York, 1994, p. 22.

4. Dean Borgman, *When Kumbaya Is Not Enough: A Practical Theology for Youth Ministry*, Hendrickson Publishers, Peabody, MA, 1997, p. 87.

5. Walt Mueller, «Feeling Like the Elephant Man», youthculture@2000, el boletín del *Center for Parent-Youth Understanding*, verano de 2000, p. 13.

6. Borgman, *When Kumbaya Is Not Enough*, p. 87.

7. Tom Piotrowski, «Mediaware: Read Your TV», youthculture@2000, el boletín del *Center for Parent-Youth Understanding*, verano de 2000, p. 13.

8. Borgman, *When Kumbaya Is Not Enough*, p. 75.
9. Ernest Kurtz y Katherine Ketcham, *The Spirituality of Imperfection*, Bantam Books, Nueva York, 1994, p. 9.
10. Shari Levine, «Real Girls, Real Strategies», revista *Mary-Kate and Ashley*, abril-mayo de 2001, p. 105.
11. Margie Boule, «Brave 16-year-old Reveals Skewed Thinking and Body Image of Anorexia», *The Oregonian*, agosto de 2000, p. C7.
12. Karen Lee Fontaine, «The Conspiracy of Culture: Women's Issues in Body Size», *Nursing Clinics of North America* 26, n.º 3, septiembre de 1991, p. 673.
13. Citado por John Charles Ryle, *Christian Leaders of the Eighteenth Century*, Banner of Truth Trust, Carlisle, PA, 1978, p. 297.
14. Borgman, *When Kumbaya Is Not Enough*, pp. 113-4.
15. Borgman, *When Kumbaya Is Not Enough*, pp. 118-9.
16. Citado por Douglas Foster, «If the Symptoms Are Rapid Increases in Teen Deaths from Murder, Suicide, and Car Crashes, Alcohol and Drugs... the Disease is Adolescence», *Rolling Stone*, 9 de diciembre de 1993, p. 55.

Segunda parte: Construye un puente entre sus mundos

1. Flavia Weedn y Lisa Weedn, *Across the Porch from God*, Cedco Publishing, San Rafael, CA, 1999, pp. 89, 91.

Capítulo 5: «Mamá, ¡no entiendes!»

1. Roni Cohen-Sandler y Michelle Silver, *«I'm Not Mad, I just Hate You!»*, Penguin Books, Nueva York, 1999, p. 21.
2. E.Z. Tronick y A. Gianinon, «Interactive Mismatch and Repair: Challenges to the Coping Infant», *Zero to Three: Bulletin for the National Center for Clinical Infant Programs*, febrero de 1986, pp. 1-6.
3. Judi Craig, *You're Grounded Till You're Thirty!*, Hearst Books, Nueva York, 1996, p. 22.
4. Cohen-Sandler y Silver, *«I'm Not Mad, I just Hate You!»*, p. 6.

5. Cohen-Sandler y Silver, «*I'm Not Mad, I just Hate You!*», p. 117.

6. Hilda Bruch, *Conversations with Anorexics*, Basic Books, Nueva York, 1988; Craig L. Johnson, *Psychodynamic Treatment of Anorexia Nervosa and Bulimia*, Guilford, Nueva York, 1991; y María Selvini-Palazzoli, *Self-Starvation*, Jason Aronson, Nueva York, 1978.

7. Dra. Kathryn Zerbe, *The Body Betrayed*, Gürze, Carlsbad, CA, 1995, p. 52.

8. Joyce L. Vedral, *My Teenager Is Driving Me Crazy!*, Ballantine Books, Nueva York, 1997, p. 89.

9. Harriet Lerner, *The Dance of Anger*, HarperCollins, Nueva York, 1997, p. 8.

10. Hugh Prather, *The Little Books of Letting Go*, Conari Press, Berkeley, CA, 2000, p. 17.

CAPÍTULO 6: «MAMÁ, ¡DETESTO MIS MUSLOS!»

1. Marcia Germaine Hutchinson, *Love the Body You Have*, The Crossing Press, Freedom, CA, 1985, p. 16.

2. Paul Schilder, *Imagen y apariencia del cuerpo humano: Estudios sobre las energías constructivas de la psique*, Ediciones Paidós Ibérica, Barcelona, España, 1983, p. 201 (del original en inglés).

3. Debra Waterhouse, *Like Mother, Like Daughter*, Hyperion, Nueva York, 1997, p. 109.

4. A.M. Gustafson-Larson y otros, «Weight-Related Behaviors and Concerns of Fourth-grade Children», *Journal of the American Dietetic Association* 92, 1992, p. 818.

5. Citado por Margery D. Rosen en «Is Your Child Headed for an Eating Disorder?», *Child*, agosto de 2000, p. 62.

6. Lynn Jaffee y Rebecca Manzer, «Girls' Perspectives, Physical Activity and Self Esteem», *Melpomene Journal* 11, n.º 3, 1992, p. 19.

7. Harriet Lerner, *The Mother Dance: How Children Change Your Life*, HarperCollins, Nueva York, 1999, p. 177.

8. Schilder, *Imagen y apariencia del cuerpo humano*, p. 210 (del original en inglés).

9. Deborah Blum, *Sex on the Brain: The Biological Differences Between Men and Women*, Viking, Nueva York, 1997, p. 43.

10. Dra. Kathryn J. Zerbe, *The Body Betrayed*, Gürze Books, Carlsbad, CA, 1993, p. 155.

11. Zerbe, *The Body Betrayed*, p. 46.

12. Zerbe, *The Body Betrayed*, p. 168.

13. Jeanne Elium y Don Elium, *Raising a Daughter*, Celestial Arts, Berkeley, CA, 1994, p. 159.

14. Elium y Elium, *Raising a Daughter*, pp. 160-1.

15. Mary Pipher, *Reviving Ophelia*, Ballantine Books, Nueva York, 1994, p. 57.

16. Bárbara Moe, *Coping with Eating Disorders*, Rosen Publishing, Nueva York, 1991, p. 31.

17. Naomi Wolf, *The Beauty Myth*, Morrow, Nueva York, 1991, pp. 11, 185.

CAPÍTULO 7: «MAMÁ, ¡NO PUEDO COMER *ESO*!»

1. Mary Pipher, *Hunger Pains*, Adams Publishing, Holbrook, MA, 1995, p. 20.

2. Margaret Bullitt-Jones, *Holy Hunger*, Alfred A. Knopf, Nueva York, 1999, pp. 11, 25.

3. Peggy Claude-Pierre, *The Secret Language of Eating Disorders*, Random House, Nueva York, 1997, pp. 4-5.

4. Margery D. Rosen, «Is Your Child Headed for an Eating Disorder?», revista *Child*, agosto de 2000, p. 65.

5. Rosen, «Is Your Child Headed for an Eating Disorder?», p. 63. La Dra. Susan Sherkow es una psiquiatra de Nueva York que dirige una guardería terapéutica y preventiva para madres e hijas con trastornos alimenticios.

6. «What's Your Food Attitude?», *YM*, octubre de 2000, p. 39.

7. Geneen Roth, *When You Eat at the Refrigerator, Pull Up a Chair*, Hyperion, Nueva York, 1998, p. 21.

8. Geneen Roth, *When Food Is Love: Exploring the Relationship Between Eating and Intimacy*, Plume, Nueva York, 1993, p. 103.

9. Dra. Kathryn J. Zerbe, *The Body Betrayed*, Gürze Books, Carlsbad, CA, 1993, p. 72.

CAPÍTULO 8: «MAMÁ, ¿POR QUÉ NO PUEDO USAR LOS BATIDOS DE DIETA?»

1. Debra Waterhouse, *Like Mother, Like Daughter*, Hyperion, Nueva York, 1997, p. 15.

2. Nancy J. Kolodny, *When Food's a Foe*, Little, Brown, Boston, 1987, p. 18

3. Gesele Lajoie, Alyson McLellan y Cindi Seddon, *Take Action Against Bullying*, Bully B'Ware Productions, Coquitlam, Columbia Británica, Canadá, 1997, videocinta.

4. Marcia Germaine Hutchinson, *Love the Body You Have*, The Crossing Press, Freedom, CA, 1985, p. 16.

5. Waterhouse, *Like Mother, Like Daughter*, pp. 43-4.

6. E. Koff y otros, «Perceptions of Weight and Attitudes Toward Eating in Early Adolescent Girls», *Journal of Adolescent Health* 12, 1991, p. 307.

7. Waterhouse, *Like Mother, Like Daughter*, p. 58.

8. Mary Pipher, *Hunger Pains*, Adams Publishing, Holbrook, MA, 1995, p. 12.

9. Geneen Roth, *When You Eat at the Refrigerator, Pull Up a Chair*, Hyperion, Nueva York, 1998, p. 99.

10. Roth, *When You Eat at the Refrigerator*, p. 162.

11. Lauren Neergaard, «Figuring Out Ephedra: Since Recent Deaths, the FDA Is Studying Dangers of Ephedra», *Associated Press*, 17 de abril de 2000, y Jeff Gerth y Sheryl Gay Stolberg, «Another Part of the Battle», *New York Times*, 13 de diciembre de 2000.

12. Roth, *When You Eat at the Refrigerator*, p. 167.

13. Frederick Buechner, *Telling the Truth*, HarperCollins, Nueva York, 1966, p. 59.

14. Hugh Prather y Gayle Prather, *Spiritual Parenting*, Three Rivers Press, Nueva York, 1996, p. 280.
15. Brennan Manning, *Abba's Child*, NavPress, Colorado Springs, CO, 1994, p. 133.

TERCERA PARTE: Conquista los obstáculos para la relación
1. Judy Ford y Amanda Ford, *Between Mother and Daughter*, Conari Press, Berkeley, CA, 1999, p. 55.

CAPÍTULO 9: ANOREXIA
1. Mary Pipher, *Hunger Pains*, Adams Publishing, Holbrook, MA, 1995, p. 72.
2. Peggy Claude-Pierre, *The Secret Language of Eating Disorders*, Random House, Nueva York, 1997, p. 185.
3. Nancy J. Kolodny, *When Food Is Foe*, edición revisada, Little, Brown, Boston, 1998, p. 40.
4. Philip Mehler, «Eating Disorders: 2», *Hospital Practice*, 15 de febrero de 1996, p. 109.
5. R.R. Radcliffe, «What a New Study Reveals About Eating Disorders», revista *Shape*, octubre de 1987, p. 78.
6. Hilde Bruch, *The Golden Cage*, Vintage, Nueva York, 1979, p. 76.
7. Dra. Kathryn J. Zerbe, *The Body Betrayed*, Gürze Books, Carlsbad, CA, 1990, pp. 324-5.
8. Pipher, *Hunger Pains*, p. 77.

CAPÍTULO 10: BULIMIA
1. Mary Pipher, *Hunger Pains*, Adams Publishing, Holbrook, MA, 1995, p. 53.
2. Margaret Bullitt-Jones, *Holy Hunger*, Knopf, Nueva York, 1999, pp. 24-5.
3. Nancy J. Kolodny, *When Food's a Foe*, Little, Brown, Nueva York, 1998, p. 59.
4. Bullitt-Jones, *Holy Hunger*, p. 65.
5. Pipher, *Hunger Pains*, p. 55.

6. Margery Rosen, «Is Your Child Headed for an Eating Disorder?», *Child*, agosto de 2000, pp. 61-2.
7. Debra Waterhouse, *Like Mother, Like Daughter*, Hyperion, Nueva York, 1997, pp. 32-4.
8. T.E. Weltzin y otros, «Acute Tryptophan Depletion and Increased Food Intake and Irritability in Bulimia Nervosa», *American Journal of Psychiatry* 152, 1995, pp. 1668-71.
9. Dr. William H. Dietz, editor, y Loraine Stern (American Academy of Pediatrics), *The Official, Complete Home Reference Guide to Your Child's Nutrition*, Villard, Nueva York, 1999, p. 55.
10. Bullitt-Jones, *Holy Hunger*, p. 53.
11. Bullitt-Jones, *Holy Hunger*, p. 20.
12. Dra. Kathryn J. Zerbe, *The Body Betrayed*, Gürze Books, Carlsbad, CA, 1993, p. 64.
13. Craig L. Johnson, editor, *Psychodynamic Treatment of Anorexia Nervosa and Bulimia*, Guilford, Nueva York, 1991, p. 171.

Capítulo 11: La sobrealimentación compulsiva

1. Tammy Lynn Michaels, «A Weighty Issue», *Teen Vogue*, primavera de 2001, p. 120.
2. Dr. Charles M. Ginsburg, «Weight Control», *Pediatric Primer*, marzo de 2001, pp. 1-2
3. Debra Waterhouse, *Like Mother, Like Daughter*, Hyperion, Nueva York, 1997, p. 40.
4. *Helping Your Overweight Child, Weight-Control Information Network*, Bethesda, MD, 2000, p. 1.
5. Mary Pipher, *Hunger Pains*, Adams Publishing, Holbrook, MA, 1995, p. 92.
6. «Getting Children off the Couch and onto the Field», *American Psychological Association*, 1996. http://helping.apa.org/family/kidsport.html.
7. Zondra Hughes, «What to Do If Your Child Is Too Fat», *Ebony*, julio de 2000, p. 1.
8. Hughes, «What to Do If Your Child Is Too Fat».

9. Waterhouse, *Like Mother, Like Daughter*, p. 27.

10. Waterhouse, *Like Mother, Like Daughter*, p. 26.

11. Michaels, «A Weighty Issue», p. 120.

12. J. Martin, «Fitness Fun for the Whole Family», *American Health*, julio-agosto de 1995, p. 70.

13. Dr. William H. Dietz, *Guide to Your Child's Nutrition*, Villard, Nueva York, 1999, p. 127.

14. «More on the Pitfalls of Television Watching», Tufts University Diet and Nutrition Letter, vol. 10, 1992, p. 6.

15. «Getting Children off the Couch and onto the Field», *American Psychological Association*, 1996. http://helping.apa.org/family/kidsport.html.

16. Pipher, *Hunger Pains*, p. 95.

17. G.A. Rose y R.T. Williams, «Metabolic Studies and Large and Small Eaters», *British Journal of Nutrition* 15, 1961, p. 1.

18. Waterhouse, *Like Mother, Like Daughter*, p. 15.

19. D.C. Moore, «Body Image and Eating Behavior in Adolescent Girls», *American Journal of Diseases of Children* 142, 1988, p. 1114.

20. Kathryn J. Zerbe, *The Body Betrayed*, Gürze Books, Carlsbad, CA, 1993, p. 312.

CONCLUSIÓN: HAMBRE SANTA

1. John L. McKenzie, *Dictionary of the Bible*, Macmillan, Nueva York, 1965, p. 269.

2. Brennan Manning, *Ruthless Trust*, HarperCollins, San Francisco, 2000, p. 88.

3. Henri J. Nouwen, *The Return of the Prodigal*, Doubleday, Nueva York, 1994, p. 46.

4. Bernard Lonergan, *Insight*, Dartman, Longman y Todd, Londres, 1957, p. 38.

5. Margaret Bullitt-Jones, *Holy Hunger*, Knopf, Nueva York, 1998, p. 243.

ACERCA DE LA AUTORA

Sharon A. Hersh es una consejera profesional licenciada que prepara a las madres y las hijas para usar los desafíos en sus relaciones a fin de fortalecer sus lazos. Es la autora de *Bravehearts: Unlocking the Courage to Love with Abandon* y directora de *Women's Recovery and Renewal*, un ministerio de consejería, retiro y servicios de apoyo para las mujeres. Ella y su esposo, Dave, son oradores de *FamilyLife*, un ministerio de alcance mundial para Cruzada Estudiantil y Profesional para Cristo. Viven en Lone Tree, Colorado, con sus dos hijos, Kristin y Graham.